인생이 즐거워지고 비즈니스가
SNS소통연구소 교육 소개

▶ SNS소통연구소는 2010년 3월부터 뉴미디어 마케팅 교육(스마트폰, SNS 마케팅, 유튜브 크리에이터, 프리젠테이션, 컴퓨터 활용 등)을 진행해오고 있으며 3,900여 명의 스마트폰 활용지도사를 양성해오고 있으며 전국 79개의 지부 및 지국을 운영해오고 있습니다.

▶ **교육 문의** : 02-747-3265 / 010-9967-6654
▶ **이메일** : snsforyou@gmail.com

- 현재 전국에 수백 명의 스마트폰 활용지도사 자격증을 취득한 뉴미디어 마케팅 전문 강사들이 강사로 활동 중에 있습니다.

▶ 스마트폰 활용지도사 2급 및 1급 자격증
- 스마트폰 기본 활용부터 스마트폰 UCC, 스마트폰 카메라, 스마트워크, 스마트폰 마케팅 교육 등 스마트폰 전문강사를 양성하고 있습니다.

▶ 유튜브 크리에이터 전문지도사 2급 및 1급 자격증
- 유튜브 기본 활용부터 실전 유튜브 마케팅까지 실질적으로 도움이 되고 돈이 되는 교육을 실시하고 있습니다.

▶ SNS마케팅 전문지도사 2급 및 1급 자격증
- 다양한 SNS채널을 활용해서 고객을 유혹하고 매출을 증대시킬 수 있는 실전 노하우와 SNS마케팅 효과를 극대화하기 위한 광고 전략 교육을 하고 있습니다.

▶ 프리젠테이션 전문지도사 2급 및 1급 자격증
- 기업체에서 발표자료를 만들거나 제안서를 만들 때 꼭 알고 활용해야 할 프리젠테이션 제작 노하우를 중점적으로 교육하고 있습니다.

▶ 스마트워크 전문지도사 2급 및 1급 자격증
- 스마트폰 및 SNS를 활용해서 실전에 꼭 필요한 기능과 업무효율을 높일 수 있는 노하우에 대해서 교육을 진행하고 있습니다.

▶ 디지털문해교육 전문지도사 2급 및 1급 자격증
- 디지털문해교육 전문지도사가 초등학교부터 대기업 임원을 포함한 퇴직 예정자들까지 디지털 기술 활용에 대한 교육을 진행할 수 있도록 교육을 진행하고자 합니다.

책을 내면서...

대한민국 국민 5,162만명!
이동전화 가입자 수 7,600만대!

이번에 출간하는 책은 14년 동안 뉴미디어 마케팅 교육(스마트폰, SNS마케팅 등)을 해오고 있는 SNS소통연구소에서 시니어 실버분들의 즐거운 인생을 위해 시니어 실버가 보기 편하게 제작한 책입니다.

책 크기도 A4 크기이고 글자 크기도 14포인트로 제작해 시니어 실버분들이 책을 보는 데 있어 매우 편하게 되어 있습니다.

SNS소통연구소는 14년 동안 시니어 실버들에게 스마트폰 활용 교육을 하면서 꼭 필요한 스마트폰 활용 기능이 무엇인지 누구보다도 잘 알고 있습니다.

따라서 SNS소통연구소에서 발행한 이 책은 스마트폰 활용을 잘 못하시는 시니어 실버 분들에게 훌륭한 스마트폰 기본 활용의 지침서가 될 것입니다.

또한, 전국에서 스마트폰 활용 교육을 하고 계시는 스마트폰 강사님들도 이 책을 스마트폰 기본 교육 시 교재로 사용하시면 강사님과 수강생 분들에게 많은 도움이 되실 거라 자부합니다.

추후 시니어 실버들을 위한 스마트폰 활용 중급편, 고급편 뿐만 아니라 스마트폰 교육 관련 다양한 분야도 준비 중에 있습니다. (예를 들어 스마트폰 카메라, 스마트폰 UCC, 유튜브 크리에이터, 블로그 등)

SNS소통연구소는 2010년도부터 스마트폰 활용 교육을 전문적으로 해오고 있습니다.

스마트폰 교육 전문가를 양성하기 위해서 국내 최초로 스마트폰 강사 자격증인 [**스마트폰 활용지도사**] 교육을 통해 현재까지 3,900명 이상 되는 분들을 양성했습니다.

자격을 취득하고 훈련을 통해 전문가로 거듭난 [**스마트폰 활용지도사**] 선생님들은 전국 각 기관 및 단체에서 왕성히 활동을 하고 있습니다.

이번 책 구성도 전국에서 강의를 하는 스마트폰 활용지도사 선생님들의 교육 커리큘럼을 참고해서 탄생하게 된 것입니다.

필요로 하는 전부를 담아내지는 못하지만 그래도 이번 책을 통해 스마트폰 활용 교육 강사님들이나 수강생들 모두에게 도움이 되었으면 좋겠습니다.

SNS소통연구소가 항상 강조하고 있는 "스마트폰 제대로 배우고 익히면 인생이 즐거워지고 비즈니스가 풍요로워집니다!"를 대한민국 국민 모두가 공감하고 제대로 스마트폰 활용을 하셨으면 하는 바람이 간절합니다.

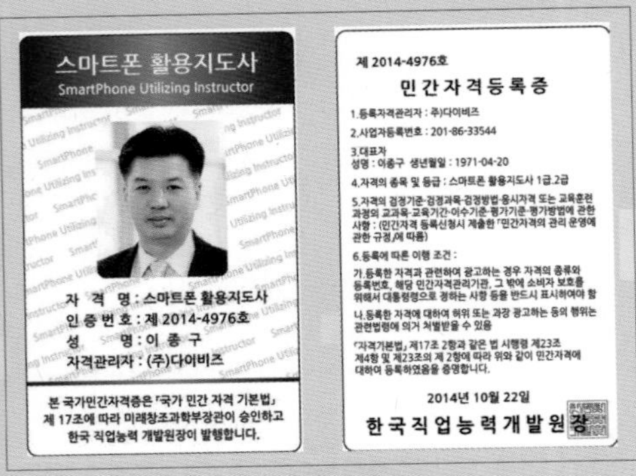
스마트폰 활용지도사
SmartPhone Utilizing Instructor
자 격 명 : 스마트폰 활용지도사
인 증 번 호 : 제 2014-4976호
성 명 : 이 종 구
자격관리자 : (주)다이비즈
본 국가민간자격증은 「국가 민간 자격 기본법」
제 17조에 따라 미래창조과학부장관이 승인하고
한국 직업능력 개발원장이 발행합니다.
제 2014-4976호
민간자격등록증
1.등록자격관리자 : 주)다이비즈
2.사업자등록번호 : 201-86-33544
3.대표자
성명 : 이종구 생년월일 : 1971-04-20
4.자격의 종목 및 등급 : 스마트폰 활용지도사 1급.2급
5.자격의 검정기준·검정과목·검정방법·응시자격 또는 교육훈련 과정의 교과목·교육기간·이수기준·평가기준·평가방법에 관한 사항 : (민간자격 등록신청시 제출한 「민간자격의 관리 운영에 관한 규정」에 따름)
6.등록에 따른 이행 조건 :
가.등록한 자격과 관련하여 광고하는 경우 자격의 종류와 등록번호, 해당 민간자격관리기관, 그 밖에 소비자 보호를 위해서 대통령령으로 정하는 사항 등을 반드시 표시하여야 함
나.등록한 자격에 대하여 허위 또는 과장 광고하는 등의 행위는 관련법령에 의거 처벌받을 수 있음
「자격기본법」 제17조 2항과 같은 법 시행령 제23조 제4항 및 제23조의 제 2항에 따라 위와 같이 민간자격에 대하여 등록하였음을 증명합니다.
2014년 10월 22일
한국직업능력개발원장

★ 스마트폰 활용지도사 자격증에 대해서 아시나요?

(과학기술정보통신부가 검증하고 한국직업능력개발원이 관리하는 스마트폰 자격증 취득에 관심 있으신 분들은 살펴보세요.)

★ 상담 문의

이종구 010-9967-6654
E-mail : snsforyou@gmail.com
카톡 ID : snsforyou

★ 스마트폰 활용지도사 1급

- 해당 등급의 직무내용

초/중/고/대학생 및 성인 남녀노소 누구에게나 스마트폰 활용교육 및 SNS 기본 교육을 실시할 수 있습니다. 개인 및 소기업이 브랜딩 전략을 구축하는 데 있어 저렴한 비용을 들여 브랜딩 및 모바일 마케팅 전략을 구축할 수 있도록 필요한 교육을 할 수 있습니다.

★ 스마트폰 활용지도사 2급

- 해당 등급의 직무내용

시니어 실버분들에게 스마트는 활용교육을 실시할 수 있습니다. 개인 및 소기업이 모바일 마케팅 전략을 구축하는데 있어 기본적인 교육을 할 수 있습니다. 1인 기업 및 소기업이 스마트워크 시스템을 구축하는 데 제반 사항을 교육할 수 있습니다.

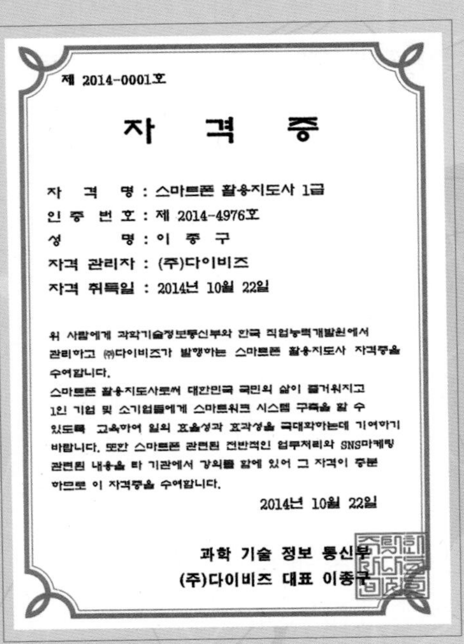

제 2014-0001호

자 격 증

자 격 명 : 스마트폰 활용지도사 1급
인 증 번 호 : 제 2014-4976호
성 명 : 이 종 구
자격 관리자 : (주)다이비즈
자격 취득일 : 2014년 10월 22일

위 사람에게 과학기술정보통신부와 한국 직업능력개발원에서 관리하고 ㈜다이비즈가 발행하는 스마트폰 활용지도사 자격증을 수여합니다.
스마트폰 활용지도사로써 대한민국 국민의 삶이 즐거워지고 1인 기업 및 소기업들에게 스마트워크 시스템 구축을 할 수 있도록 교육하여 일의 효율성과 효과성을 극대화하는데 기여하기 바랍니다. 또한 스마트폰 관련된 전반적인 업무처리와 SNS마케팅 관련된 내용을 타 기관에서 강의를 함에 있어 그 자격이 충분하므로 이 자격증을 수여합니다.

2014년 10월 22일

과학 기술 정보 통신부
(주)다이비즈 대표 이종구

★ 시험 일시 : 매월 둘째 주, 넷째 주 일요일 5시부터 6시까지 1시간
★ 시험 과목 : 2급 - 스마트폰 활용 분야 / 1급 - 스마트폰 SNS마케팅
★ 합격점수 : 1급 - 80점 이상(총 50문제 각 2점씩 100점 만점에 80점 이상 주관식 10문제 포함)
2급 - 80점 이상(총 50문제 각 2점씩 100점 만점에 80점 이상)

★ 시험대비 공부방법

1. 스마트폰 활용지도사 2급 교재 구입 후 공부하기
2. 정규수업 참여해서 공부하기
3. 유튜브에서 [스마트폰 활용지도사] 채널 검색 후 관련 영상 시청하기

★ 시험대비 교육일정

1. 매월 정규 교육을 SNS소통연구소 전국 지부에서 실시하고 있습니다.
2. 스마트폰 활용지도사 SNS소통연구소 블로그 (blog.naver.com/urisesang71) 참고하기
3. 소통대학교 사이트 참조 (www.snswork.com)
4. NAVER 검색창에 (SNS소통연구소)라고 검색하세요!

★ 시험 응시료 : 3만원
★ 자격증 발급비 : 7만원

1. 일반 플라스틱 자격증.
2. 종이 자격증 및 우단 케이스 제공.
3. 스마트폰 활용지도사 강의자료 제공비 포함.

★ 스마트폰 활용지도사 자격증 취득 시 혜택

1. SNS 상생평생교육원 스마트폰 활용 교육 강사 위촉
2. SNS소통연구소 스마트폰 활용 교육 강사 위촉
3. 스마트 소통 봉사단에서 교육받을 수 있는 자격부여
4. SNS 및 스마트폰 관련 자료 공유
5. 매월 1회 세미나 참여 (정보공유가 목적)
6. 향후 일정 수준이 도달하면 기업제 및 단체 출강 가능
7. 그 외 다양한 혜택 수여

유튜브 크리에이터 전문 지도사 시험

매월 1째,3째 일요일
오후 5시부터 6시까지

유튜브 크리에이터 전문 지도사가
즐거운 대한민국을 만들어갑니다!

- **자격명 : 유튜브 크리에이터 전문 지도사 2급 및 1급**
- **자격의 종류 : 등록(비공인) 민간자격**
- **등록번호 : 제 2020-003915 호**
- **자격 발급 기관 : 에스엔에스소통연구소**
- **총 비용 : 100,000원**
- **환불규정**
  ①접수마감 전까지 100% 환불 가능(시험일자 기준 7일전)
  ②검정 당일 취소 시 30% 공제 후 환불 가능
- **시험문의**
  SNS 소통연구소 이종구 소장 : 010-9967-6654

SNS

0 SNS소통연구소 자격증 교육 교재 리스트

디지털 교육 강사들의 필수 지침서
(스마트폰 활용지도사 2급 교재)

SNS마케팅 교육 전문가 양성 과정 책
(스마트폰 활용지도사 1급 교재)

UCC제작과 유튜브크리에이터
양성을 위한 책
(유튜브크리에이터전문지도사 교재)

스마트폰 유튜브 마케팅
교육전문가 양성 과정 책
(유튜브 크리에이터 전문지도사 2급 교재)

1 SNS소통연구소 주요 사업 콘텐츠

SNS소통연구소 지부 및 지국 활성화

2010년 3월부터 교육을 시작한 SNS소통연구소는
현재 전국에 79개의 지부 및 지국을 운영 중

스마트폰 활용지도사 (국내 최초! 국내 최고!)

2014년 10월 스마트폰 활용지도사 민간 자격증 취득
2급과 1급 과정을 운영 중이며 현재 3,900여 명 이상 지도사 양성

실전에 필요한 전문 교육 (다양한 분야 실전 교육 중심)

일반 강사들에게도 꼭 필요한 전문 교육을 실시함
(SNS마케팅, 스마트워크, 프리젠테이션, 컴퓨터 활용 등)

SNS소통연구소 출판사

2011년 11월부터 SNS소통연구소 출판사 운영
스마트폰 활용 및 SNS마케팅 관련된 책 47권 출판
강사들에게 필요한 다양한 분야의 책을 출간 진행 중

◆ 뉴미디어 마케팅 교육 문의
(스마트폰 활용, SNS마케팅, 유튜브 크리에이터, 프리젠테이션, 컴퓨터 활용 등)

▶ 디지털콘텐츠그룹 직통전화 : 02-747-3265
▶ SNS소통연구소 직통전화 : 010-9967-6654

2 지역사회 발전을 위해 사회복지사처럼 스마트폰 활용지도사가 필요합니다!

▶ 사회복지사란? 청소년, 노인, 가족, 여성, 장애인 등 사회적 약자에 대한 복지 정책 및 공공 복지서비스가 증대함에 따라 사회적인 문제로 어려움을 겪는 이들을 돕는 직업

▶ 스마트폰 활용지도사란? 개인이 즐거운 인생을 살아가는 데 도움을 드리고 소상공인들에게 풍요로운 비즈니스를 할 수 있도록 도움을 드리는 직업

스마트폰 활용지도사가 디지털 문맹 퇴치 운동에 앞장서고 즐거운 대한민국을 만들어 가는데 초석이 되었으면 합니다.

SNS소통연구소 전국 지부 봉사단 현황

서울	울산지부	부산지부
스마트 소통 봉사단	**스폰지**	**모바일**
2018년 6월부터 매주 수요일 오후 2시부터 5시까지 스마트폰 활용지도사들이 소통대학교에 모여서 강사 트레이닝을 목적으로 운영되고 있음 (기관 및 단체 재능기부 교육도 진행)	매월 정기모임을 통해서 스마트폰 활용지도사의 역량개발과 지역주민들을 위해 스마트폰 활용 교육 봉사활동 진행	모든 것이 바라는 대로 이루어집니다! 매월 정기모임을 통해서 스마트폰 활용지도사의 역량개발과 지역주민들을 위해 스마트폰 활용 교육 봉사활동 진행
제주지부	경북지부	경기북부
제스봉	**스소사**	**펀펀스마트봉사단**
제주도 스마트폰 봉사단 매월 정기모임을 통해서 스마트폰 활용지도사의 역량개발과 지역주민들을 위해 스마트폰 활용 교육 봉사활동 진행	'스마트하게 소통하는 사람들' 경북지부 스마트폰 봉사단 매월 정기모임을 통해서 스마트폰 활용지도사의 역량개발과 지역주민들을 위해 스마트폰 활용 교육 봉사활동 진행	'배우면 즐거워져요~' 경기 북부 스마트폰 봉사단 매월 정기모임을 통해서 스마트폰 활용지도사의 역량개발과 지역주민들을 위해 스마트폰 활용 교육 봉사활동 진행
경기동부	경기서부	대구지부
스마트 119 봉사단	**스마트위드유**	**스마트 소통 약방**
'스마트한 사람들이 모여 지역주민들의 스마트한 인생을 도와드리는 봉사단' 매월 정기모임을 통해서 스마트폰 활용지도사의 역량개발과 지역주민들을 위해 스마트폰 활용 교육 봉사활동 진행	매월 정기모임을 통해서 스마트폰 활용지도사의 역량개발과 지역주민들을 위해 스마트폰 활용 교육 봉사활동 진행	매월 정기모임을 통해서 스마트폰 활용지도사의 역량개발과 지역주민들을 위해 스마트폰 활용 교육 봉사활동 진행

3 SNS소통연구소 출판 리스트 47권 (2023년 10월 기준)

4 SNS소통연구소 전국 지부 및 지국 현황

서울 (지부장-소통대)	강남구 (지국장-최영하)	강서구 (지국장-문정임)	관악구 (지국장-손희주)	광진구 (지국장-서순례)	강북구 (지국장-명다경)	강동구 (지국장-윤진숙)	구로구 (지국장-박정옥)
	노원구 (지국장-전윤이)	동작구 (지국장-최상국)	동대문구 (지국장-김종현)	도봉구 (지국장-오영희)	마포구 (지국장-김용금)	송파구 (지국장-문윤영)	서초구 (지국장-선수옥)
	성동구 (지국장-이명애)	서대문구 (지국장-김수영)	성북구 (지국장-조선아)	양천구 (지국장-송지열)	용산구 (지국장-최영옥)	영등포구 (지국장-김은정)	은평구 (지국장-노승유)
	중구 (지국장-유화순)	중랑구 (지국장-정호현)	종로구 (지국장-김숙명)				

경기북부 (지부장-이월례)	의정부 (지국장-한경희)	양주 (지국장-유은서)	동두천/포천 (지국장-김상기)	구리 (지국장-김용희)	남양주시 (지국장-정덕모)	고양시 (지국장-백종우)

경기동부 (지부장-이종구)	성남시 (지국장-노지영)

경기서부 (지부장-이종구)	안양/과천 (지국장-곽문희)	시흥시 (지국장-윤정인)	부천시 (지국장-김남심)

경기남부 (지부장-이중현)	수원 (지국장-권미용)	이천/여주 (지국장-김찬곤)	평택시 (지국장-임계선)	안성시 (지국장-허진건)	화성시 (지국장-한금화)

인천광역시	서구 (지국장-어현경)	남동구 (지국장-장선경)	부평구 (지국장-최신만)	중구 (지국장-조미영)	계양구 (지국장-전혜정)	연수구 (지국장-조예윤)

강원도 (지부장-장해영)	강릉시 (지국장- 임선강)	원주시 (지국장-김이섭)	춘천시 (지국장-박준웅)

충청남도 (지부장-김미선)	청양/아산 (지국장- 김경태)	금산/논산 (지국장-부성아)	천안시 (지국장-김숙

광주광역시	북구 (지국장-김인숙)

대구광역시 (지부장-임진영)	수성구 (지국장-김기연)

대전광역시 (지부장-유정화)	중구/유성구 (지국장-조대연)

전라남도 (지부장-강영옥)

부산광역시 (지부장-손미연)	사상구 (지국장-박소순)	해운대구 (지국장-배재기)	기장군 (지국장-배재기)	연제구 (지국장-조환철)	진구 (지국장-김채완)

전라북도 (지부장-송병연)

경상남도	양산시 (지국장-한수희)

경상북도 (지부장-남호정)	고령군 (지국장-김세희)	경주 (지국장-박은숙)	경산 (지국장-정다건)

울산광역시 (지부장-김상덕)	동구 (지국장-김상수)	남구 (지국장-박인완)	울주군 (지국장-서선숙)	중구 (지국장-장동희)	북구 (지국장-이성일)

제주도 (지부장-여원식)

CONTENTS

CONTENTS

CONTENTS

CONTENTS

4차 산업혁명 시대 스마트폰 활용을 제대로 배우고 익혀야 하는 이유

1 스마트폰 활용을 제대로 배우고 익혀야 하는 이유?

전 세계 유명한 경제학자들이 연구한 바에 의하면 인구 5천만 명을 기준으로 볼 때 100만 명 이상이 사용하면 패션(Fashion)이라 하고 500만 명 이상이 사용하면 트렌드(Trend)라 하고 1000만 명 이상이 사용하면 문화(Culture)라고 합니다.
패션이나 트렌드는 바뀔 수 있지만, 문화는 쉽게 바뀌지 않습니다. 이제 스마트폰 활용은 선택이 아니라 필수입니다.
이제는 스마트폰 활용 방법을 배울 지 말지가 아니라 스마트폰을 제대로 배우고 익혀서 가족 간, 세대 간의 즐거운 인생과 더욱 풍요로운 비지니스 결과를 만들어 내야 할 것입니다.

2022년 12월 현재
이동전화 가입자수 7,160만대!

대한민국 국민
5,167만명 기준

100만명 이상이 사용하면
Fashion(패션)

500만명 이상이 사용하면
Trend(트렌드)

1,000만명 이상이 사용하면
Culture(문화)

❷ 가족 간 지인들 간의 원활한 소통을 위해서라도 스마트폰 활용 방법 제대로 배워야 합니다.

스마트폰 활용이 문화로 자리 잡은 요즘 시니어 실버들의 경우 용어 자체가 생소한 경우가 많아 소통하는데 어려움을 많이 겪고 있습니다.
과거에는 운전면허 연습은 가족 간에 하면 싸움만 난다고 했습니다.
요즘은 스마트폰에 대해서 실버들이 물어보고 하면 자식들은 "바빠요!"하고 피하고 손주들은 "전에 알려드렸잖아요!"하고 피한답니다. 궁금해도 자존심 때문에 어디 물어볼 데도 마땅치 않은 게 현실이기도 합니다.
스마트폰 제대로 배우고 익히면 세대 간의 소통도 원활해질 것입니다. 소통이 원활하지 않으면 불통이 되고 불통이 반복되면 먹통이 되고 맙니다. 진정 스마트폰 활용 교육은 가족 간의 소통을 위해서라도 꼭 필요한 교육입니다. 손주들과 자녀들과 소통을 위해서라도 스마트폰 활용은 꼭 배우고 익히셔서 활용하시면 좋을 것 같습니다.

❸ 디지털 문맹 퇴치를 위해서라도 스마트폰 활용 교육은 체계적으로 이루어져야 합니다.

대한민국 국민 5,160만 명!
50세 이상은 2022년 말 기준으로 2천 2백만 명이 넘어섰고, 60세 이상은 1,400만 명, 65세 이상은 900만 명이 되었습니다.
나이가 많다고 해서 스마트폰 활용을 못 하는 건 아니지만, 현재 50세 이상 기준으로 보면 스마트폰 등의 디지털 기기 활용에 익숙치 않은 분들이 많이 있습니다. 앞으로의 부국은 자원이 많은 나라보다도 국민 개개인의 지식수준이 높은 나라가 부국이라고 합니다.
스마트폰은 제2의 두뇌라고도 합니다. 진정 스마트폰 제대로 배우고 익혀서 디지털 문맹 인구가 줄어 들면 자연히 대한민국의 지식수준이 올라가고 부국이 되는 초석이 될 것입니다.

소통대학교
스마트 시대의 그림자
'디지털 문맹'
스마트폰 활용 교육 문의
SNS소통연구소 이종구 010-9967-6654

연합뉴스
정부 역시 이런 정보 격차를 줄이기 위해 노력하고 있습니다.
전국 지방자치단체나 노인복지관에서 장노년층을 대상으로
IT 교육 프로그램을 운영하고 있죠.
그러나 효과는 크지 않은 게 현실입니다.
강의 수강생보다 강사의 수가
턱없이 부족하다는 지적도 있는데요.
YONHAP NEWS AGENCY
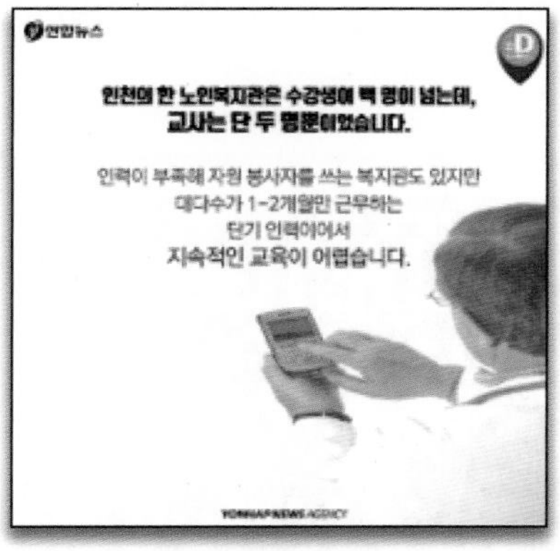
연합뉴스
인천의 한 노인복지관은 수강생이 백 명이 넘는데,
교사는 단 두 명뿐이었습니다.
인력이 부족해 자원 봉사자를 쓰는 복지관도 있지만
대다수가 1~2개월만 근무하는
단기 인력이어서
지속적인 교육이 어렵습니다.
YONHAP NEWS AGENCY

4 스마트폰 활용 몇 번 반복해서 해보시면 어렵지 않게 하실 수 있습니다.

어르신들의 경우 처음 수업을 받으실 때 다들 어려워하십니다. 어려워하는 게 당연한 일일 것입니다. 60~70년 이상을 기계와 별로 친하지 않게 살아왔고 스마트폰 용어는 생소한 단어라 어려워 하는 게 당연한 일입니다.

하지만, 몇 번 반복해서 하다 보면 기본적인 스마트폰 활용은 어렵지 않게 하시게 됩니다.

실례로 2017년 6월 16일부터 하루에 2시간씩 15회를 서울 노원구에 있는 한 노인복지관에서 스마트폰 기초 교육을 시행하였습니다. 14분이 수강을 하시는데 평균연령 74세였습니다.

처음에는 문자 보내는 것도 힘들어하시고 카카오톡에서 사진 보내는 것도 잘 모르시던 분들이 6개월 정도 기간이 지나니까 자판 사용하는 게 어려워 문자도 안 보내고 하시던 분들이 지금은 음성으로 문자도 보내시고 카카오톡 채팅도 즐겁게 잘하십니다.

카카오페이를 간단히 등록해서 카카오톡에서 손주나 자식들에게 용돈도 보내고 선물도 간단하게 보내니 가족분들이나 주변 친구분들이 놀라워한다고 합니다.

단체방에서도 직접 촬영한 사진 위에 좋은 글이나 명언들을 입력해서 보내고, 친구들과 촬영한 사진으로 이미지 합성을 멋지게 하셔서 친구들과 공유하시고 영상 편지도 직접 만들어서 가족 및 지인들과 공유하고 즐거움을 나누고 계십니다.

현재 전국 노인복지관 등 공공기관에서 스마트폰 활용 교육을 받으시는 70대 80대 노인분 들도 몇 번 반복해서 실습해보시면 어느 정도 따라와 주시고 지금은 저희 스마트폰 활용지도사 선생님들한테 즐거운 인생을 살게 해줘서 고맙다고 볼 때마다 말씀해 주시고 카톡이나 문자로 "감사합니다""사랑합니다"를 보내주고 계십니다.

이처럼 스마트폰 활용은 처음에 뭐가 뭔지 잘 몰라서 스마트폰 사용을 못 하지만 조금만 배우고 익히시면 혼자서도 충분히 궁금한 점을 찾아서 하실 수 있습니다.

앞으로의 부국(富國)은 자원이 많은 나라보다도 국민 개개인의 지식수준이 높은 나라가 부국이 된다고 합니다.

대한민국의 발전을 위해서, 가족 간의 소통을 위해서, 조직의 발전을 위해서라도 스마트폰 제대로 배우고 익히셔야 할 것입니다.

5 스마트폰 활용 몇 번 반복해서 해보시면 어렵지 않게 하실 수 있습니다.

앞으로 치명적인 병에 걸리지 않는 이상 누구나 100년을 사는 세상이 되었습니다.
그러나 우리는 100세의 삶이 어떤지, 어떤 미래가 도래할지 제대로 알지 못합니다.
과연 100세 시대는 우리에게 어떤 세상을 열어줄 것인가?
지금 나이가 70이어도 앞으로 최소 30년 이상을 더 사실 수 있습니다.
시니어 실버들이 스마트폰 제대로 배우고 익혀서 실생활에 활용해본다면 지금보다 더 즐겁고 행복한 인생을 살아가는 데 많은 도움이 될 것입니다.
아주 늦은 나이에 도전해 큰 성공을 이룬 사람들 영상을 보시고 현재의 삶에 만족하지 마시고 자신이 하고 싶은 일을 하시면서 인생 2막을 살아가시면 하는 바람입니다.
(QR-CODE를 스캔하시면 관련 영상을 보실 수 있습니다.)

CHECK 리스트

스마트폰 개요

1) [**스마트폰**](SmartPhone) : 손안의 PC(모바일PC)로 시간과 공간의 제약 없는 지능형 스마트폰은 휴대폰 기능은 물론 TV, 동영상제작, 카메라, 팩스, 캠코더, MP3 기능까지 갖추고 있어 "다기능 지능형 복합 단말기"라고도 불립니다. 최근에는 AI 기능에 사물 인식 기능, 번역은 물론 다양한 앱을 통해서 비즈니스에도 상용되고 있습니다.

2) 컴퓨터[운영체제]와 비슷한 모바일[운영체제]가 설치되어 있으며, 다양한 프로그램 **[애플리케이션]**을 설치하여 사용할 수 있습니다.

※ **[운영체제] : 컴퓨터의 하드웨어(기기)와 소프트웨어(프로그램)를 제어하여 사용자가 컴퓨터를 쓸 수 있게 만들어 주는 프로그램**

※ **[애플리케이션] : 앱 또는 어플이라고 말하기도 한다. 스마트폰이나 컴퓨터에서 특정한 기능을 이용할 수 있도록 만들어진 프로그램**

3) 전화와 문자는 기본이고 음악, 카메라, 인터넷, 게임, 채팅, 사진, 영상, 메일, 날씨, 지도, 내비게이션, 일정표, 파일공유 등 인공지능 음성 서비스까지 수많은 기능을 사용할 수 있습니다.

2, [스마트폰]의 특징

1) 크기가 작아 휴대하기 편하다.
2) 사용법이 간단하다.
3) 언제 어디서나 인터넷을 연결할 수 있다.
4) 와이파이(Wi-Fi)를 사용하여 무료로 인터넷을 사용할 수 있다.
5) 생활에 편리한 프로그램이 많아서 유용하다.
6) 각자 분야에 맞는 앱을 사용하여 일상의 활용도가 높다.
7) 다양한 앱을 설치하고 삭제하기가 쉽다.
8) 화면구성을 원하는 대로 설정할 수 있다.
9) 데이터 사용량이 제한된 용량을 초과할 경우 추가 비용을 부담해야 한다.
10) 다양한 센서 기술(카메라, 가속도 센서, GPS, 조도센서, 근접센서...등 운영체제 및 앱을 쉽고 빠르게 업데이트 할 수 있다.

스마트폰 운영체제, 제조사, 통신사, 디바이스 정보 알아보기

1) 스마트폰의 운영체제 종류

종류	개발사	사용	점유율 (2021년기준)
안드로이드(Android)	구글	삼성	72.19%,
IOS	애플	아이폰과 아이패드	26.99%
윈도우 모바일	MS(마이크로소프트)	MS의 윈도우폰	0.02%

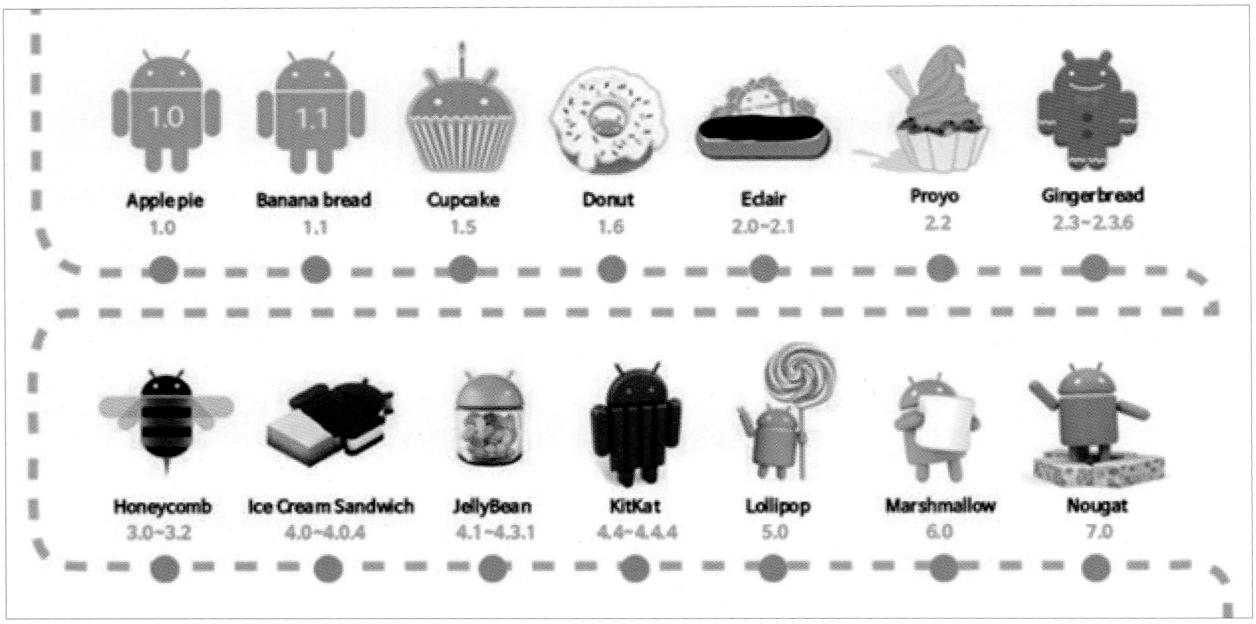

안드로이드 버전의 역사					
버전 (Version)	코드네임 (CodeName)	릴리즈날짜	버전 (Version)	코드네임 (CodeName)	릴리즈날짜
1.0	Android 1.0	2008년 9월	7.0	누가	2016년 8월
1.5	컵케이크	2009년 4월	8.0	오레오	2017년 10월
2.2	프레오	2010년 5월	9.0	파이	2018년 8월
3.0	허니콤	2011년 2월	10	Android 10	2019년 9월
4.4	킷캣	2013년 10월	11	Android 11	2020년 9월
5.0	롤팝	2014년 11월	12	스노우콘	2021년 10월
6.0	마시멜로	2015년 10월	13	티라미슈	2022년 2월

2) 제조사와 통신사 알아보기

①제조사 삼성, 애플, 샤오미, 화웨이 등(삼성전자 서비스:1588-3366)

②통신사 : SKT(SK텔레콤), KT(올레)

3) 본인 기기 알아보기

①제조사 :　②통신사(요금제) :　③디바이스(기기)이름 :　④모델번호 :

⑤시리얼번호 :　⑥IMEI :　⑦안드로이드버전 :

4) 디바이스 정보 – 디바이스 이름, 모델번호, 안드로이드 버전 찾아보기(버전 12)

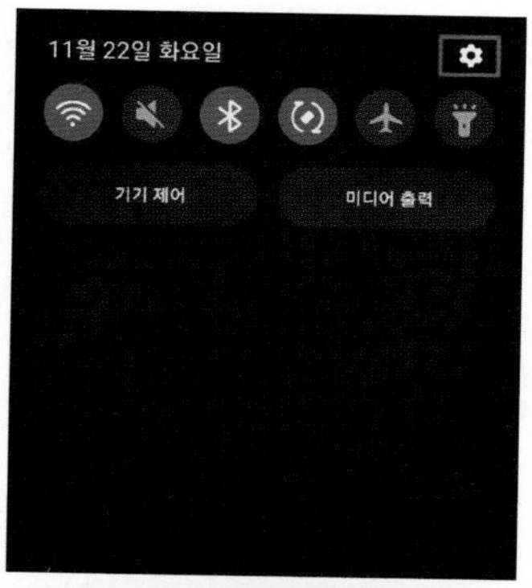

상단 알림바를
손가락으로 내려
[설정]을 터치합니다.

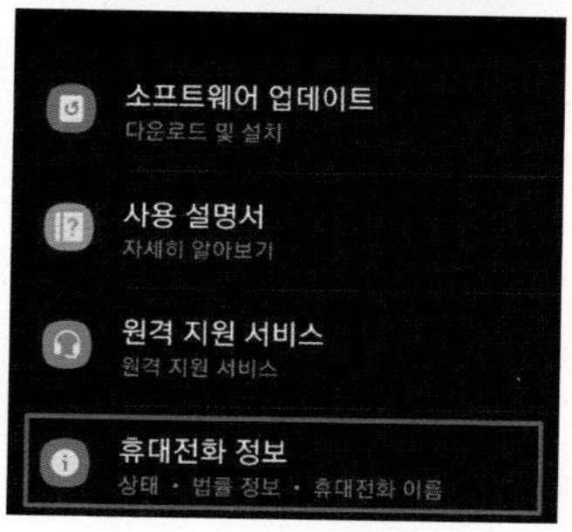

하단으로 드래그하여
[휴대전화 정보]를
터치합니다.

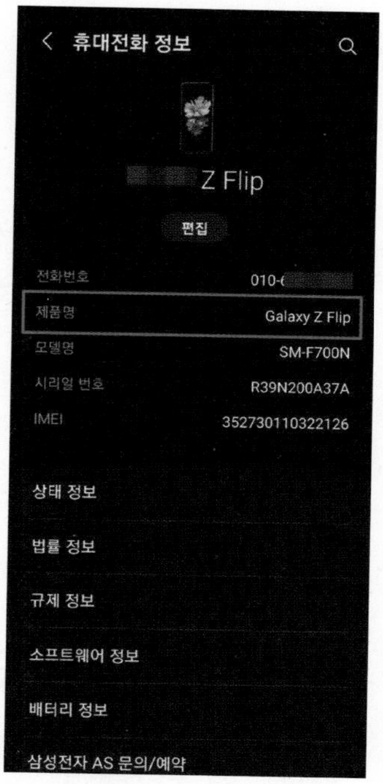

❶ 스마트폰 화면 상단 알림바를 손가락으로 내려서 우측 상단에 톱니바퀴처럼 생긴 [**설정**] 아이콘을 터치합니다. ❷ 메뉴목록의 가장 하단으로 이동하여 [**휴대전화 정보**]를 터치합니다. [**디바이스 이름**]-제품명, [**모델번호**]를 확인합니다.

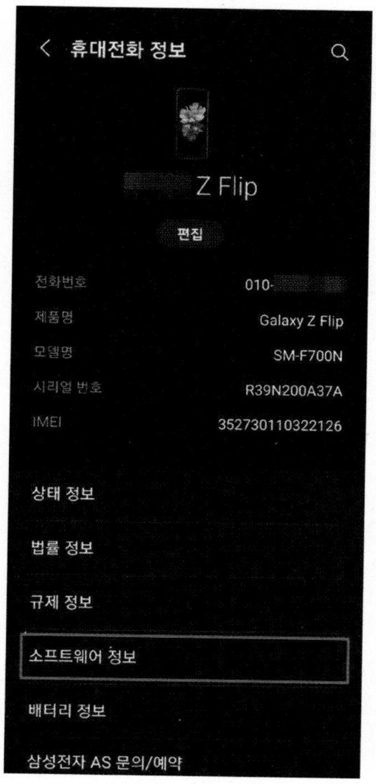

☜ 소프트웨어 정보를 터치하여

안드로이드 버전을 확인합니다. ☞

❶ [휴대전화 정보]에서 [소프트웨어 정보]를 터치합니다.
❷ 기기의 버전을 확인합니다.

스마트폰 화면 및 전원 켜고 끄기

1) 화면 켜고/끄기

①켜기 : “홈”버튼 또는 “전원” 버튼을 짧게 터치합니다.

▶ 잠금 미설정 시 : 화면을 드레그합니다. ▶ 잠금 설정 시 : 잠금을 해제합니다.

②끄기 : “전원” 버튼을 짧게 누릅니다.

2) 전원 켜기

① “전원” 버튼을 몇 초간 길게 누릅니다.

3) 전원 끄기

①**[빅스비]**가 탑재 되면서 전원 끄기가 다양한 방법이 있습니다.

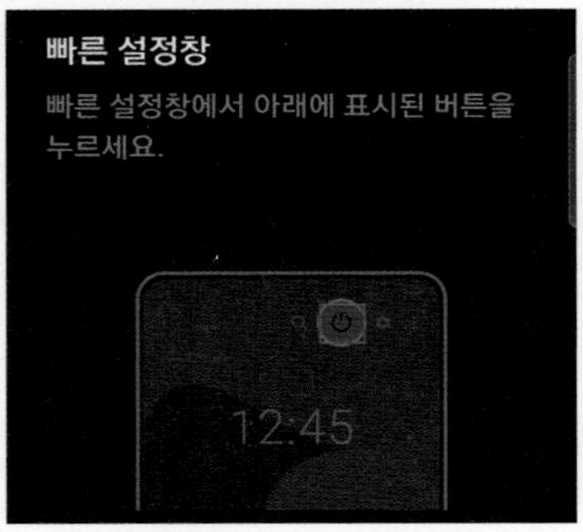
빠른 설정창
빠른 설정창에서 아래에 표시된 버튼을 누르세요.
12:45

[상태 표시줄]을 두 번 내리면 **[전원]** 버튼이 나옵니다

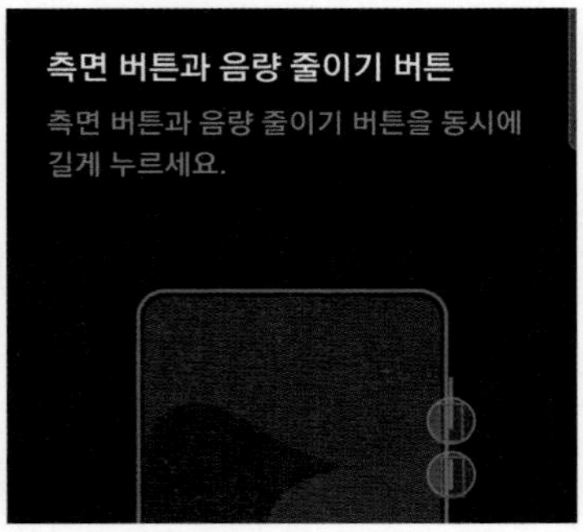
측면 버튼과 음량 줄이기 버튼
측면 버튼과 음량 줄이기 버튼을 동시에 길게 누르세요.

[음량줄이기 버튼]과 **[측면 버튼]**을 길게 눌러 줍니다.

측면 버튼을 길게 눌러 빅스비에게 말할 수 있습니다.

[빅스비]를 사용 하신 분은 **[“헤이 빅스비”]**를 불러 **[“전원 꺼줘”]**라고 말로 합니다

②예전처럼 **[전원]** 버튼을 사용하려면 설정 → 유용한 기능 → 측면 버튼 → 길게 누르기 → **[전원 끄기 메뉴]**를 터치합니다.

4) 다시 시작 (또는 재시작)

①**[전원]** 버튼을 길게 누릅니다. ②**[다시 시작]** (또는 **[재시작]**)을 터치합니다.

CHECK 리스트

스마트폰 주요 버튼과 아이콘 모양 이해하기

1) [**주요 버튼**] 기능

※ 스마트폰 기종에 따라 모양이나 위치가 다를 수 있습니다.

버튼		기능
	전원	* 길게 누르면 전원을 켜거나 끔 * 짧게 누르면 화면이 켜지거나 잠김
|||	최근 실행 앱	* 짧게 누르면 최근에 실행한 애플리케이션 목록이 보임
	메뉴	* 짧게 누르면 현재 화면에서 사용 가능한 메뉴가 나타남
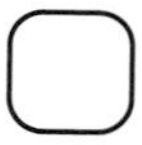	홈	* 화면이 잠긴 상태에서 짧게 누르면 화면이 커짐 * 짧게 누르면 홈 화면이 실행 * (길게 누르면 작업 관리자가 실행되는 스마트폰도 있다.)
<	취소	* 짧게 터치하면 이전 화면으로 전환

2) 주요 버튼 아이콘

최근실행앱 홈 취소

표시/숨김 최근실행앱 홈 취소

3) [**아이콘**] 모양

환경설정 검색 삭제 메뉴 즐겨찾기 공유 수정 더보기

스마트폰 각 부분의 이름

※ 스마트폰 기종이나 출시한 통신사에 따라 다를 수 있습니다. (삼성 갤럭시 노트 기준)

❶ 앞면

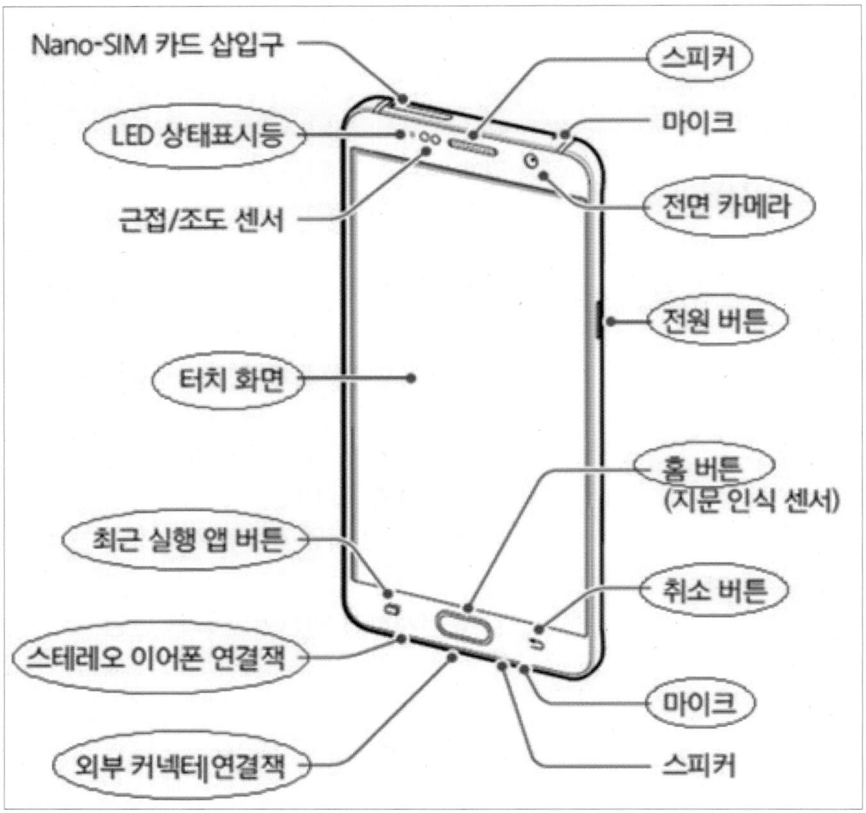

❷ 뒷면

스마트폰 조작 방법 알아보기

1) 터치, 탭 누르기

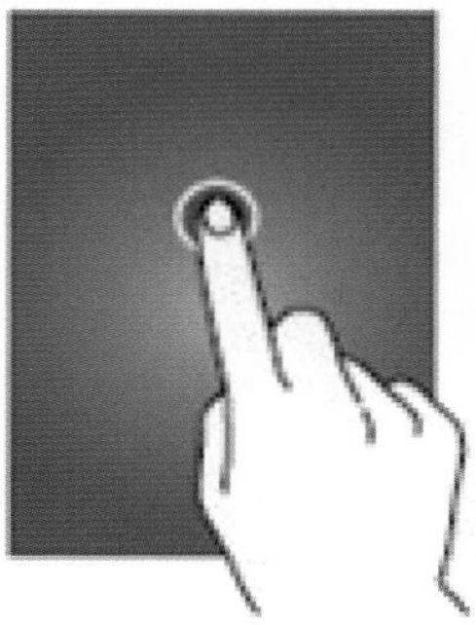

① 스마트폰 화면을 가볍고 짧게 눌렀다 떼는 작업이다.
② 앱을 실행하거나 메뉴 선택 등에 사용한다.
③ 키보드를 이용해서 문자를 입력할 때는 화면을 가볍게 누른다.

2) 롱 터치 (길게누르기)

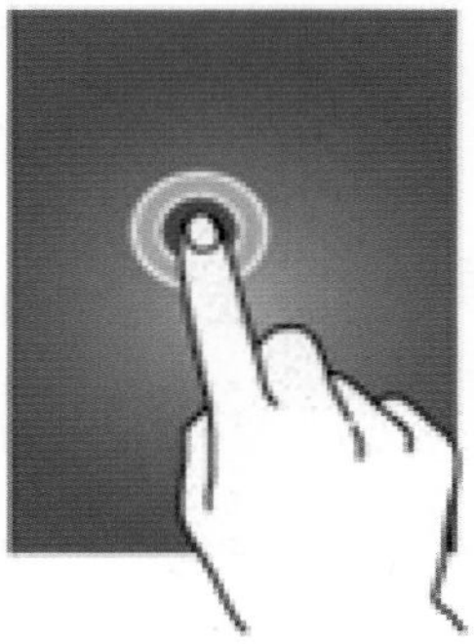

① 스마트폰 화면을 길게 누른다.
(세게 누르지 않아도 된다.)
② 선택한 대상에 대해 가능한 작업 목록이 나온다.

3) 더블 터치 (두 번 두드리기)

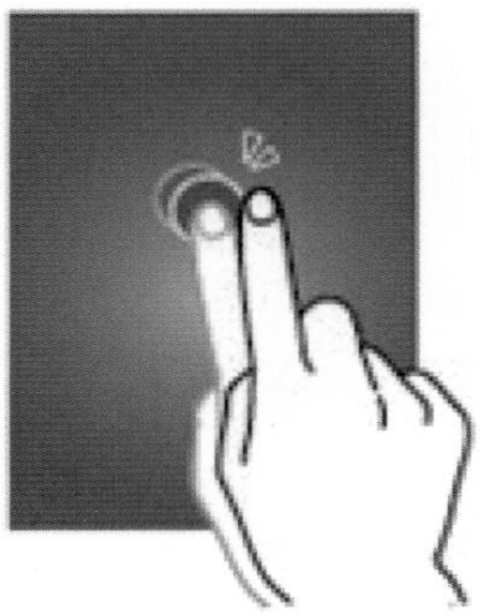

① 화면을 빠르게 두 번 누른다.
② 사진, 지도, 웹 페이지 등이 실행된 상태에서
일정 비율로 화면을 확대/축소할 수 있다.

4) 드레그 (끌기)

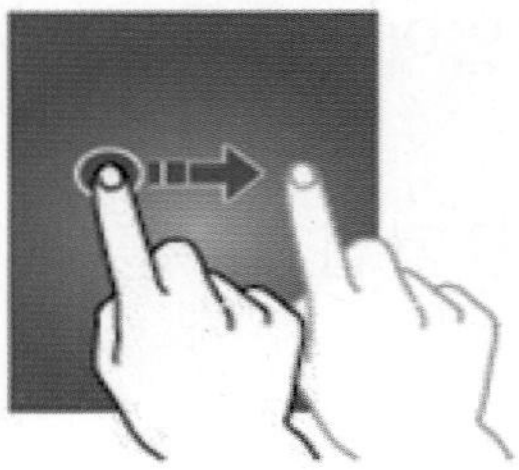

① 화면에 손가락을 터치 상태에서 손을 떼지 않고
원하는 위치로 이동한 후 손을 떼는 것
② 화면 이동할 때 사용한다.

5) 스크롤 하기 (위/아래로 올리기/내리기, 좌우로 밀기)

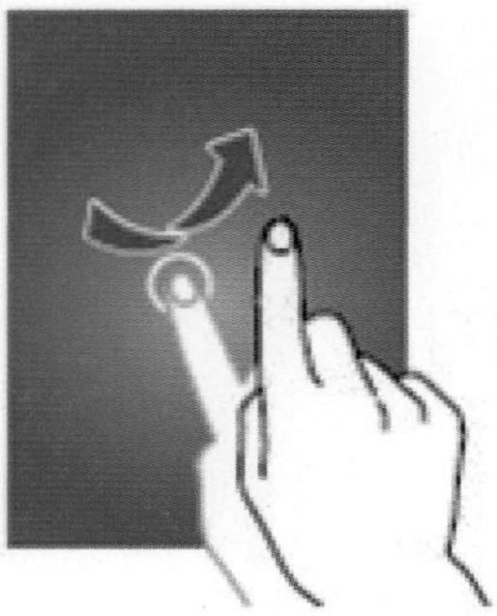

① 손가락을 위.아래,좌.우로 스크롤한다.
② 홈화면 또는 앱스 화면에서 다른 페이지로 이동할 수 있다.
③ 웹 페이지나 목록 화면에서는 위.아래로 스크롤하여
내용을 확인할 수 있다.

6) 핑거 줌 실행 (오므리고 펼치기)

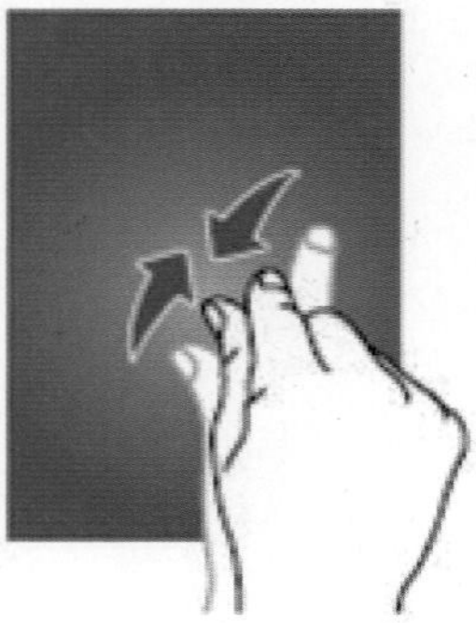

① 두 손가락으로 동시에 화면을 오므려서 축소하거나,
펼쳐서 확대해서 사용한다.
② 사진,글자,인터넷 화면을 확대/축소할 수 있다.

스마트폰 화면 구성 (3화면 : 잠금 화면, 홈 화면, 앱스 화면)

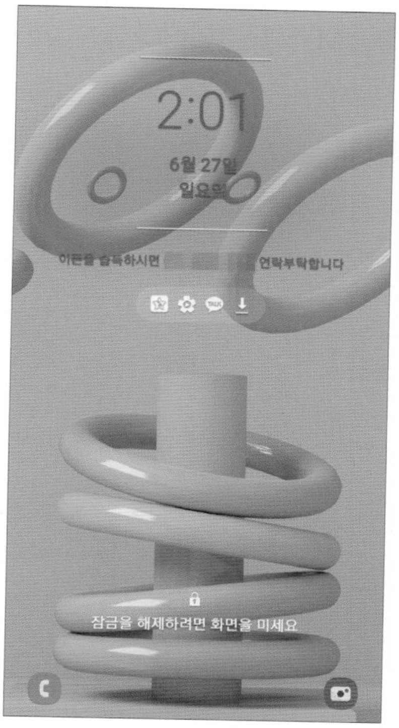

설정에 대해 알아보기

1. 잠금 화면

스마트폰의 화면을 켜서 나오는 첫 화면

①잠금 미설정 시 : 화면을 드래그합니다.

②잠금 설정 시 : 잠금을 해제합니다.

(화면 잠금 방식 : 패턴, 비밀번호, PIN)

2. 홈 화면

잠금 화면을 열면 나오는 시작 화면입니다.

①상태 알림 줄

홈 화면 상단에 위치한 부분을 말합니다.

알림 줄을 내리면 스마트폰에 알림 정보를 확인

②위젯 (날씨와 시계)

사용자가 바탕화면 상에서 곧바로 사용할 수 있도록 자주 사용하는 기능만을 모아 놓은 도구 모음입니다.

③앱 아이콘

자주 쓰는 앱 아이콘을 꺼내놓고 사용하며, 원하는 위치로 배치할 수 있습니다.

④고정 아이콘

홈화면에서 페이지를 변경해도 고정되며,자주 사용하는 앱들로 사용합니다.

CHECK 리스트

3. 앱스 화면

홈 화면의 아래에 있는 앱스를 터치하여 나오는 화면입니다.

①스마트폰에 설치된 모든 앱을 모아 보여 주는 곳입니다.

②사전에 설치된 내장(기본) 앱과 사용자가 필요하여 추가로 설치한 앱이 여러 페이지에 나열되어 있습니다.

③앱은 기본적으로 앱스 바탕에 설치됩니다.

④앱스 화면에서 (취소)버튼을 터치하면 홈 화면으로 전환됩니다.

상태 알림줄 - 아이콘 설명

①사용자의 사용 환경에 따라 화면 상단의 상태 표시줄에 아이콘이 나타나면서 스마트폰의 현재 상태를 알려줍니다.

②통신사, 새로 온 문자, 부재중 전화 등을 알려줍니다.

③와이파이 연결, 배터리 상태, 시간 등을 확인할 수 있습니다.

CHECK 리스트

알림창 살펴보기 - 기본적인 내용

1) (위쪽) 상태 알림 줄을 아래로 드래그해서 내리면 알림창 내용을 확인할 수 있습니다.

2) 빠른 설정 창, 밝기, 진행 중인 앱, 알림 목록 통신사 등을 확인할 수 있습니다.

3) 알림창 화면

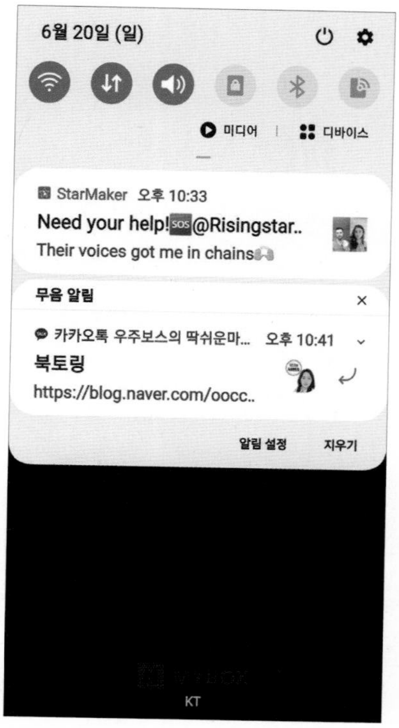

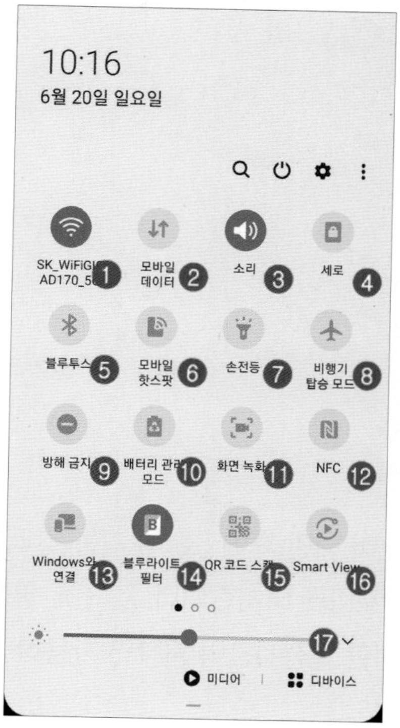

상태 알림 줄 아이콘

① 무료로 무선 인터넷을 사용/ 해제할 수 있습니다.

② 데이터를 사용/ 차단할 수 있는 기능입니다.

③ 소리/ 진동/ 무음으로 설정합니다.

④ 화면을 가로/ 세로로 회전합니다.

⑤ 블루투스 스피커나 장비들을 연결할 때 사용합니다.

⑥ 스마트폰의 데이터를 다른 기기와 공유할 때 사용합니다.

⑦ 손전등을 켜거나 끌 수 있습니다.

⑧ 비행기 탑승 모드입니다.

⑨ 전화나 문자 등 모든 통신을 차단합니다.

⑩ 배터리 사용 가능 시간을 늘릴 때 절전 모드를 켭니다.

⑪ 화면 녹화를 할 수 있습니다.

⑫ T-money, NFC등 모바일 결제 서비스에 사용됩니다.

⑬ 스마트폰과 PC를 연결합니다.

⑭ 편안하게 화면보기 입니다.

⑮ 큐알(QR) 코드 스캔입니다.

⑯ 스마트폰 화면을 스마트TV등에서 크게 볼 수 있습니다.

⑰ 스마트폰 화면 밝기 조절 기능입니다.

전원

설정

검색

더보기

소리/진동/무음 바꾸기

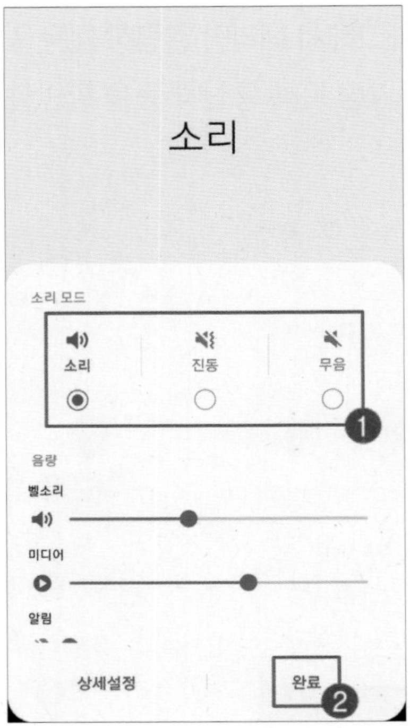

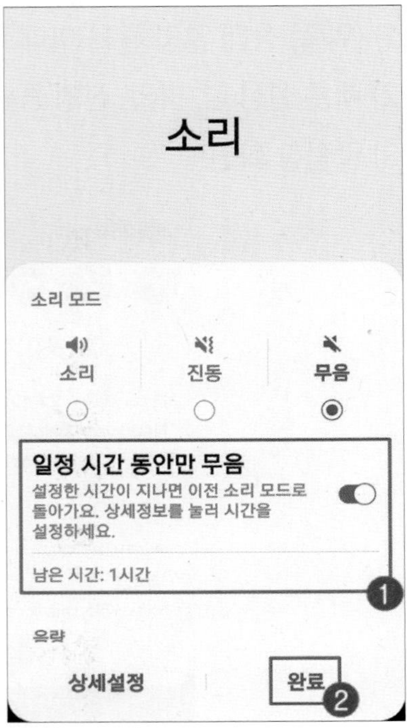

1 알림 줄을 끌어 내린 후에 (소리) 기능을 터치합니다. 2 ①소리 / 진동 / 무음 중에 원하는 부분을 터치하고 ②[**완료**]를 터치합니다. 3 ①[**일정시간 무음**]은 일정시간만 무음으로 지정하고자 할 때 터치합니다. 지정한 일정시간이 지나면 사용하던 모드로 다시 변경됩니다. ②[**완료**]를 터치합니다.

화면 자동 꺼짐 시간 조절하기

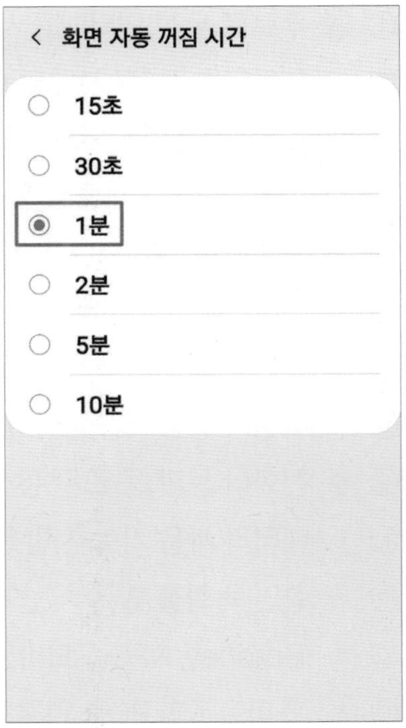

1 [**설정**]에서 [**디스플레이**]로 이동합니다. 2 [**화면 자동 꺼짐 시간**]을 터치해서 시간을 지정합니다. 조정 시간이 짧은경우 화면을 자주 켜야하는 불편함이 있으며 조정 시간이 길면 오랜 시간 사용하지 않는 채로 두면 배터리 소모가 크게 됩니다. ②조정 시간이 긴 경우 오랜 시간 사용하지 않는 채로 두면 배터리 소모 큼 3 [**화면 자동 꺼짐 시간**] 조절하기 : 1분~2분 정도

WI-FI(와이파이)로 네트워크 연결하기

카페 와이파이 연결

1. Wi-Fi(와이파이,Wireless Fidelity : 무선 데이터 전송 시스템)란?

① 무료로 이용 가능한 근거리 무선 네트워크망으로 통신사의 요금제에서 제공하는 데이터 제공량과는 별도로 이용할 수 있습니다.

② 주로 가정집의 인터넷에 무선 공유기를 연결하여 사용하는 형태가 가장 많으며 공공장소에서는 통신사에서 무료로 제공하기도 합니다.

2. 와이파이 장점과 단점

장점 : 와이파이 사용량 요금은 무료입니다. 무제한으로 빠른 속도 이용 가능합니다.

단점 : 와이파이 지역을 벗어나면 인터넷이 끊깁니다. 이동 시 이용이 불편하고 해킹과 도청 등 보안에 취약합니다.

3. Wi-Fi (와이파이) 설정하기

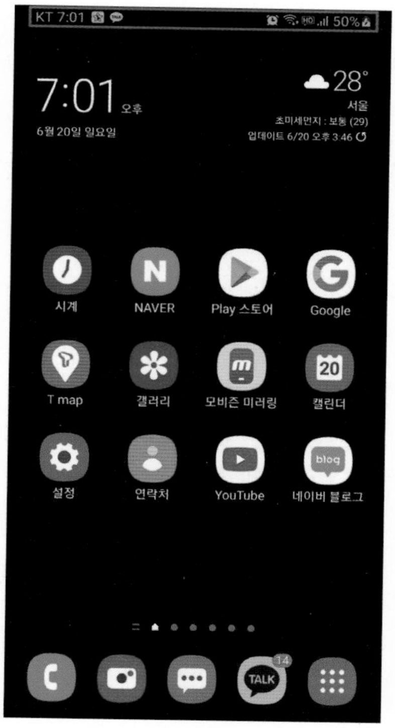

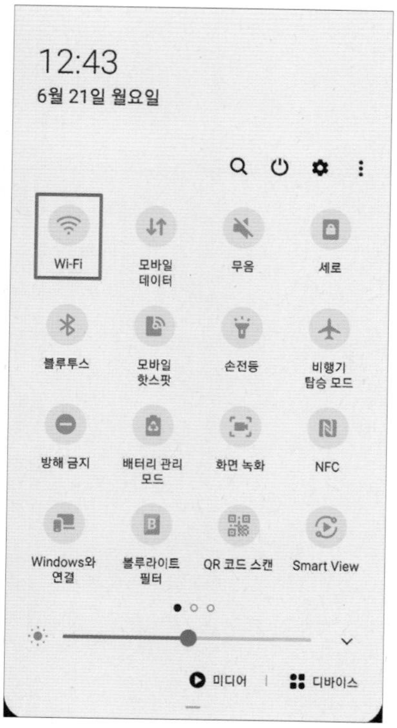

1 Wi-Fi(와이파이) 켜기- (위쪽) 상태 알림 줄을 끌어내린 후 터치합니다.

2 길게 누르거나 알림 한 번 더 아래로 내리면 Wi-Fi(와이파이) 이름 목록이 보입니다.

3 ①근처에 있는 Wi-Fi(와이파이) 목록 리스트가 영문으로 보입니다. ②원하는 Wi-Fi(와이파이)를 터치합니다. (예:SK, Public, Star_ , KT_GIGA, 상점명 등이 영문으로 보입니다.

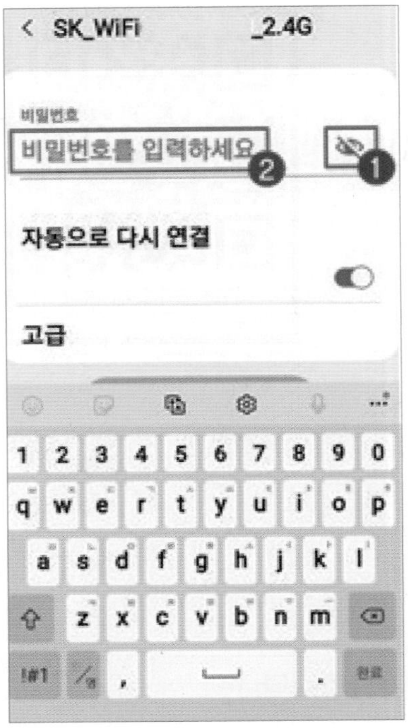

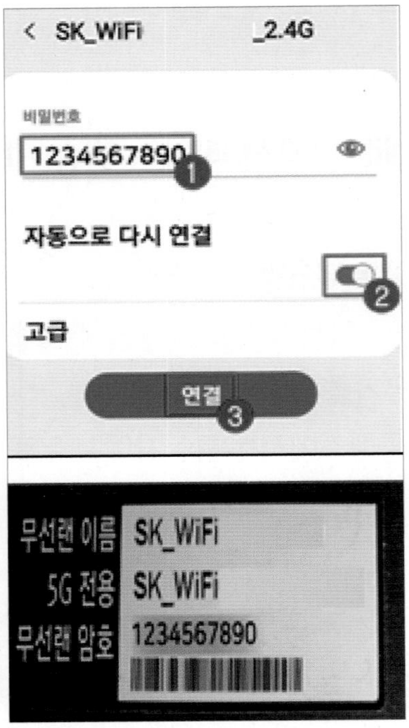

1 ①눈 표시를 터치하여 글자를 보이게 합니다. ②비밀번호(무선랜 암호)를 찾아 입력합니다.

2 ①비밀번호를 확인합니다. ②**[자동으로 다시 연결]**을 터치합니다. ③**[연결]**을 터치합니다.

3 현재 네트워크에 연결됩니다.

CHECK 리스트

모바일 데이터 사용 및 차단하기

1. 데이터 통신의 개요

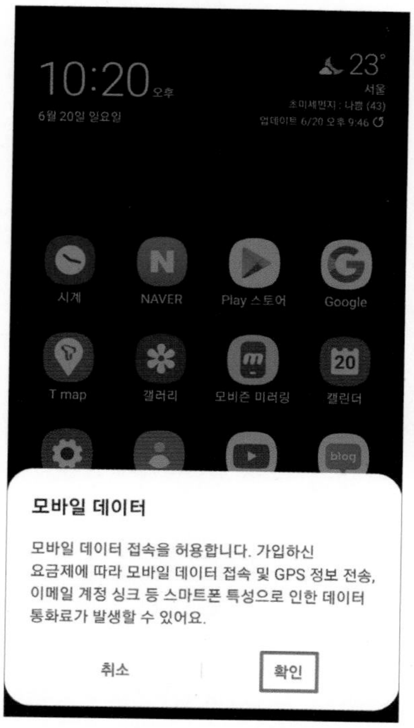

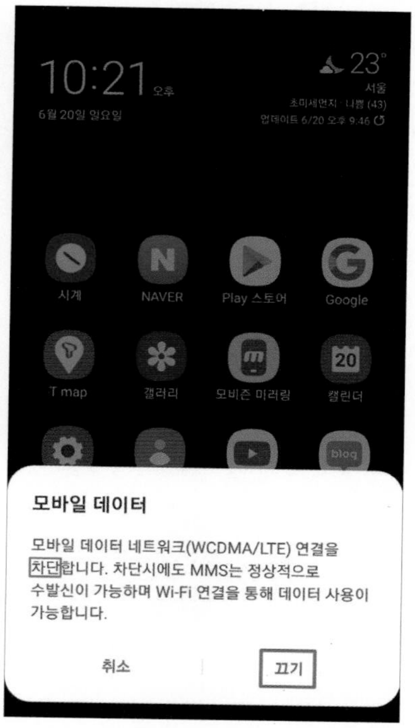

①LTE/ 5G 데이타 통신 서비스를 이용하면 Wi-Fi(와이파이)가 되지 않는 지역에서도 인터넷이 가능합니다.

②LTE/ 5G데이터 통신 서비스를 켜고 인터넷을 이용할 경우 유료 데이터 사용요금이 부과되므로 주의합니다.

2. 모바일 데이터 사용하기

①위쪽 알림 줄을 끌어내린 후에 (모바일 데이터)를 터치합니다.

②모바일 데이터 '허용' 묻는 창에서 확인을 터치합니다.

3. 모바일 데이터 차단하기

①위쪽 알림 줄을 끌어내린 후에 (모바일 데이터 네트워크)를 터치합니다. (또는 데이터 네트워크를 터치합니다.)

②모바일 데이터 '차단' 묻는 창에서 확인을 터치합니다.

CHECK 리스트

화면 밝기 조절하기

[방법 1]

[방법 2]

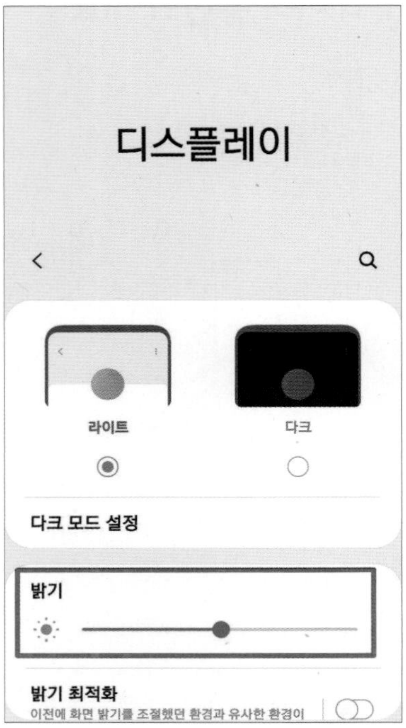

1 방법 1-①상태 알림 줄을 끌어내립니다. ②(아랫쪽) 밝기 조절 막대를 드래그하여 조절합니다.

2 방법 2-①상태 알림 줄을 끌어내립니다. ②설정(⚙)을 터치합니다. ②**[디스플레이]**를 터치합니다.

3 **[밝기]**에서 막대를 드래그하여 조절합니다.

CHECK 리스트

화면 글자 크기 조절하기

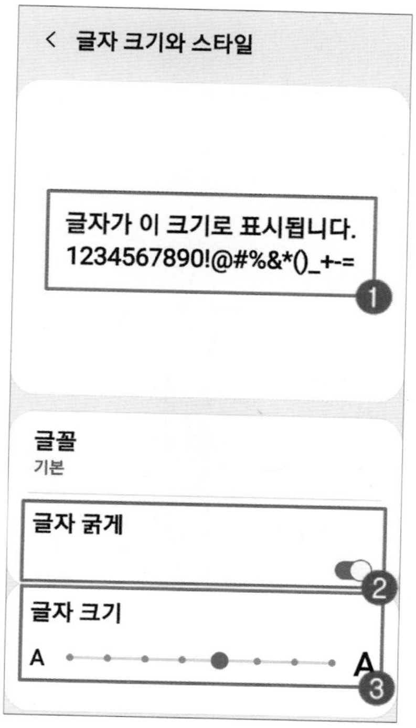

1 [설정]에서 [디스플레이]를 터치합니다. 2 [글자 크기와 스타일]을 터치합니다.
3 ①글자 크기 변화를 확인합니다. ②글자를 굵게 합니다. ③좌, 우로 조절합니다.

저장공간 확인 및 확보하기

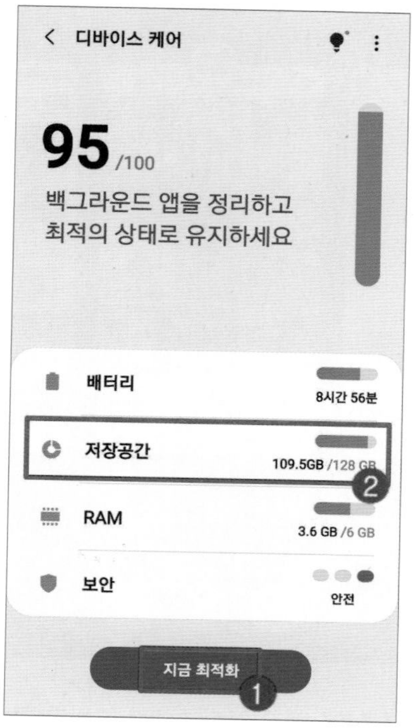

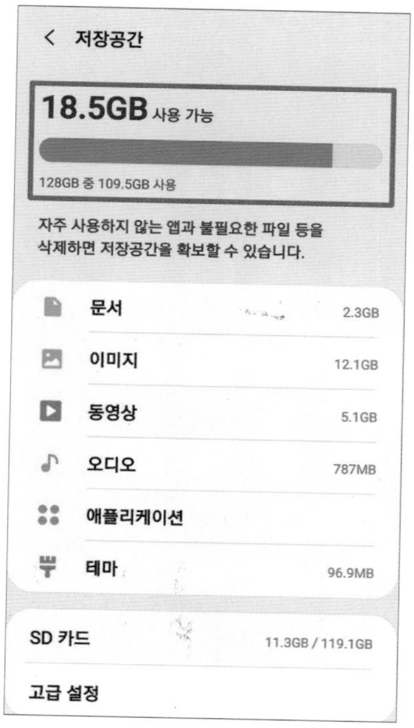

1 [디바이스 케어]를 터치합니다. 2 ①지금 최적화를 터치합니다. ②저장공간을 터치합니다.
3 저장공간을 확인할 수 있습니다.

LG 폰

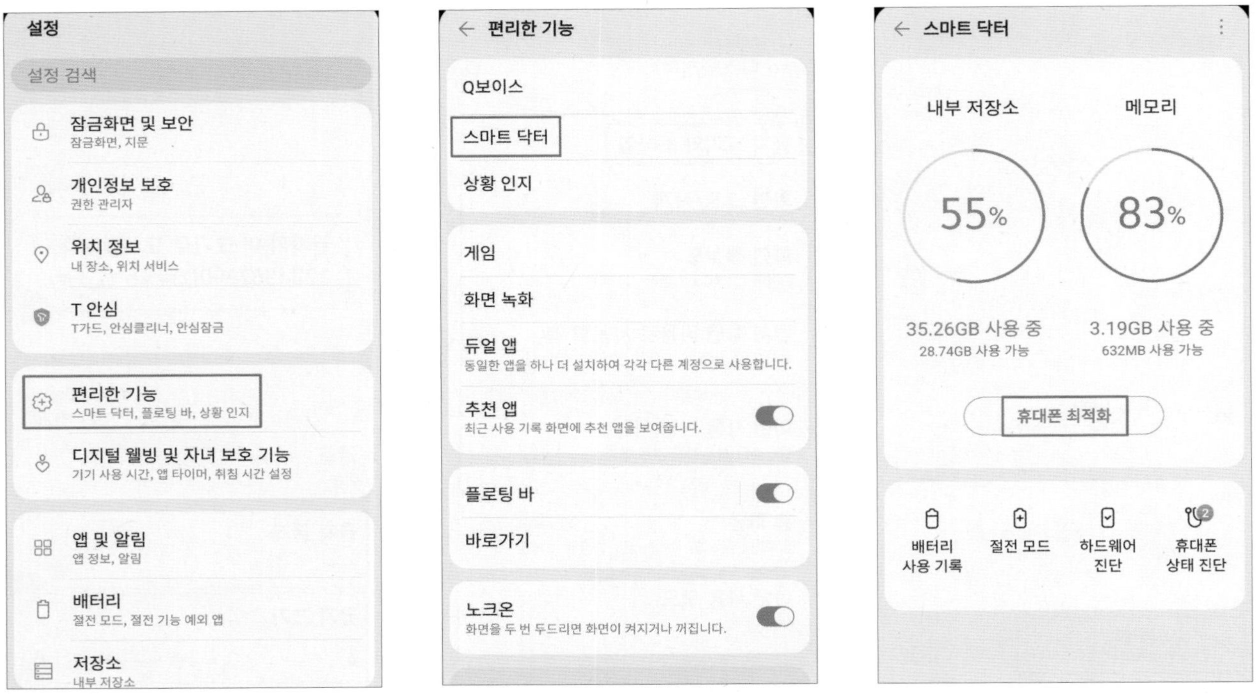

1 [**설정**]을 터치합니다. 2 [**스마트 닥터**]를 터치합니다. 3 [**휴대폰 최적화**]를 터치하여 정리합니다.

최근 실행 앱 확인하기

1 스마트폰 왼쪽 하단에 있는 [**최근 실행 앱**]을 터치합니다. 최근 실행했던 앱 목록이 나옵니다.
2 원하는 앱을 터치합니다. 3 LG폰 [**최근 실행 앱**]화면입니다. [**최근 실행 앱**]을 삭제하려면 [**모두 지우기**]를 터치합니다. 최근에 사용한 앱이 없습니다라는 문구가 보입니다.

디바이스 케어로 스마트폰 최적화하기

(1) 스마트폰 기기 최적화하기 (삼성 노트10 기준)

디바이스 케어는 누구나 손쉽게 터치 한번으로 스마트폰을 최적의 상태로 유지 및 관리 할 수 있는 기능입니다. 그리고 사용자가 스마트폰을 장시간 사용할 수 있도록 절전 모드를 제공하며 RAM을 효율적으로 관리하고 여유 공간을 확보합니다.

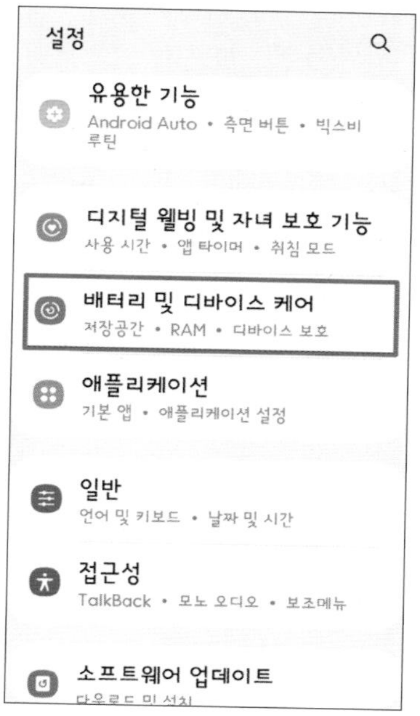

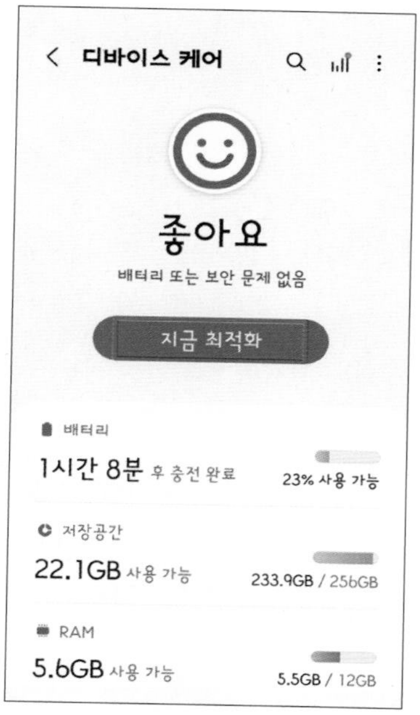

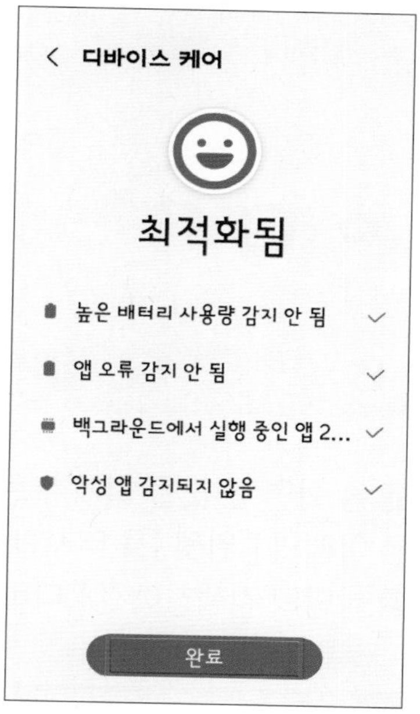

1 홈 화면의 [알림 줄] - [설정] - [배터리 및 디바이스 케어]를 터치합니다.
2 스마트폰을 최적화하기 위해 [지금 최적화]를 터치합니다.
3 최적화 작업이 끝나면 [완료]를 터치합니다.

CHECK 리스트

(2) 홈 화면에 디바이스 케어 위젯 추가하기

위젯 기능을 활용하여 홈 화면에 디바이스 케어 위젯을 추가하여 수시로 스마트폰을 최적화할 수 있습니다.

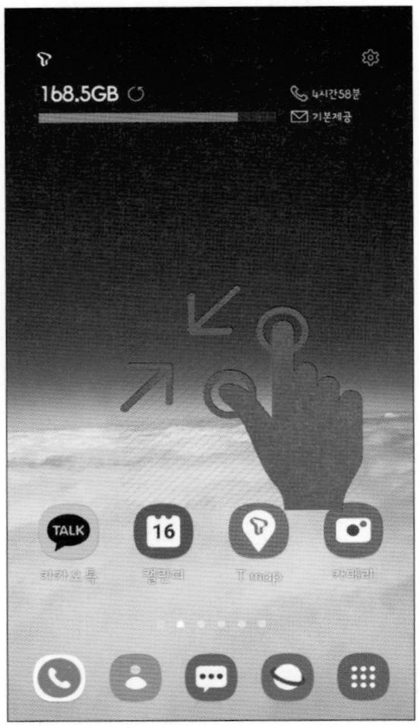

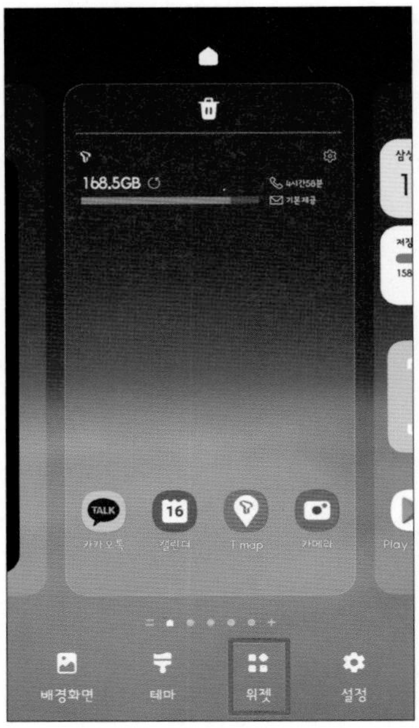

❶ 홈 화면 빈 곳을 길게 누르거나 엄지손가락과 검지손가락을 꼬집듯이 모아줍니다.
❷ 아래의 [위젯]을 터치합니다.
❸ 상단의 검색창에 ①[디바이스 케어]를 입력한 다음, 아래의 ②[디바이스 케어]를 터치합니다.

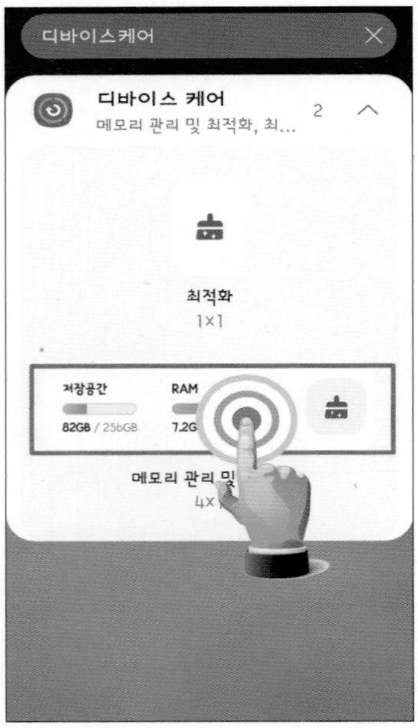

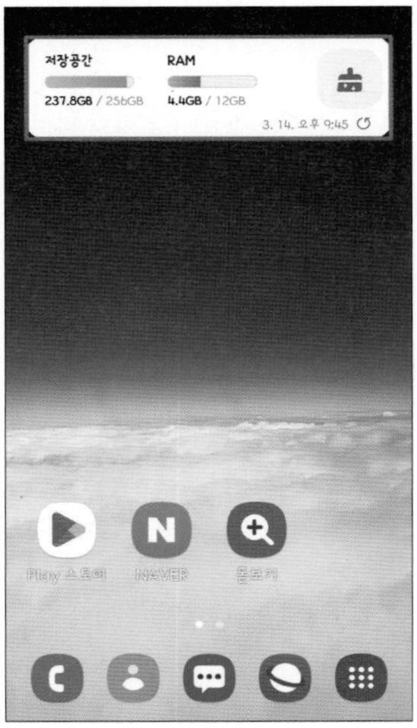

❶ 디바이스 케어 위젯의 [최적화 1×1], [메모리 관리 및 최적화 4×1] 2개의 종류 중 [메모리 관리 및 최적화 4×1] 손가락으로 길게 눌러 홈 화면 나올 때까지 기다립니다.
❷ 홈 화면의 원하는 위치에 가져다 놓고 손을 떼어줍니다.

※ 스마트폰 버전에 따라 디바이스 케어의 최적화 모양 빗자루모양  혹은  을 터치하여 최적화하면 됩니다.

연락처 활용

(1) 연락처 사용하기

1) 연락처 추가하기

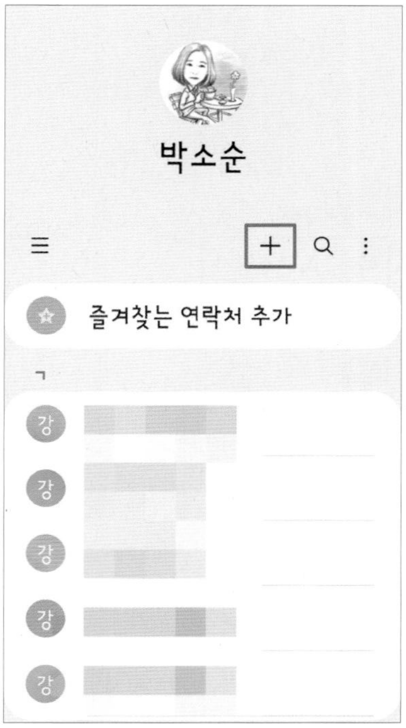

1 홈 화면에서 연락처를 터치하여 실행한 다음 오른쪽 위 [✚ **(연락처 추가)**]를 터치합니다.

2 연락처 추가할 ①[**이름**], ②[**핸드폰 번호**]을 입력한 다음, ③[**카메라 모양**]을 터치합니다.

3 원하는 ①[**이미지**]를 선택한 다음, ②[**저장**]을 터치합니다.

▶ 이미지가 추가된 연락처를 확인 할 수 있습니다.

※ 연락처에 사진을 추가하고 싶을 때에는 이미지 아래의 [**갤러리**] 혹은 [**카메라**]를 터치한 다음 완료하면 됩니다.

2) 즐겨찾기 사용하기

자주 연락하는 번호는 즐겨찾기를 이용하면 연락처 상단에 고정되어 신속하게 연락할 수 있습니다.

1 연락처에서 즐겨찾기 하고 싶은 사람의 이름을 터치한 다음 왼쪽 하단의 **[즐겨찾기]**를 터치합니다.

2 왼쪽 하단의 즐겨찾기 별 모양이 **[노란색 별]**로 변경된 걸 확인할 수 있습니다.

3 연락처 목록의 상단 즐겨찾기 아래에 추가된 이름을 확인할 수 있습니다.

CHECK 리스트

3) 그룹 사용하기

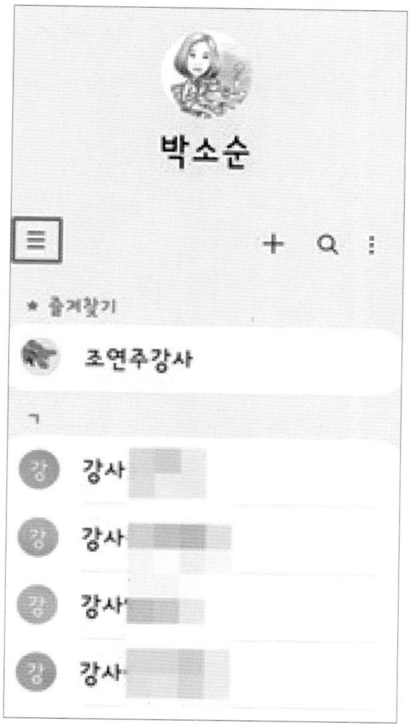

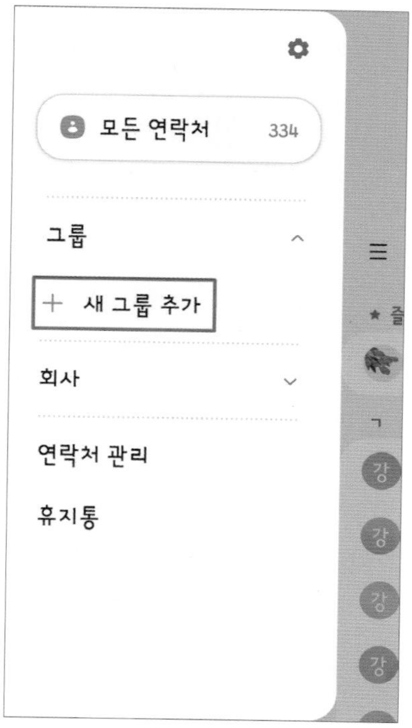

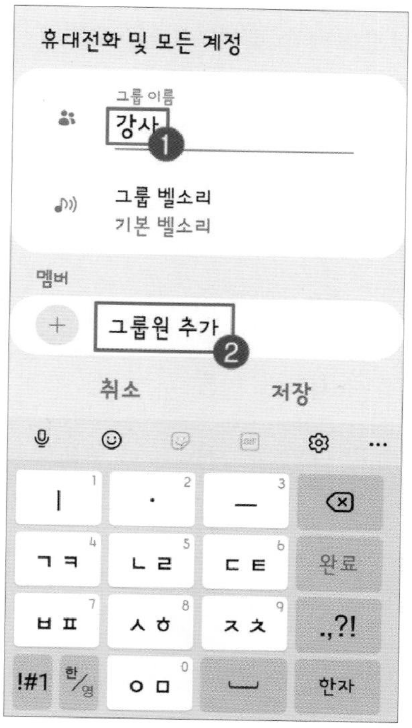

1 그룹을 추가하기 위해 연락처 화면 왼쪽의 [**삼선**]을 터치합니다.

2 연락처 메뉴 중에서 그룹 아래 [**✚ 새 그룹 추가**]를 터치합니다.

3 원하는 그룹 이름 ①[**예 : 강사**]를 입력한 다음, 멤버를 추가하기 위해 ②[**그룹원 추가**]를 터치합니다.

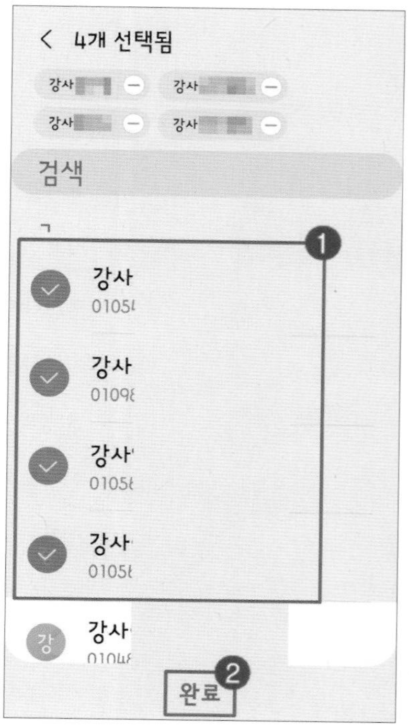

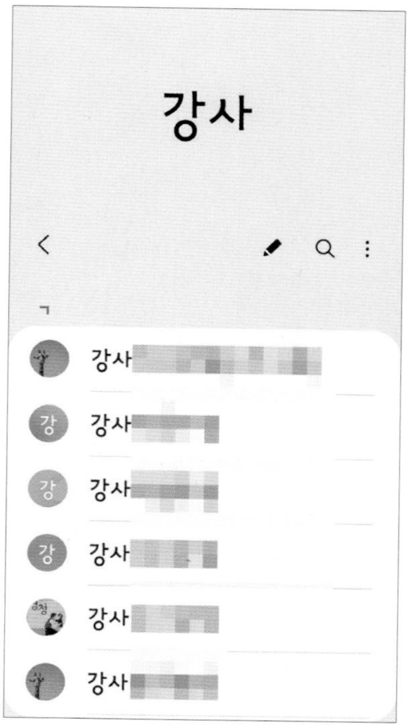

1 그룹에 추가할 ①[**멤버 선택**], ②[**완료**]를 터치합니다.

2 강사그룹에 추가된 멤버를 확인할 수 있습니다.

4) 최근 기록 사용하기

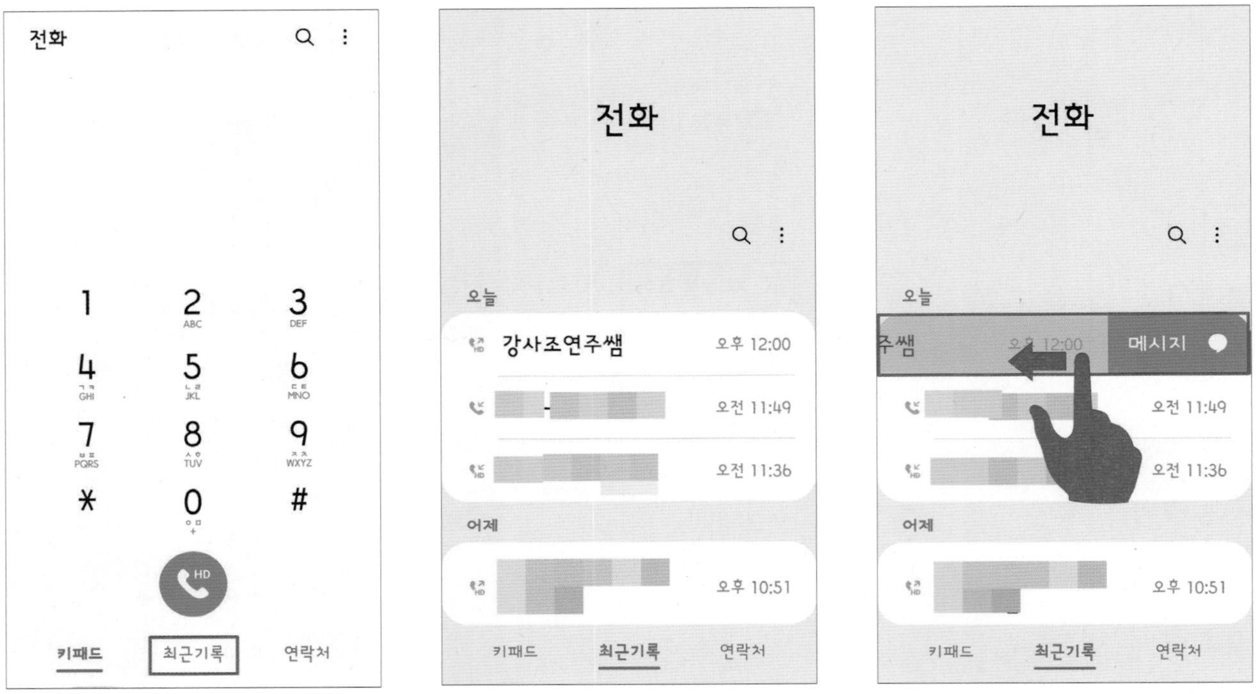

1 홈 화면의 [**전화**]를 실행한 다음, 하단의 [**최근기록**]을 터치합니다.
2 최근에 사용한 수신과 발신 목록을 확인할 수 있습니다.
3 전화번호를 [**왼쪽으로 밀어주면 메시지**]를 보낼 수 있습니다.

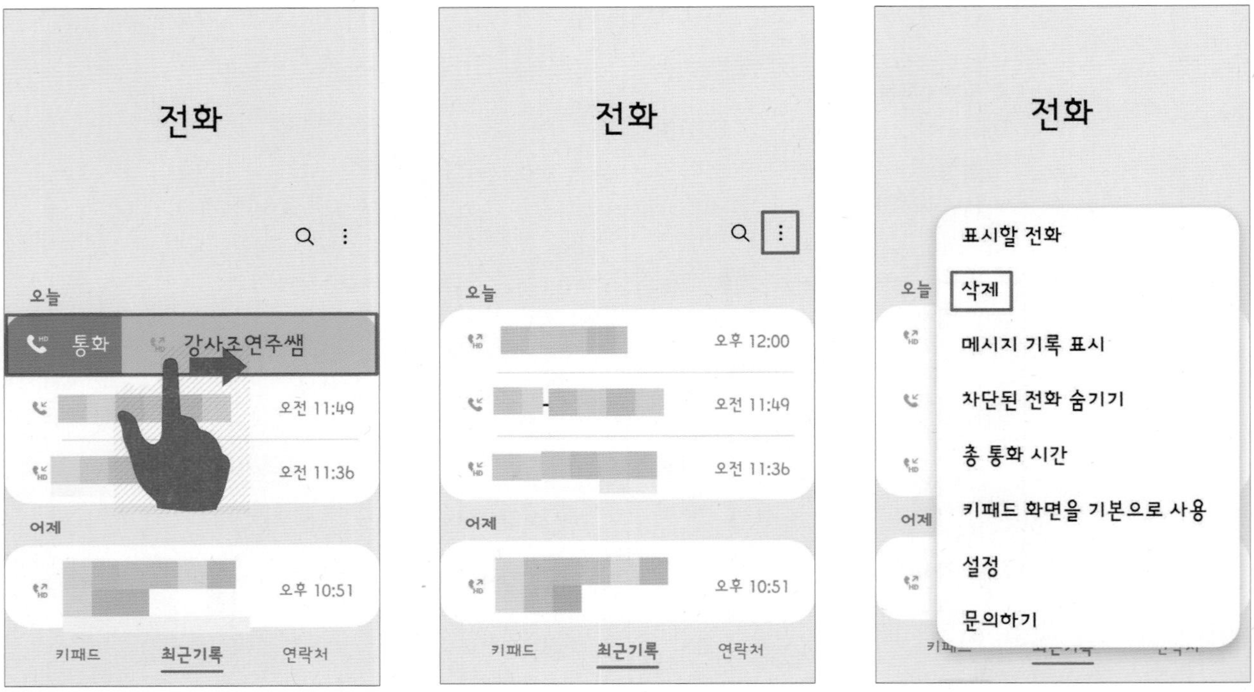

1 전화번호를 [**오른쪽으로 밀어주면 통화**]를 할 수 있습니다.
2 최근 기록을 삭제할 경우에는 오른쪽 위 [**⋮ (더보기)**]를 터치합니다.
3 더보기로 나온 메뉴 중에서 [**삭제**]를 터치합니다.

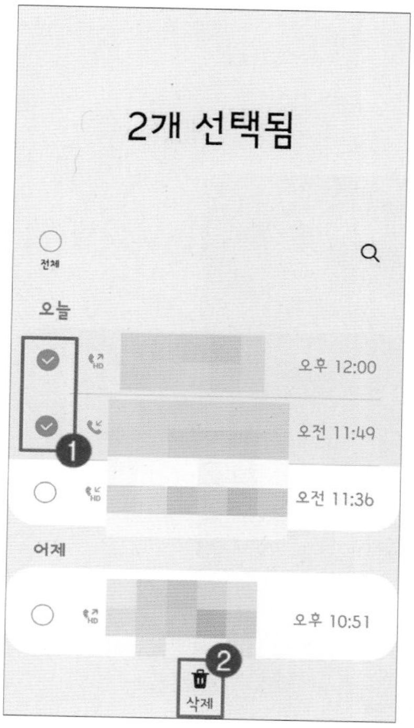

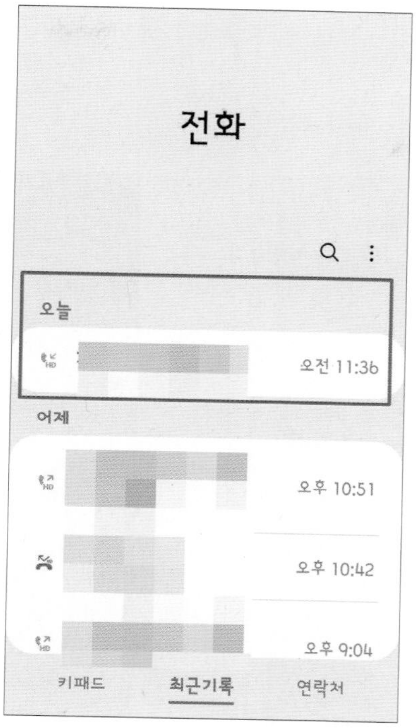

1 삭제하고자 하는
①**[최근기록을 체크]**한 다음,
아래의 ② **[삭제]**를 터치합니다.

2 오늘 수신 및 발신목록이
삭제된 걸 확인할 수 있습니다.

CHECK 리스트

화면 페이지 편집

1) 홈페이지 추가

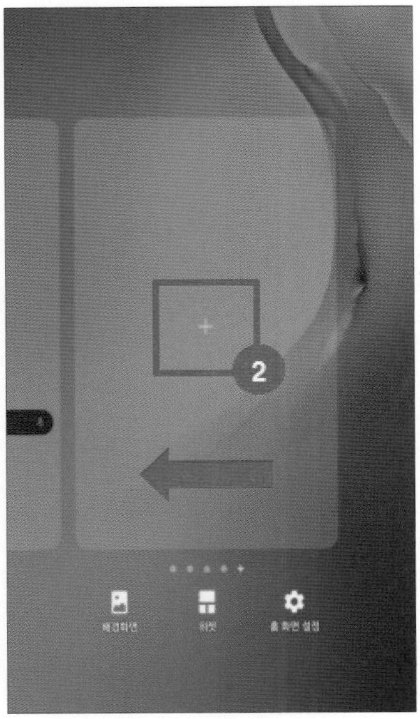

1 ①홈 화면 빈 곳을 3초 정도 길게 누릅니다. (또는 엄지와 검지를 이용하여 홈 화면을 대각선으로 꼬집듯 당겨줍니다.) 2 ②화면을 왼쪽으로 넘겨 ✚를 터치하면 새로운 페이지가 추가됩니다.

2) 홈페이지 삭제

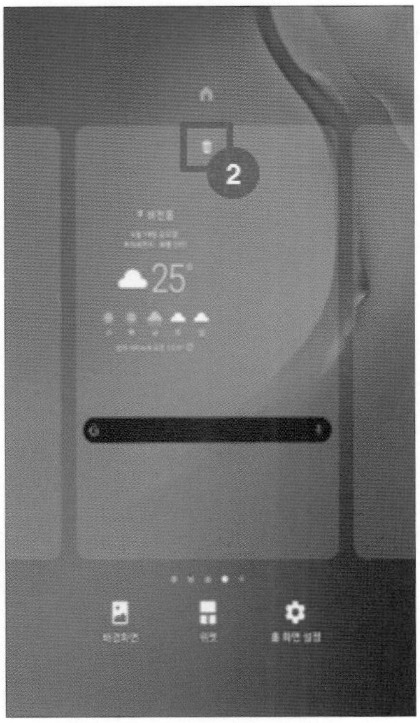

1 ①홈 화면 빈 곳을 3초 정도 길게 누릅니다.

2 ②이 상태에서 휴지통을 클릭하면 해당 페이지를 삭제할 수 있습니다.

3) 홈 화면 순서변경

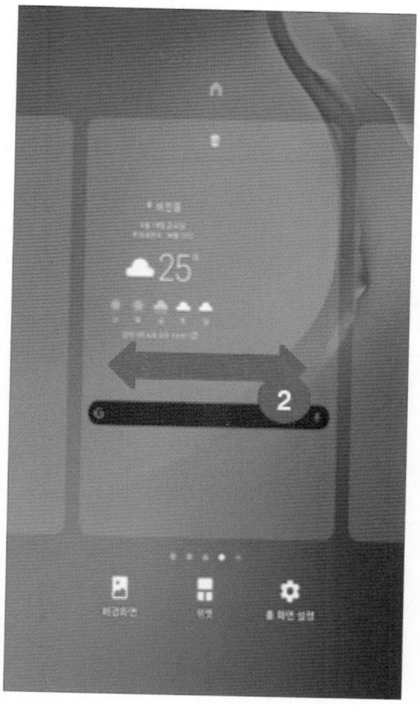

1 ①홈 화면 빈 곳을 3초 정도 길게 누릅니다.

2 ②누른 상태에서 밀면 앞뒤 페이지와 화면 순서를 바꿀 수가 있습니다.

4) 홈페이지 변경

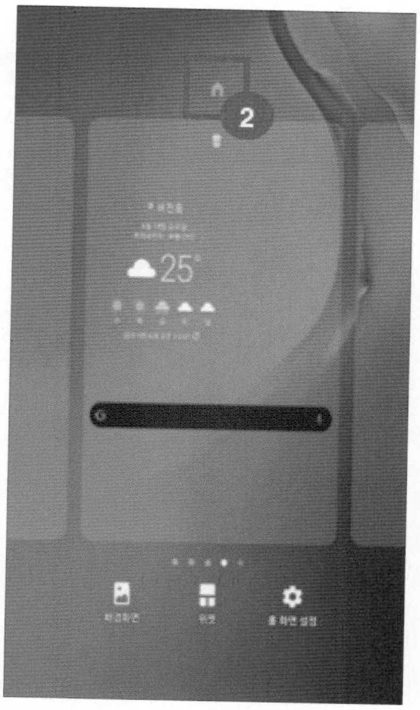

1 ①홈 화면 빈 곳을 3초 정도 길게 누릅니다. 2 ②페이지의 위쪽에 집 모양을 터치하면 해당 페이지가 홈페이지로 설정됩니다.

※ **홈페이지 : 휴대폰을 켰을 때 보이는 홈 화면의 첫 화면**

폴더 관리하기

1) 폴더 만들기

1 ①홈화면의 앱을 길게 누릅니다. (예 : 다음 메일)

2 ②다른 앱 위로 겹치게 드래그하여 놓습니다. (예 : 갤러리)

3 ③[**폴더이름 입력**]을 터치하여 원하는 폴더 이름을 입력합니다. (예 : 이것저것)

2) 폴더에 앱을 모으기

1 ①앱을 길게 누릅니다. 2 ②[**이것저것**] 폴더 위로 겹치게 앱을 드래그하여 놓습니다.

3 ③그러면 폴더 안으로 [**네이버지도**] 앱이 추가되며, 이와 같이 앱을 모을 수가 있습니다.

3) 홈 화면 어플 정리 하기

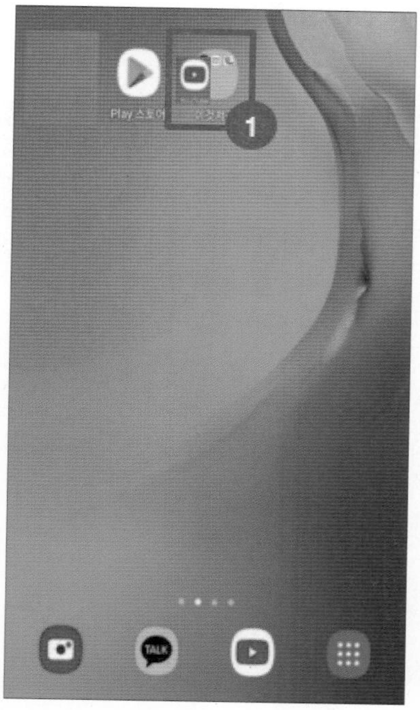

1 ①정리할 앱을 원하는 폴더 위로 겹치게 드래그하여 놓습니다.

2 ②그러면 폴더에 홈 화면 앱이 들어가게 됩니다. 이 방법을 반복하여 홈 화면의 앱들을 폴더에 끌어다가 정리할 수 있습니다.

CHECK 리스트

위젯(Widget) 활용하기

1) 바로(다이렉트) 전화걸기

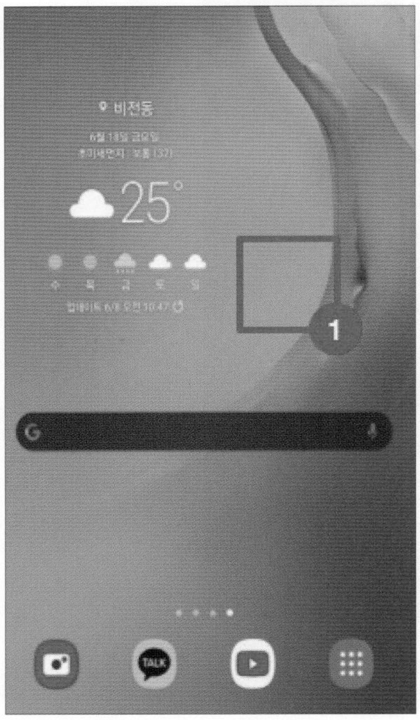

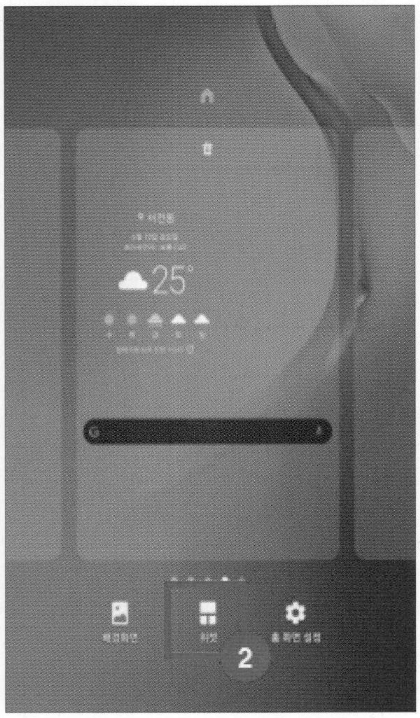

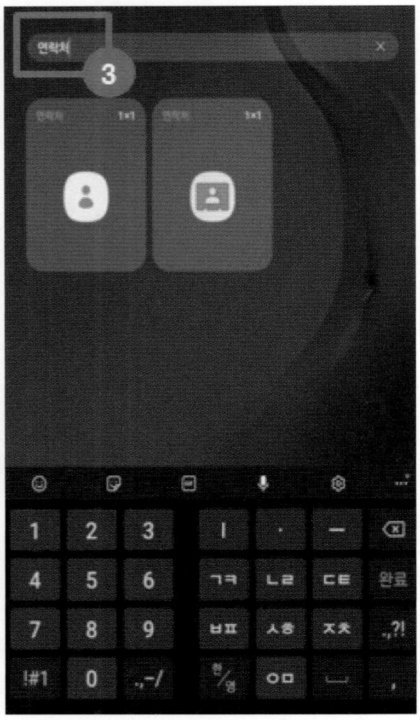

1 ①홈 화면 빈 곳을 3초 정도 길게 누릅니다. 2 ②하단의 위젯을 터치합니다.

3 ③검색란에 연락처라고 입력합니다.

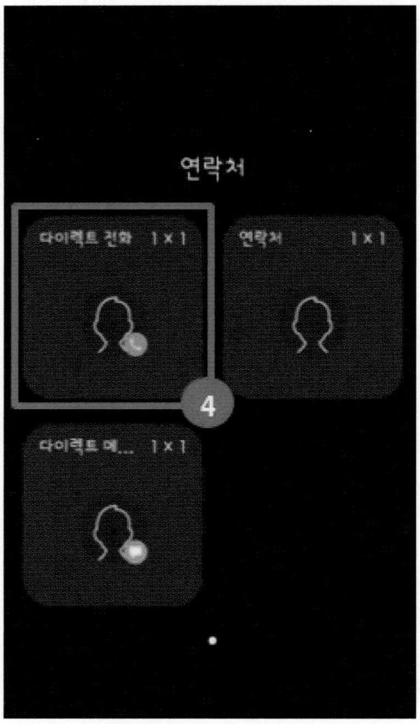

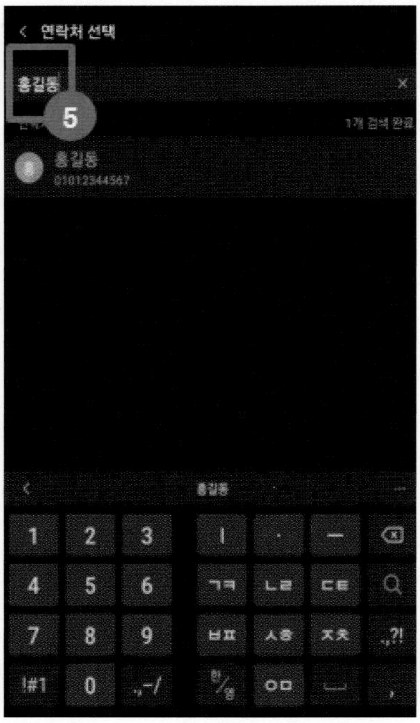

1 ④다이렉트 전화를 선택하여 길게 누릅니다.

2 ⑤검색란에 바로 전화 걸기 할 사람 이름을 입력하여 선택합니다.

3 ⑥홈 화면에 생성된 위젯을 터치하면 그 사람에게 바로 전화를 걸 수가 있습니다.

2) 돋보기

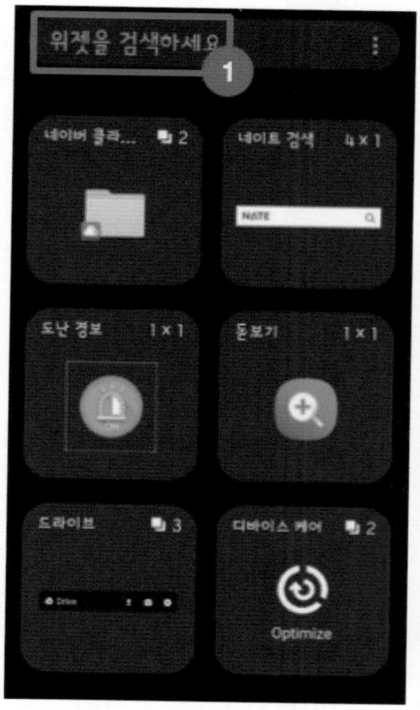

1 ①위젯에서 **[위젯을 검색 하세요]** 부분을 터치하여 **[돋보기]**라고 입력합니다.

2 ②검색된 돋보기 아이콘을 길게 눌러 홈 화면에 추가합니다.

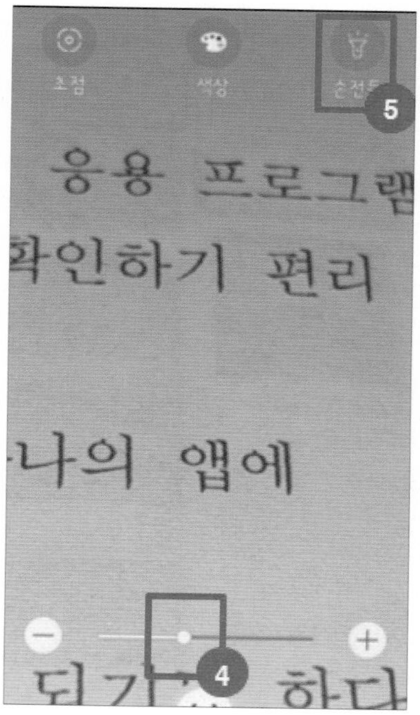

1 ③홈 화면에 추가된 돋보기 아이콘을 터치합니다.

2 ④확대하려는 그림이나 글자 위에 돋보기의 조절점을 이용하여 크기를 조절합니다.

⑤필요시 손전등을 터치하여 밝은 화면을 실행합니다.

3) 그 외 (날씨 및 시계)

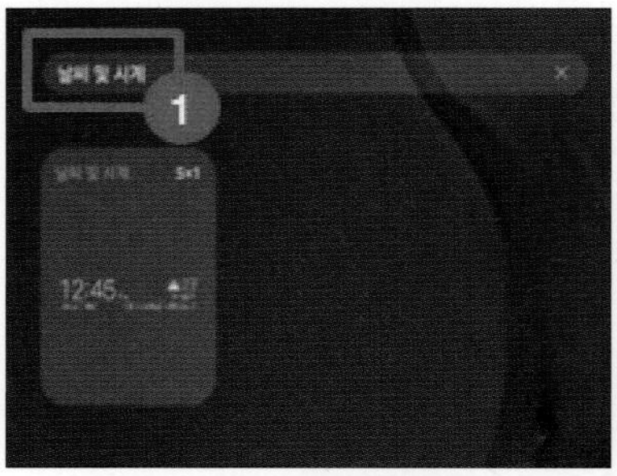

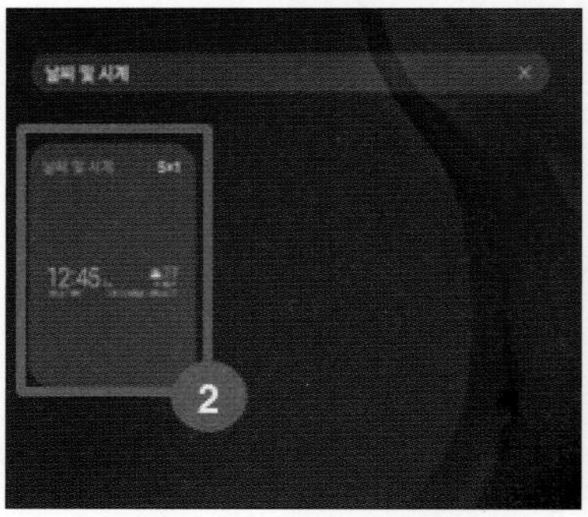

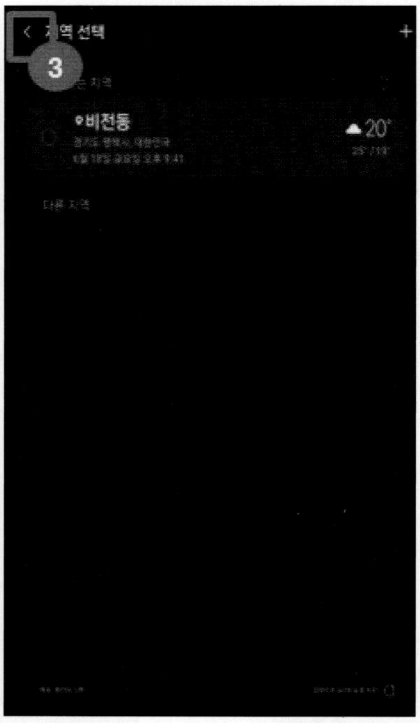

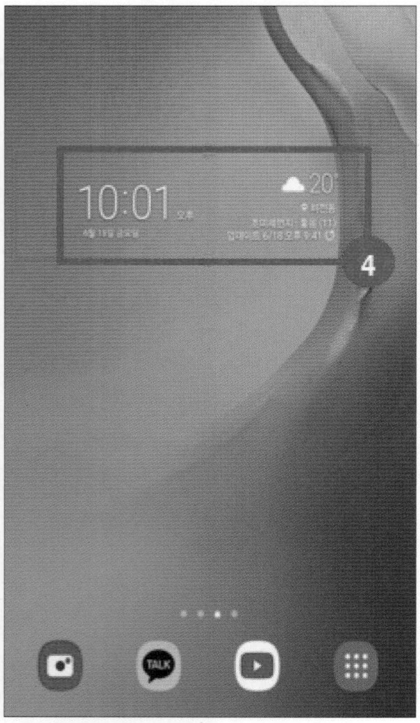

1 ①위젯에서 **[위젯을 검색 하세요]** 부분을 터치하여 **[날씨 및 시계]**라고 입력합니다.

2 ②**[날씨 및 시계 5x1]** 위젯을 길게 눌러 홈 화면에 추가합니다.

3 ③홈 화면에 추가 지역 선택 화면이 나오면 해당 지역을 터치하여 위젯을 추가합니다.

4 ④본 위젯을 통해 홈 화면에서 해당 지역의 날씨를 시시각각 알 수가 있습니다.

CHECK 리스트

시계 앱 활용하기(알람)

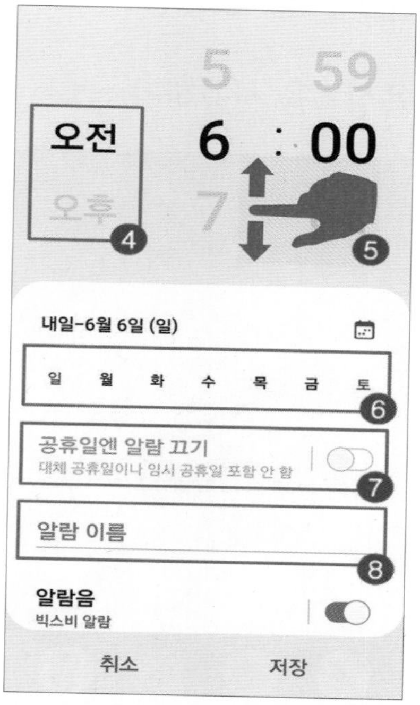

1 ①홈 화면이나 앱스 화면에서 [**시계**]를 터치합니다. **2** ②하단 메뉴에서 [**알람**]을 터치하여 활성화합니다. [**세계시각**], [**스톱워치**], [**타이머**]도 활용할 수 있습니다. ③[✚]를 터치합니다. **3** ④[**오전**]이나 [**오후**]를 선택합니다. ⑤숫자를 위아래로 드래그하여 [**시간**]과 [**분**]을 맞춥니다. ⑥알람 음을 [**요일**] 또는 [**날짜**]를 선택합니다. ⑦[**공휴일**]엔 [**알람 끄기**]를 활성화하면 알람 음이 꺼집니다 ⑧[**알람 이름**]을 설정할 수도 있습니다.

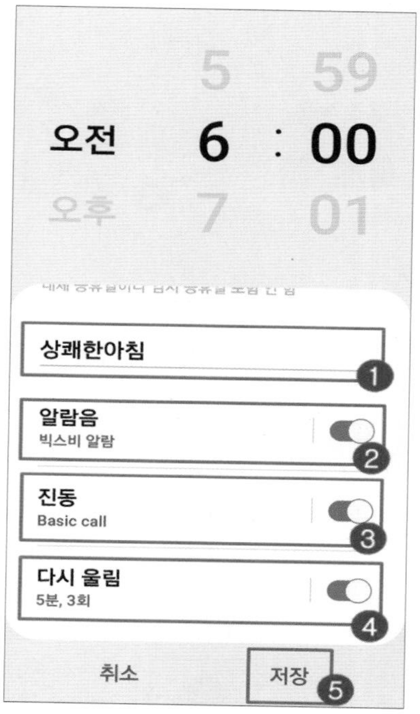

1 ①[**알람 이름**]을 터치하여 [**상쾌한 아침**]이라고 설정했습니다. ②원하는 음악으로 [**알람 음**]을 설정할 수도 있고 ③[**진동 패턴**]을 설정할 수도 있습니다. ④[**알람 간격**]과 [**반복 회수**]를 정할 수 있습니다. ⑤[**저장**]을 터치합니다. [**알람이 확정**] 되었습니다. **2** ⑥[✚]를 터치하여 알람을 추가할 수 있습니다. **3** ⑦알람 [**끄기**] 또는 [**삭제**]할 경우는 알람을 길게 누른 후 ⑧[**끄기**] 또는 [**삭제**]를 터치하면 됩니다.

문자메시지

음성녹음 사용하기

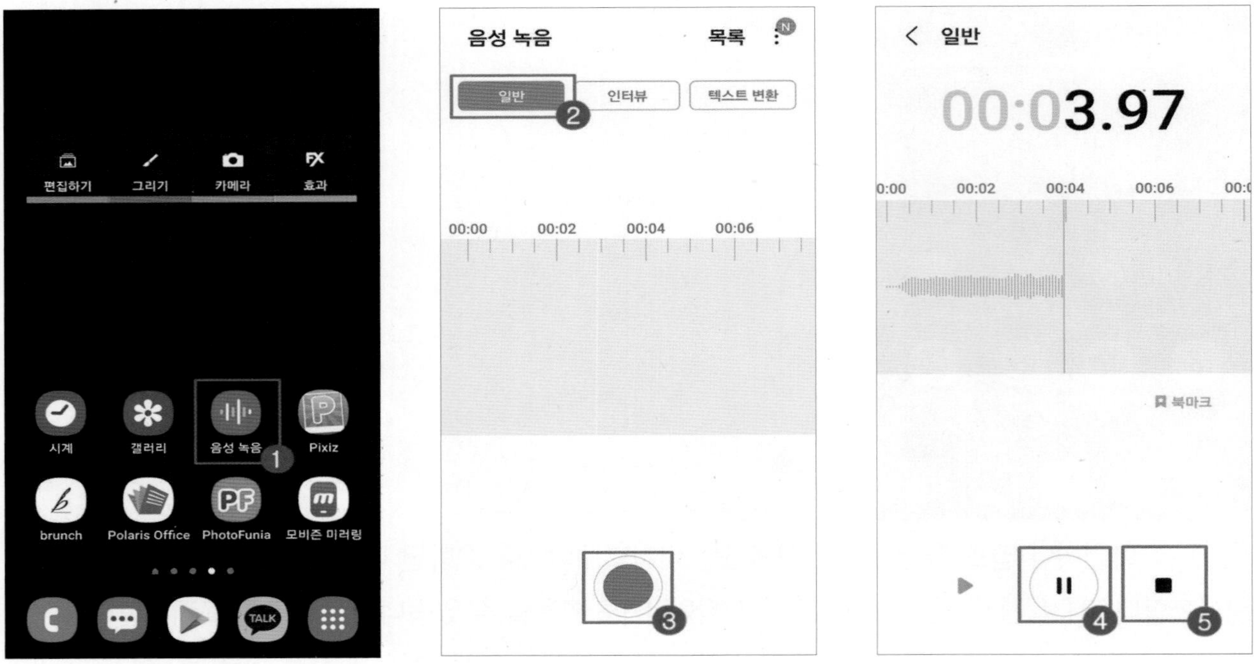

1 ①홈 화면이나 앱스 화면에서 **[음성녹음]**을 터치합니다. **2** ②[**일반**]을 터치한 후 ③[**녹음 시작**] 버튼을 터치합니다. **3** ④녹음 중에는 **[일시 정지]** 버튼 터치합니다. ⑤녹음이 끝나면 **[정지 버튼]**을 터치합니다.

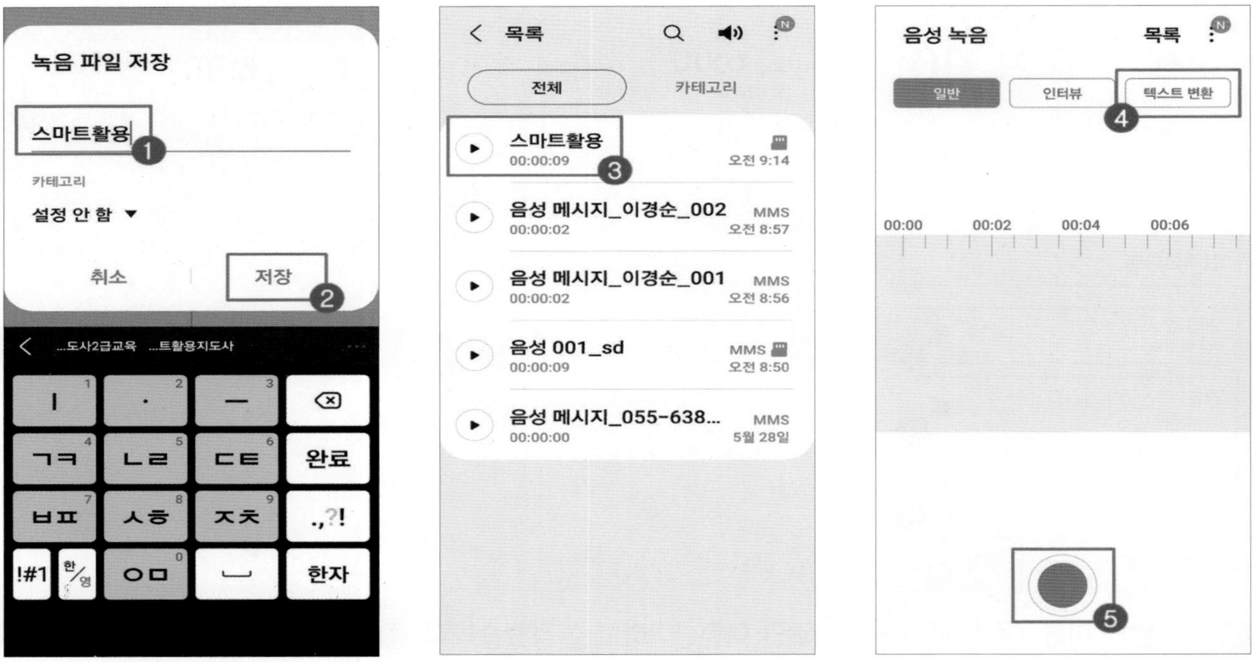

1 ①녹음 파일 저장에서 **[스마트 활용]** 이름변경 입력한 후 ② **[저장]**을 터치합니다. **2** ③[**스마트 활용**] 파일명으로 저장되었습니다. **3** ④[**텍스트 변환**]은 음성과 동시에 텍스트로 변환됩니다. ⑤[**녹음**] 버튼을 터치하여 녹음을 시작합니다.

음성녹음 확인하기

❶ ①음성이 **[녹음]**되면서 ②**[텍스트로 변환]**이 됩니다. ③끝나면 **[정지]** 버튼을 눌러 저장합니다. ❷ 녹음한 내용을 듣기 위해 홈 화면이나 앱스화면에서 **[음성녹음]**을 터치합니다. ④**[목록]**을 터치합니다. ⑤재생하고자 하는 목록을 터치합니다. ❸ ⑥재생과 동시에 텍스트로 변환됩니다.

음성 녹음 파일 이름 변경하기

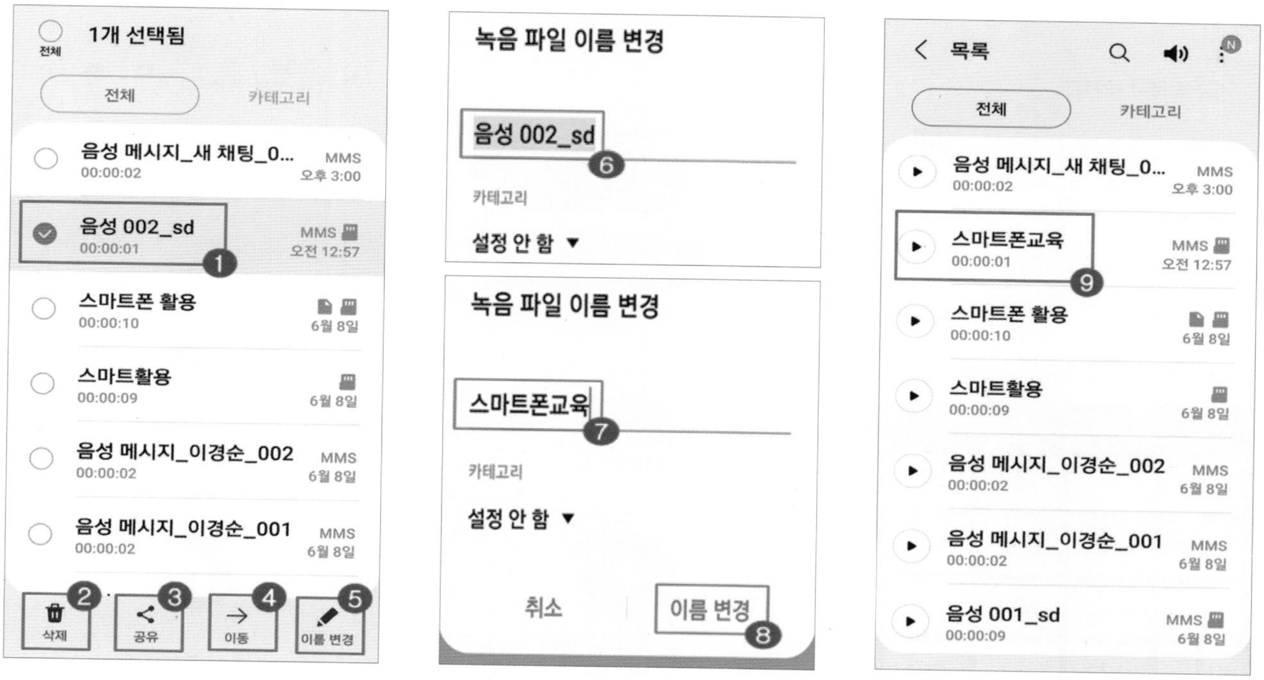

◈ 파일 이름을 변경해 보겠습니다.

❶ **[음성 목록]**에서 ①**[변경할 파일]**을 길게 누릅니다. 하단 메뉴에서 ②**[파일 삭제]**, **[파일 공유]** ④**[파일 이동]** ⑤**[이름변경]**을 터치합니다. ❷ ⑥**[파일명]**을 터치하여 ⑦파일 이름 **[스마트폰 교육]** 변경하고 ⑧**[이름변경]**을 터치합니다. ❸ ⑨**[스마트폰 교육]**으로 파일 이름이 변경되었습니다.

말로 문자 보내기

1 ①홈 화면에서 **[메시지]**을 터치합니다. **2** ②**[대화]** 말풍선을 터치합니다.
3 ③**[받는 사람]**을 터치하여 전화번호를 입력하거나 ④**[✚]**를 터치하여 연락처에서 보낼 사람을 선택합니다. ⑤**[대화창]**을 터치합니다

1 ①**[문자 메시지]**를 터치하여 자판에서 문자를 입력할 수 있는데 여기서는 ②**[마이크]**를 터치하여 **[음성]**으로 입력하겠습니다. **2** ③마이크를 터치하면 마이크가 **[진동]** 할 때 음성으로 말합니다.
3 ④음성이 **[텍스트로 변환]**이 됩니다. ⑤**[보내기]**를 터치하면 전송됩니다.

음성으로 문자 보내기(인터넷이 안되는 경우)

1 ①[**전화번호**]를 입력하거나 [**연락처**]에서 가져옵니다. ②[✚]를 터치합니다.

2 ③[**음성녹음**]을 터치합니다. 3 ④[**음성녹음 시작**] 버튼을 누르고 녹음을 시작합니다.

1 ①녹음이 끝나면 [**정지**]를 터치하고 ②[**완료**]를 터치합니다.

2 ③[**음성녹음**]이 첨부되었습니다. 전송하기 전에 플레이 버튼 [▶]을 터치하여 미리 들어보거나 삭제 [━] 할 수 있습니다.

④[**보내기**]를 터치합니다. 3 ⑤ [**음성녹음**]이 전송되었습니다

빠른 음성 보내기(인터넷이 안되는 경우)

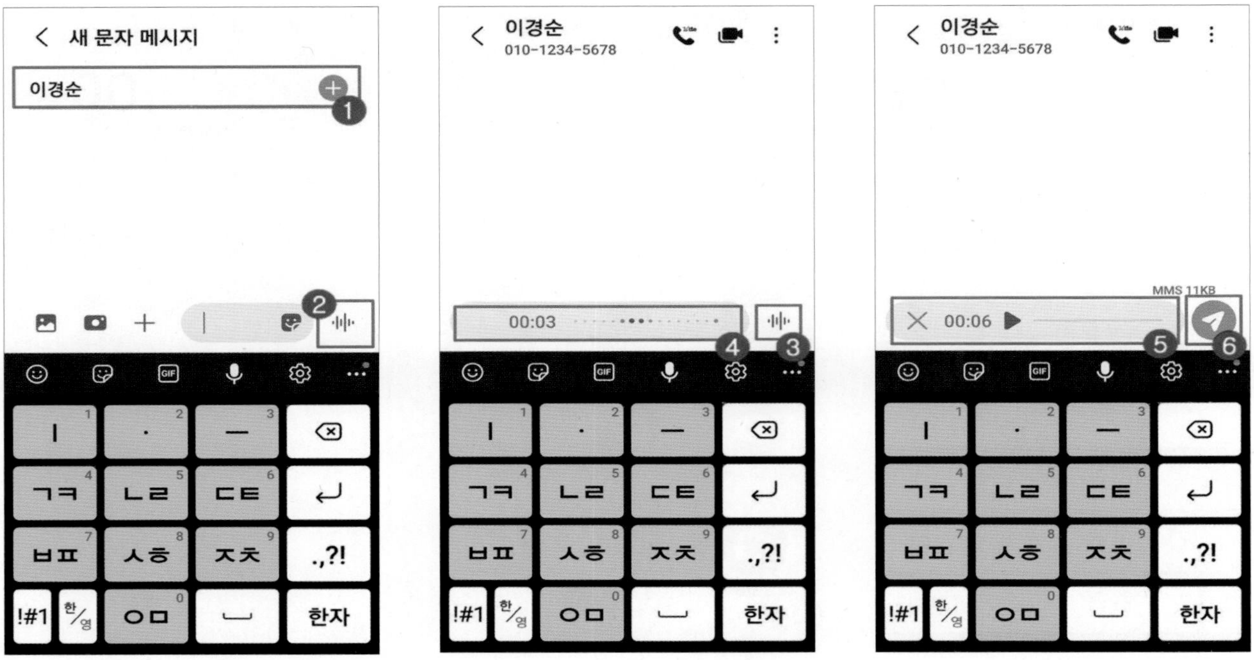

1 ①**[전화번호]**를 입력하거나 **[연락처]**에서 가져옵니다.
②메시지 입력창 오른쪽에 있는 **[음성녹음]** 버튼을 길게 누릅니다.
2 ③누른 상태로 녹음을 하고 녹음이 끝나면 손가락을 뗍니다.
④음성을 인식하고 있습니다. **3** ⑤ **[음성녹음]**이 되었습니다.
4 ⑤플레이 버튼 **[▶]**을 터치하여 미리 들을 수 있고 **[✖]**를 터치하면 삭제됩니다.
⑥**[보내기]** 버튼을 터치하면 음성녹음이 **[전송]**이 됩니다.

CHECK 리스트

카메라 설정법

카메라의 빠른 실행

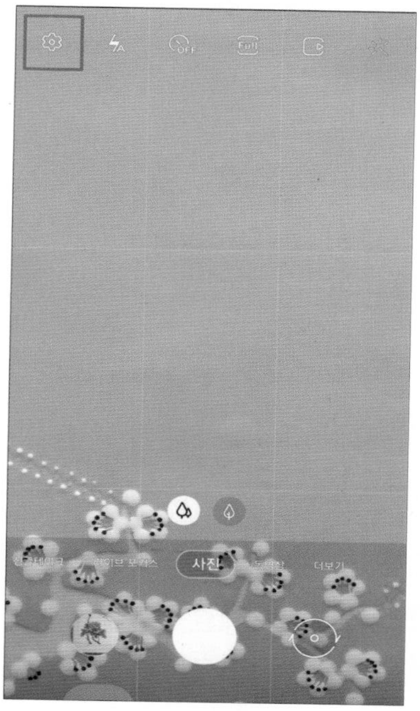

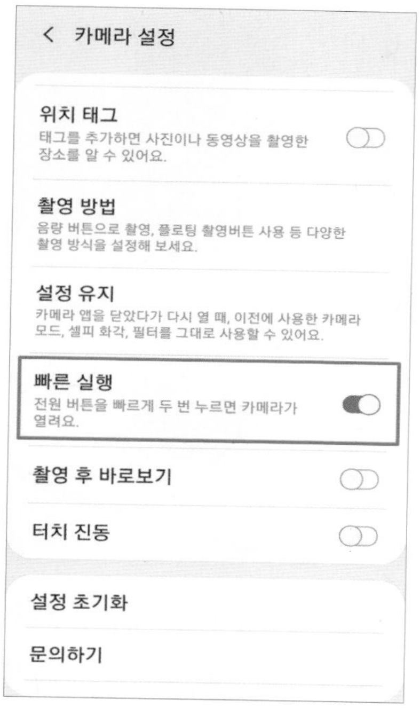

1 순간적인 장면을 촬영하고자 할 때 [**카메라의 빠른 실행**]을 설정하기 위해 카메라의 촬영화면에서 톱니 모양 [**설정**]아이콘을 터치합니다. 2 [**빠른 실행**]을 터치하여 설정합니다.
3 스마트폰의 [**전원 버튼**]을 빠르게 [**두 번**] 누르면 카메라 앱이 실행합니다.

1 사진을 찍기 전 화면을 톡하고 터치하여 [**초점과 밝기**]를 조절하세요. 한결 선명한 사진이 됩니다.
2 사진을 잘 못 찍는다면 [**최대한 밝은 곳**]에서 촬영하세요.

화이트밸런스로 색감 맞추기

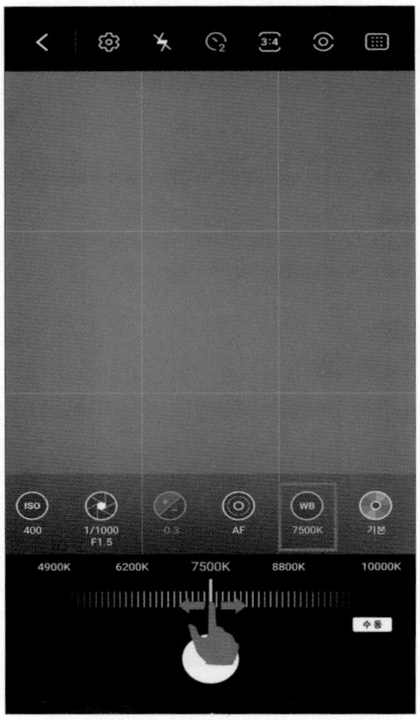

❶ [**화이트밸런스**]를 터치하여 아래 [**색온도 k값**]을 좌, 우로 움직여 색감을 조절하세요.

❷ 화이트밸런스를 [**오토**]로 촬영한 사진입니다. ❸ [**K값**]을 낮춰서 촬영한 사진입니다.

카메라 모드별 촬영 방법(갤럭시폰 기준, 카메라 기종에 따라 이름과 기능이 다를 수 있습니다)

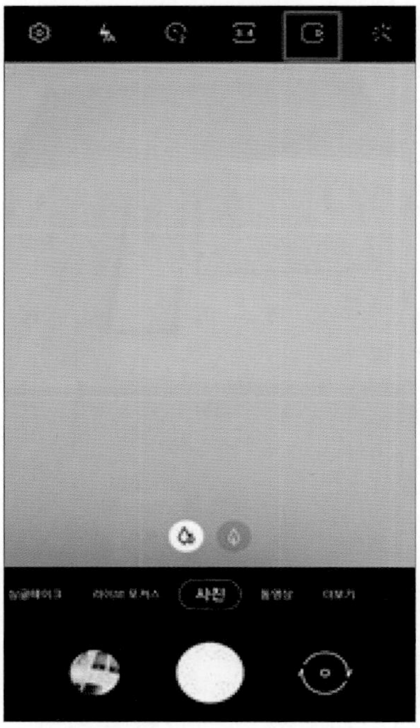

[**싱글테이크**] 피사체를 짧은 시간 동안 움직이며 찍으면 8개정도의 다양한 사진과 동영상이 만들어집니다. 그중에서 맘에 드는 것을 선택하여 사용합니다.

[**라이브포커스**] 중심 피사체는 돋보이고 배경은 흐리게 찍을수 있습니다.

[**모션포토**] 촬영시점 전후 동영상이 3초 정도 담깁니다. (최적장면을 선택 할 수 있습니다.)

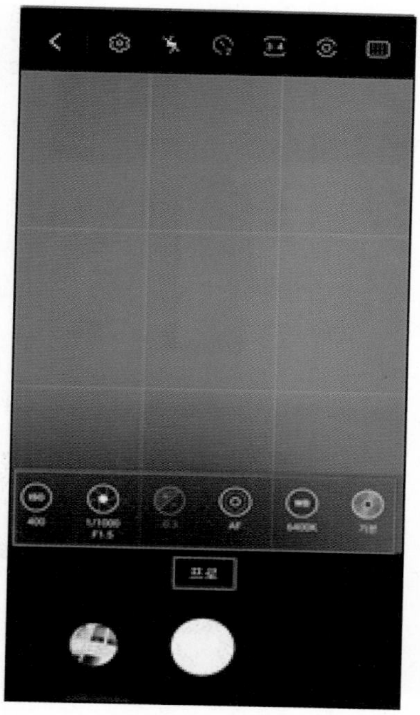

1 **[더보기]** 메뉴를 터치하면 다양한 촬영 모드가 나옵니다. 2 **[프로모드]** DSLR 카메라처럼 ISO 감도, 노출 값, 초점, 화이트밸런스 등을 수동으로 조절해 촬영합니다. 3 **[파노라마]** 넓은 범위의 장면을 한 장의 사진으로 촬영합니다. 산이나 바다와 같은 넓은 지역, 풍경 사진을 촬영할 때 사용하세요. (주의할 점) 카메라를 한 방향으로만 천천히 움직인다. 안내선 밖으로 나가지 않도록 촬영합니다.

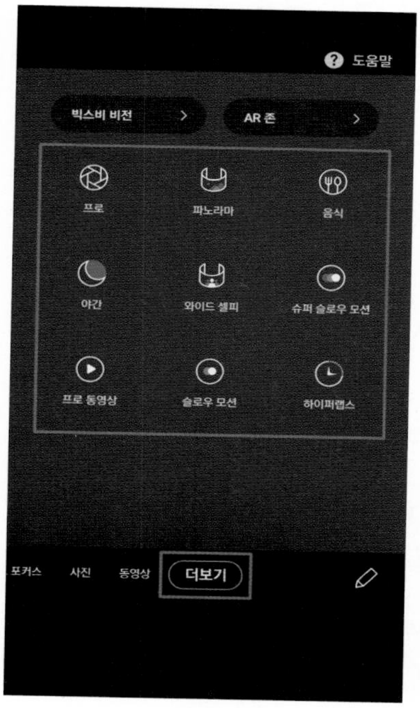

[음식모드] 음식을 더 선명하게 촬영합니다.

[야간모드] 어두워서 촬영이 어려운 곳에서 야간모드를 설정하면 화면이 밝아져 촬영이 가능합니다.

[슬로우모션] 실제보다 느리게 움직이는 영상으로 촬영하는 방법입니다.

[하이퍼랩스] 실제보다 빠르게 움직이는 역동적인 영상을 촬영합니다. 일출 모습, 구름이 지나는 모습, 꽃이 피어나는 모습 등 촬영에 이용됩니다.

CHECK 리스트

스마트폰 카메라의 기본설정

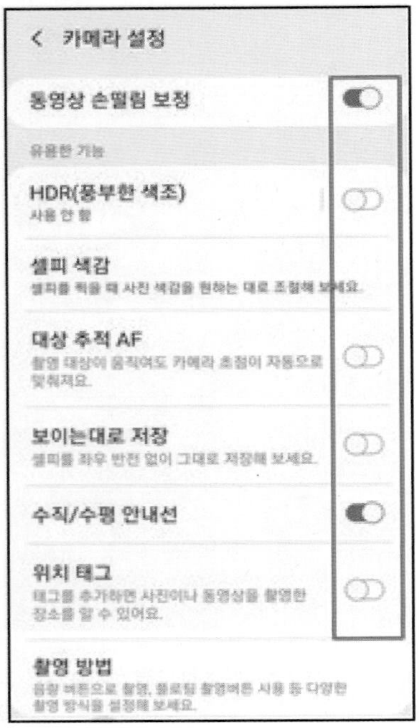

1 스마트폰 홈 화면 하단의 [**카메라**] 아이콘을 터치합니다. **2** 카메라가 열리면 상단 왼쪽 톱니모양 [**설정**]아이콘을 터치합니다. **3** 꼭 설정해야 할 기능들입니다.

[**동영상 손떨림 보정**] 초점이 흔들리는 것을 방지, 선명한 사진을 찍는 데 중요합니다.

[**수직/수평 안내선**] 안정적인 구도를 잡는데 매우 중요합니다. (황금분할선으로 활용)

[**촬영 방법**] 음성버튼, 플로팅 촬영버튼, 손바닥내밀기 (셀피 촬영시) 설정합니다.

[**위치태그**] 사진을 찍은 시점의 위치가 나타납니다.

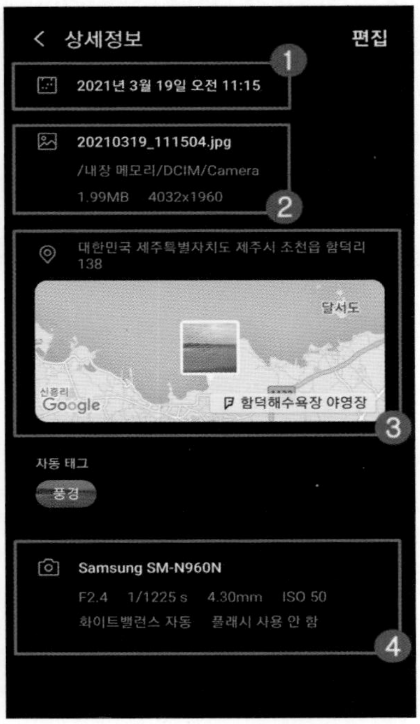

사진의 상세정보 찾아보기

①해당사진 상단 오른쪽 더보기를 누르면 상세정보가 나옵니다. 촬영일자가 보입니다.

②사진의 용량과 크기를 알 수 있습니다.

③촬영장소

④F값, 화각, 촬영시간, ISO등 촬영정보를 알 수 있습니다.

사진편집 - 포토에디터 사진 보정(갤럭시 노트9 기준)

보정은 촬영된 스마트폰 사진을 한 번 더 업그레이드 하는 과정입니다. 디지털 사진에 있어서 보정은 필수과정입니다. 터치 한 두 번만으로 사진이 확 달라지는 비법을 알아봅니다.
갤럭시폰 갤러리의 [**포토에디터**]와 전문보정앱 [**스냅시드**] 활용하는 방법을 소개합니다.

1.포토에디터 사진 보정
포토에디터의 기능이 계속 업그레이드 되어서 최근 포토에디터는 전문 보정앱 못지않은 기능들을 탑재하고 있습니다.

1) 보정순서는 회전(필요한 경우만) ➔ 기울기 조정 ➔ 프레임 크기 조절 순입니다.

1 [**포토에디터 사진 보정**]은 사진 하단에 있는 [**연필 모양**] 버튼을 누릅니다.
2 ①[**프레임 크기**]는 1:1, 3:4, 9:16, Full, Free 선택이 있습니다. 어떤 크기의 프레임을 선택하느냐에 따라 사진의 분위기가 달라집니다. 또한 프레임을 선택해서 불필요한 부분이나 또는 어지러운 배경을 잘라낼 수 있습니다. 프레임 크기를 결정한 후 두 손가락으로 사진 크기를 맞추어 조정하면 됩니다.
3 ②[**기울기 조정**] 사진에 건물이나 나무, 수평선 등이 수직, 수평이 맞지 않는 경우가 의외로 많습니다. 이 경우 [**기울기 막대**]를 이용해 [**좌우, 상하 조절**]을 해줍니다.

2) 색 보정

색 조절은 보정 작업의 핵심입니다. 포토에디터에는 다양한 색 보정 기능이 있습니다. 크게 필터를 이용한 조정과 밝기, 음영, 하이라이트, 채도를 원하는 만큼만 보정하는 상세 보정이 있습니다.

(1) 필터 보정

이미 만들어져 있는 필터를 사진에 적용하는 보정 법입니다. 스마트폰의 종류에 따라 필터의 이름과 색상이 차이가 납니다. 필터를 하나씩 적용해보면서 맘에 드는 색상을 선택합니다.

1 [**포토에디터 사진 보정**]은 사진 하단에 있는 [**연필모양**] 버튼을 누릅니다.
2 [**필터**]아이콘을 터치합니다. 3 여러 가지 [**필터**] 중 하나를 선택하시고 필터 아래의 [**조절 막대**]로 필터의 강도를 조절하면 됩니다. 보통은 첫 번째 필터인 [**자동필터**]만 선택해도 한결 산뜻하게 보정이 됩니다. 음식 사진은 노란빛이 나는 필터 따뜻한 필터를 선택하면 음식이 맛있어 보입니다.
필터 끝에 [**다운로드**] 아이콘을 터치하면 더 많은 필터를 설치할 수 있습니다.

CHECK 리스트

2) 상세보정

필터보정만으로 부족할 땐 색의 각 부분을 조정할 수 있는 상세보정을 해보세요.

❶ [**상세 버튼**]을 터치하면 밝기, 노출, 대비, 채도, 색조, 화이트밸런스(WB)의 메뉴가 있습니다.

❷ 사진이 어두울 경우 [**밝기**]를 선택하고 아래 [**조절 막대**]로 강도를 조절합니다.

❸ [**노출**]은 사진 전체의 밝기를 조절해 줍니다.

❶ [**대비**] 밝고 어두운 색상의 차이를 작거나 크게 만듭니다, ❷ [**채도**] 사진의 색상을 더 화사하게 만듭니다. ❸ [**색조**] 색의 강약과 농담으로 분위기를 줍니다. 왼쪽으로 움직이면 Magenta가 들어오고요, 오른쪽으로 움직이면 그 보색인 Green 색이 들어옵니다. [**조절 막대**]를 조금씩 움직여서 사진의 분위기를 바꿔보세요. [**WB(화이트밸런스)**]는 색상의 온도를 나타내는 캘빈 값을(K) 조절해서 색상을 표현하는 것입니다. K값이 낮으면(왼쪽) 푸른색, 높으면(오른쪽) 노란빛이 납니다.

1 상세 보정 마지막 [WB]를 누르면 ②번[K] 메뉴를 터치합니다.

2 [**K값 조절 막대**]를 왼쪽으로 이동하면 [**푸른빛**] 사진을 볼 수 있습니다.

3 [**K값 조절 막대**]를 오른쪽으로 이동하면 [**노란빛**] 사진을 볼 수 있습니다.

4 화이트밸런스는 음식 사진, 밤하늘 색을 보정할 때 활용하면 좋습니다. 별이 있는 붉은 밤하늘을 푸른빛이 도는 동화 같은 밤하늘로 만들 수 있습니다.

CHECK 리스트

스냅시드 - 스마트폰 사진 보정의 끝판 왕

다운로드하기 Google Play

- 스냅시드는 구글이 무료로 제공하는 사진 보정 앱입니다.
- 플레이스토어에서 다운로드해 설치하면 됩니다. 무료 앱이고 광고도 없습니다.
- 성능이 포토샵급으로 다양하고 섬세합니다.
- 보정 법이 상당히 직관적이며 프리셋 보정이 많아 이용이 쉽습니다.
- 보정 도구를 손가락으로 터치한 후 좌우로 이동시키는 것만으로도 조절이 가능합니다.
- 28가지 기본 도구들 중 몇 가지만 활용해도 한 층 업그레이드된 사진을 만들 수 있습니다.

스냅시드 사진보정

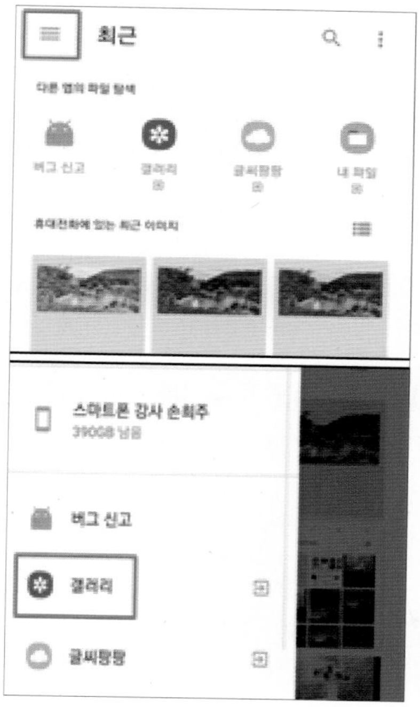

1 구글 [**플레이스토어**]에서 [**스냅시드**]를 설치하여 열기를 터치합니다.

2 스냅시드 [**화면**]을 터치합니다. 3 화면 상단 왼쪽 [**더보기**]를 터치하면 갤러리 메뉴가 나옵니다. [**갤러리**] 메뉴를 터치합니다. 4 [**사진 하나**]를 선택하여 터치합니다.

CHECK 리스트

1. 스타일적용

❶ 사진을 열면 사진 하단에 **[스타일]** 필터들이 있습니다. 사진에 적용해 본 후 맘에 드는 필터를 선택하여 사용하면 됩니다. ❷ 필터를 선택한 다음 **[체크]**를 해주세요. 인물사진은 Portrait, 풍경 사진은 Pop이나 Accenturate를 선택해보세요. 스타일 선택 후 원본과 비교해 보려면 사진을 손가락으로 꾹 눌러보세요. 어느 정도 바뀌었는지를 눈으로 확인할 수 있습니다.

2. 스냅시드의 보정 도구 사용법

보정할 사진을 선택한 후 하단 가운데 있는 ①**[도구]**를 선택하면 28개의 보정 도구가 나타납니다.
②**[기본 보정]** 도구를 터치하세요.

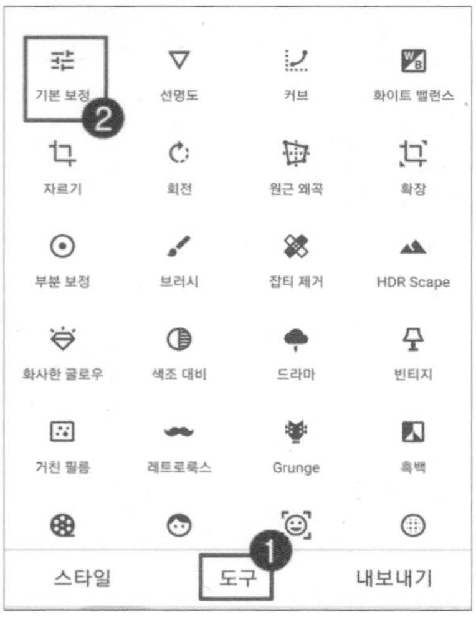

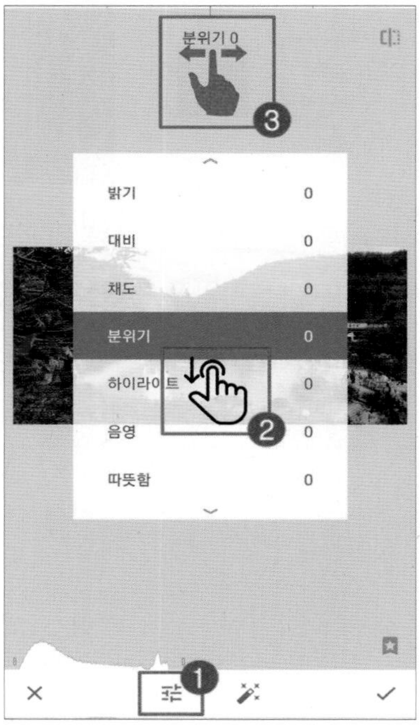

①하단 **[필터]**를 터치하면 하위메뉴가 나타납니다.

②손가락을 떼지 않은 채 아래 위로 움직여 메뉴를 선택한 후 손가락을 떼세요.

③보정의 강도는 위쪽의 슬라이드를 좌우로 움직여서 결정하면 됩니다.

1) 기본 보정 : 밝기, 대비, 채도, 하이라이트, 분위기, 음영, 따뜻함을 설정할 수 있습니다.
기본 보정의 순서

밝기
↓
대비
↓
채도
↓
분위기
↓
하리라이트
↓
음영
↓
따뜻함

①밝기 : 사진의 모든 톤의 밝기 조정 ②대비 : 밝은 부분과 어두운 부분의 차이 조절
③채도 : 색이 선명해짐 ④분위기 : 채도 + 하이라이트 + 음영 보정
⑤하이라이트 : 밝은 부분 보정
⑥음영 : 어두운 부분 보정 (중간 정도의 밝기에서 약간 어두운 부분)
⑦따뜻함 : 색의 온도, 노란 필터를 씌워준 느낌
모든 단계를 다 할 필요 없고 맘에 드는 사진이 만들어질 때까지 하면 됩니다.

2) 선명도 : 흐릿한 사진을 쨍하게 만들어 줍니다.
하위 메뉴 ①구조 : 굵은 선을 선명하게 ②선명하게 : 가는 선과 면을 선명하게 합니다.

3) 커브 : 사진의 밝은 부분과 어두운 부분을 개별적으로 보정할 때 사용합니다.

1 첫 번째 사진은 원본 사진입니다. 사진 앞쪽 부분은 밝은 부분, 사진 뒤쪽 부분은 어두운 부분을 나타냅니다. **[각 부분의 점]**을 위로 올리면 밝게, 아래로 내리면 어두워집니다.

2 어두운 쪽은 더 어둡게 내리고 밝은 부분도 살짝 어둡게 조정합니다.

3 이미 만들어진 **[프리셋]**을 터치하면 ②여러 가지 프리셋을 이용할 수 있습니다.

4) 화이트밸런스 : 이미지가 가지고 있는 색상을 바꿀 때 사용합니다.

CHECK 리스트

하위 메뉴인 색온도와 틴트를 혼합해서 사용하면 다양한 색상의 변화를 만들 수 있습니다.

5) 부분보정 : 사진에서 원하는 특정 부분만 밝기, 대비, 채도, 구조(선명도)를 조절할 수 있습니다. 얼굴만 환하게 하거나 특정 꽃의 색깔을 환하게 할 때 사용하면 좋습니다.

사진 선택 → 도구 → 부분 보정 → 원하는 부분을 손가락으로 터치하면 **[하위 메뉴]**가 나옵니다. 메뉴를 선택 후 상단 **[조절 바]**를 움직이면서 강도를 조절합니다. 밝기 메뉴 아래쪽을 손가락으로 밀어서 **[대비, 채도, 구조]**를 선택하고 조절 바를 통해 강도를 조절합니다.

CHECK 리스트

6) 보정후 사진 저장

[저장방법]

사진 보정이 끝난 후 우측 하단 **[내보내기]**를 누르면 사진 저장방법들이 나타납니다.

- 공유 : SNS로 사진을 보냄
- 저장 : jpg 95% 저장
- 내보내기 : 설정값대로 저장
- 다른 폴더로 내보내기 : 스냅시드 자동 폴더가 아닌 지정한 폴더에 저장

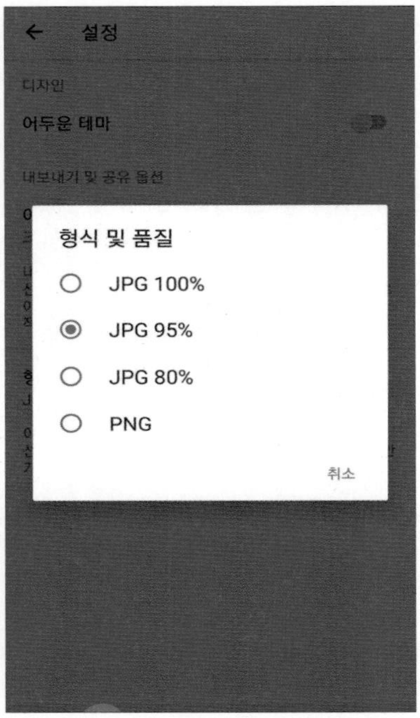

[내보내기 설정]

사진 저장의 형식과 품질은 스냅시드 열기를 한 후 오른쪽 상단 **[더보기]**을 누르면 **[설정]**이 나옵니다.
여기서 **[형식과 품질]**을 지정할 수 있습니다.

CHECK 리스트

푸른 하늘을 멋지게 촬영하는 방법

풍경 사진하면 가장 먼저 떠오른 것이 눈이 시리도록 푸른 하늘입니다. 잘 찍고 싶지만 의외로 잘 안찍히는 것이 풍경이기도 하지요, 하늘을 파랗게 찍고 싶다면 해의 방향만 기억하면 됩니다. 사진사가 해를 등지고 섰을 때 마주 보는 하늘이 가장 파랗습니다.
해가 어느 방향에 있든 해를 등지고 서면 언제나 푸른 하늘을 찍을 수 있습니다.

꽃 사진 잘 촬영하는 방법

보기만 해도 감동을 주는 아름다운 꽃은 누구나 즐겨찍는 피사체입니다.
감성적인 꽃 사진을 찍는 방법을 소개합니다.

1 꽃의 배치는 3분할선이 겹치는 구도가 기본입니다. 2 꽃 여러 송이 보다는 꽃 한 송이를 강조해서 찍는 것이 눈길을 끕니다. 3 나비와 함께 찍으면 생동감이 있습니다.
4 배경이 어지러운 꽃밭에서는 하늘을 배경으로 찍으세요.

음식 사진을 더 맛깔나게 찍는 방법

▶ 세로 구도로 찍자 : 식탁 위가 지저분하다면 세로 구도로 찍자. 한결 깔끔한 사진을 얻을 수 있습니다.

1 가로 구도는 배경이 많아서 식탁 위의 불필요한 것들을 모두 보여줍니다.

2 같은 음식을 세로 구도로 찍었음.
주변 풍경이 사라지면서 훨씬 깔끔한 사진이 되었습니다.

1 **[주연과 조연]** 메인 요리를 돋보이게 할 조연이 필요하다. 메인 요리 주변에 메인 요리와 어울리는 와인이나 포크와 나이프, 물 잔, 음료수를 주변에 함께 두면 식탁의 분위기가 달라 집니다. 색깔이나 무늬를 맞추거나 대조가 되도록 설정한다면 더욱 세련된 사진이 됩니다.

2 **[한입 샷]**은 음식과 어울리는 한입 샷은 음식 사진에 생기를 불어넣습니다.

3 **[대각선 구도]** 옆으로 나란히 앞뒤 일렬 배치보다도 대각선으로 배치하면 세련된 사진이 됩니다.

갤러리에서 사진 및 동영상 확인하기

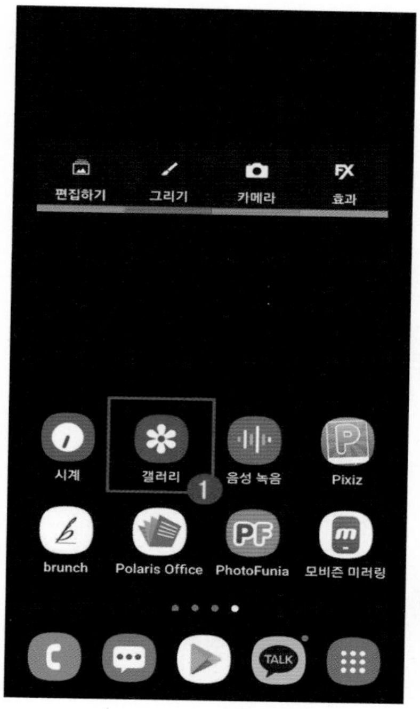

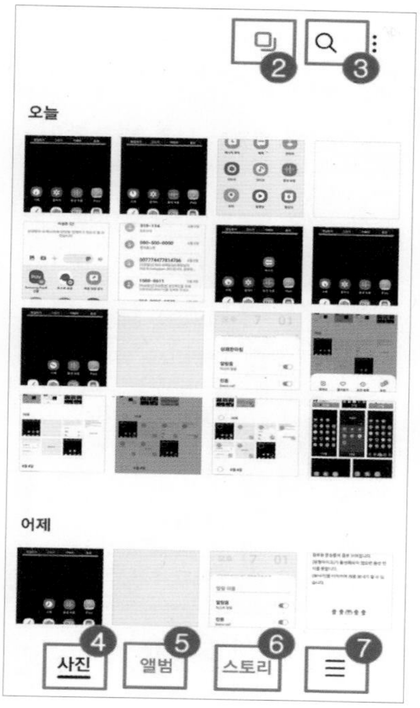

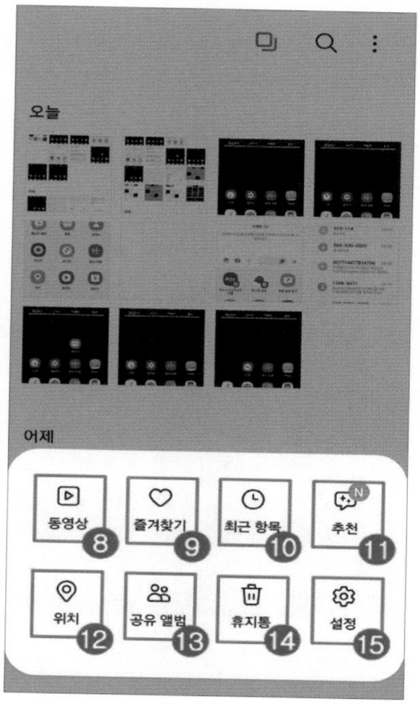

갤러리에 저장된 사진 및 동영상을 확인하고 편집을 할 수 있으며 폴더를 만들어 앨범으로 분류 할 수 있습니다.

1 ①[**갤러리**] 앱을 터치하여 실행합니다

2 ②[◻]터치하면 비슷한 이미지들이 한데 묶어 모아서 보여줍니다.

③[Q]는 터치하면 사람 위치 풍경 등 다양하게 사진을 분류하여 보여줍니다.

④[**사진**]에서는 사진과 동영상이 분류 없이 모든 사진이 시간순으로 보입니다.

⑤[**앨범**]은 사진과 동영상이 분류해서 정리되어 있습니다.

⑥[**설정**]에서 [**자동으로 만들기**]를 활성화하면 [**스토리**]를 만들어 줍니다.

⑦[**삼선**]을 터치합니다.

3 ⑧[**동영상**]이 저장되어 있습니다.

⑨[**즐겨찾기**] 사진에서 즐겨찾기 [♥]를 터치하면 즐겨찾기에서 볼 수 있습니다.

⑩[**최근 항목**] 최근 순으로 사진 동영상들이 보입니다.

⑪[**추천**] **리**마스터 된 사진 보기는 AI를 통해 자동으로 진행되는 것만 가능합니다.

⑫[**위치**] 각 도시에서 촬영한 사진을 분류해서 보여줍니다.

⑬[**공유 앨범**]은 사진이나 동영상을 가족이나 친구에게 공유합니다.

⑭[**휴지통**]은 사진을 삭제하면 휴지통에 30일간 보관합니다.

⑮[**설정**] 갤러리에 대한 설정입니다.

갤러리에서 폴더 만들고 관리하기

1 ①[**더 보기**]를 터치합니다. ②[**편집**]을 터치합니다.

2 ③[**사진**]을 선택하면 체크 표시가 됩니다.

④[**공유**]는 사진 및 동영상 공유합니다. ⑤[**사진**]을 불필요한 사진을 삭제합니다.

⑥[**더 보기**]를 터치합니다.

⑦[**앨범으로 복사**]는 원본은 그대로 두고 [**앨범**]에 복사합니다.

⑧[**앨범으로 이동**]은 [**사진**] 항목의 원본이 그대로 [**앨범**]으로 이동됩니다.

⑨[**모두 선택**]은 사진이 전체 선택이 됩니다.

⑩[**만들기**]를 터치하면 하이라이트 영상 영화, GIF 콜라주 등을 선택해서 만들기 합니다.

⑪[**태그추가**]는 선택한 사진을 태그 해서 모아둡니다.

◈ 폴더를 만들려면 ⑧[**앨범으로 이동**]을 터치합니다.

3 ⑫[**기존 앨범**]에 추가할 경우 앨범을 찾아 터치하여 추가하고, 앨범을 새로 만들 때 ⑬[**만들기**]를 터치합니다.

CHECK 리스트

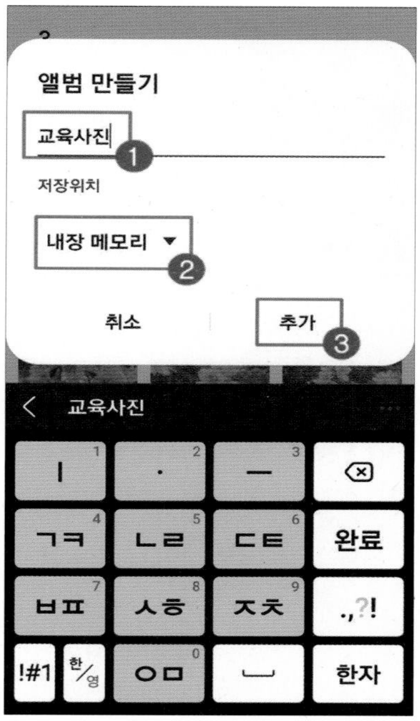

1 ①[**앨범 제목**]에 [**교육 사진**] 입력하고

②[**저장 위치**] 내장 메모리, SD카드를 선택하여 저장할 곳을 터치합니다.

③[**추가**]를 터치합니다.

2 ④ [**앨범**] 항목에 [**교육 사진**]이라는 폴더가 만들어지고 선택한 사진이 이동저장되었고, 교육 사진 [**더보기**]를 터치합니다.

3 ⑤[**편집**]에서 사진을 추가하거나 삭제할 수 있습니다.

⑥[**만들기**]에서 하이라이트 영상 영화 GIF 콜라주 등을 만들기 합니다.

⑦앨범 [**이름변경**]을 할 수 있습니다.

⑧[**대표 이미지 변경**]은 이미지를 대표 이미지로 변경합니다.

⑨[**홈 화면에 추가**] 할 수도 있습니다.

⑩[**정렬**] 앨범을 시간이나 이름순으로 정렬합니다.

⑪[**슬라이드쇼**]를 교육 사진을 슬라이드 쇼로 만들면 됩니다.

CHECK 리스트

갤러리에서 사진 편집하기

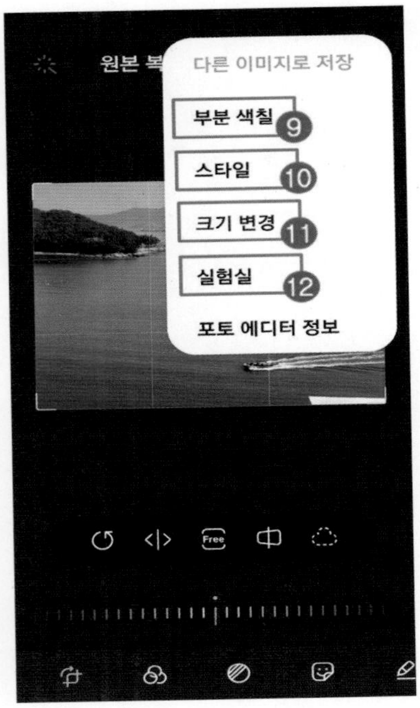

1 ①[**즐겨찾기**] 하려면 ♥를 터치합니다.

②[**편집**]은 사진 편집합니다.

③[**공유**]는 사진을 공유합니다.

④[**삭제**]는 사진을 삭제합니다.

⑤[**빅스비 비전**]으로 유사한 이미지를 찾을 수 있습니다.

2 ⑥[**자르기**], [**필터**], [**이모티콘**], [**텍스트**], [**색깔**], [**밝기**] 등을 편집할 수 있습니다.

⑦[**사진 편집**] [**화면 방향**], [**전환 수평**]. [**배경지 우기**] 등 편집할 수 있습니다.

⑧[**⋮**] 더 보기를 터치합니다.

3 ⑨[**부분 색칠**]은 부분적으로 색칠할 때 사용합니다.

⑩[**스타일**]은 필터를 선택해서 사용합니다.

⑪[**크기변경**]은 이미지 크기 변경 선택합니다.

⑫[**실험실**]은 사람이나 물체를 지울 수 있도록 활성화합니다.

CHECK 리스트

휴지통 기능

◈ 사진을 삭제하면 휴지통에서 30일간 보관됩니다.

1 ①하단에 [**삼선**] 더 보기를 터치하고
②[**휴지통**]을 터치합니다.
2 ③[**편집**]을 터치합니다.
④[**전체**]를 [✔]하거나 [**각 사진**]을 [✔] 합니다.
⑤[**복원**]을 터치하면 사진이 원상태로 됩니다.
⑥[**모두 삭제**]를 터치합니다.
3 ⑦[**취소**]를 터치하면 다시 [**휴지통**]으로 보관됩니다.
⑧[**휴지통 비우기**]를 터치하면 사진이 [**완전히 삭제**] 되며 복원할 수 없습니다.

CHECK 리스트

즐겨찾기 기능

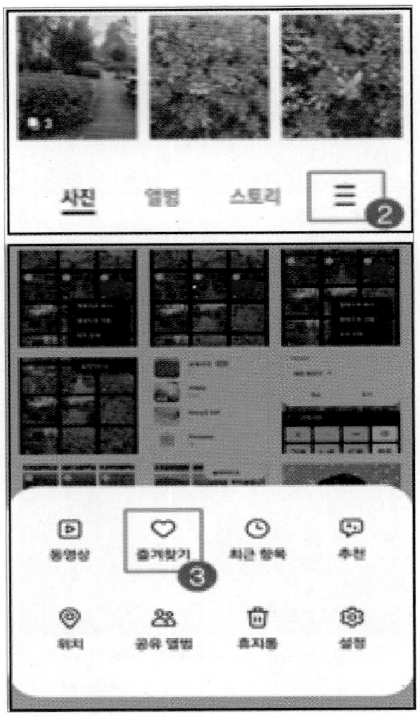

1 ①각 사진을 즐겨찾기 하려면 [♥]를 터치합니다.

2 ②[**즐겨찾기 한 사진**]을 보려면 [**삼선**]를 터치하고
③[**즐겨찾기**]를 터치하면

4 ④[**즐겨찾기 폴더**]에 즐겨찾기 [♥]가 표시된 사진들이 보입니다.

CHECK 리스트

지메일 계정 설정하기

구글 계정(Google Account)은 구글의 온라인 서비스에 접근 인증과 허가를 제공하는 사용자 계정입니다.

스마트폰(구글 안드로이드 스마트폰)을 사용하기 위해서는 지메일(g-mail) 계정이 있어야 합니다. 스마트폰에서 지메일 계정을 새로 만들거나, 이미 사용하고 있는 지메일 계정의 비밀번호를 변경하는 방법에 대해서 알아보겠습니다.

1 구글을 실행합니다. 오른쪽 하단의 [**더보기**]를 터치합니다. 2 상단의 이름과 계정 주소가 있는 부분을 터치합니다. 3 [**다른 계정 추가**]를 터치합니다. 4 ①[**계정 만들기**]를 터치합니다. ②[**다음**]을 터치합니다.

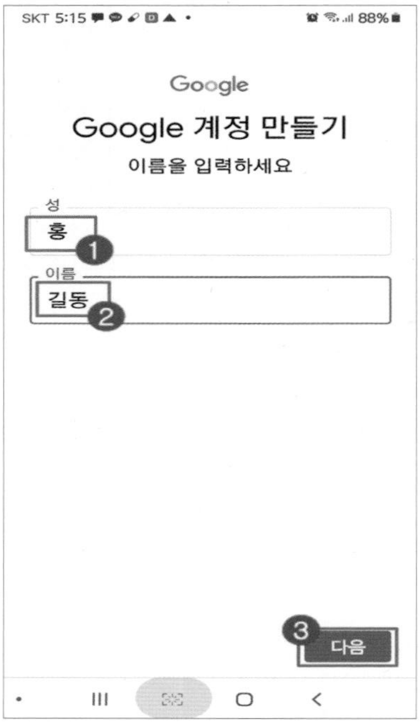

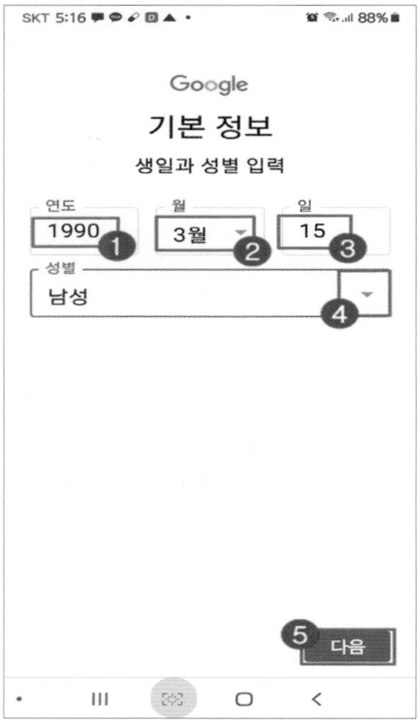

1 ①[**본인 계정**]을 터치합니다. ②[**다음**]을 터치합니다. **2** ①자신의 성과 ②이름을 입력하고 ③[**다음**]을 터치합니다. **3** ①출생연도를 입력한 후 ②역삼각형을 터치하여 태어난 달을 선택합니다. ③태어난 날짜를 입력하고 ④역삼각형을 터치하여 성별을 선택한 후 ⑤[**다음**]을 터치합니다.

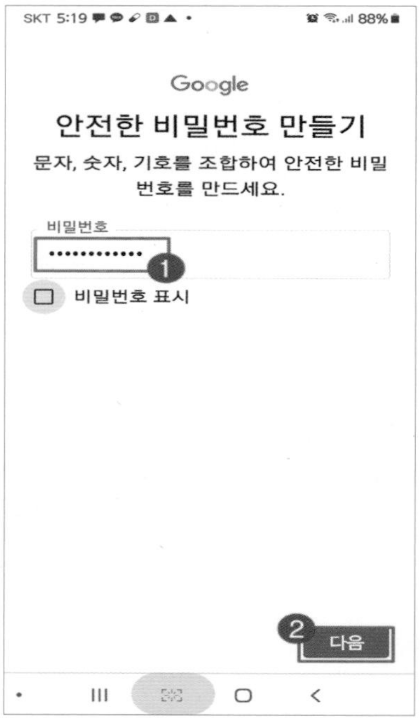

1 ①[**사용자 이름**]에 사용할 이름을 영문으로 입력한 후 ②[**다음**]을 터치합니다.

2 ①방금 입력한 이름이 이미 사용되고 있어서 비슷한 다른 이름을 추천해 줍니다.

②추천해 준 이름이나 다른 이름을 입력합니다. ③[**다음**]을 터치합니다.

3 ①앞으로 사용할 비밀번호를 입력합니다. 한 번더 입력하는 창이 있는 경우도 있습니다.

②[**다음**]을 터치합니다.

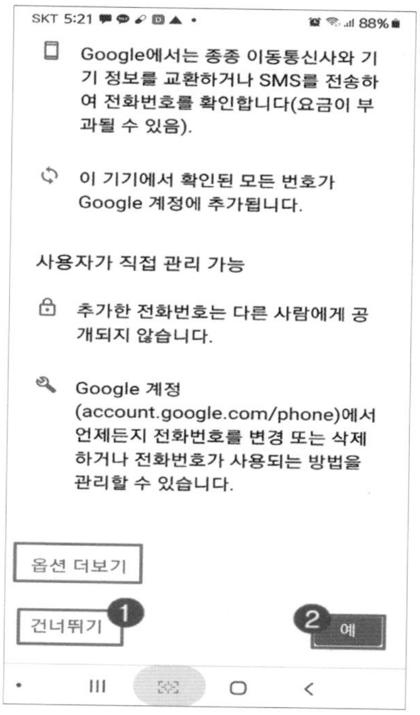
SKT 5:21
88%
Google에서는 종종 이동통신사와 기기 정보를 교환하거나 SMS를 전송하여 전화번호를 확인합니다(요금이 부과될 수 있음).
이 기기에서 확인된 모든 번호가 Google 계정에 추가됩니다.
사용자가 직접 관리 가능
추가한 전화번호는 다른 사람에게 공개되지 않습니다.
Google 계정 (account.google.com/phone)에서 언제든지 전화번호를 변경 또는 삭제하거나 전화번호가 사용되는 방법을 관리할 수 있습니다.
옵션 더보기
건너뛰기
1
2
예

SKT 5:21
88%
Google
계정 정보 검토
나중에 이 Gmail 주소를 사용하여 로그인할 수 있습니다.
홍길동
gildong779900@gmail.com
1
2
다음

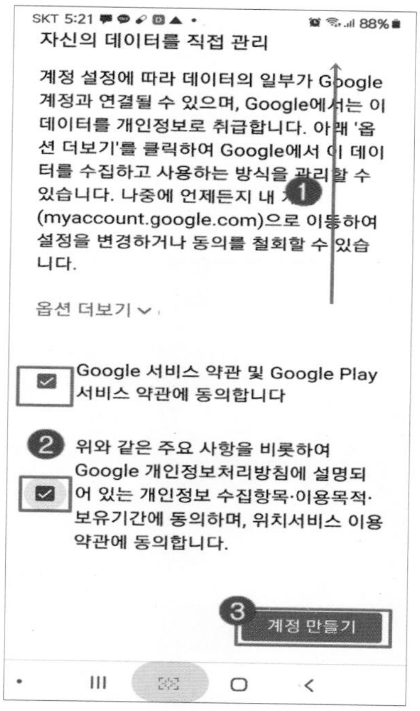
SKT 5:21
88%
자신의 데이터를 직접 관리
계정 설정에 따라 데이터의 일부가 Google 계정과 연결될 수 있으며, Google에서는 이 데이터를 개인정보로 취급합니다. 아래 '옵션 더보기'를 클릭하여 Google에서 이 데이터를 수집하고 사용하는 방식을 관리할 수 있습니다. 나중에 언제든지 내 계정(myaccount.google.com)으로 이동하여 설정을 변경하거나 동의를 철회할 수 있습니다.
옵션 더보기
Google 서비스 약관 및 Google Play 서비스 약관에 동의합니다
위와 같은 주요 사항을 비롯하여 Google 개인정보처리방침에 설명되어 있는 개인정보 수집항목·이용목적·보유기간에 동의하며, 위치서비스 이용약관에 동의합니다.
1
2
3
계정 만들기

1 자신의 전화번호를 구글 서비스에 전반적으로 사용할 옵션 사항입니다. ①사용하지 않을 경우 **[건너뛰기]**를 선택하고 ②사용할 경우 **[예]**를 선택합니다. **2** ①새로운 계정을 확인하고 ②**[다음]**을 터치합니다. **3** ①**[개인정보 보호 및 약관]**을 확인하고 ②동의 시항을 확인하고 체크합니다. ③**[계정 만들기]**를 터치합니다.

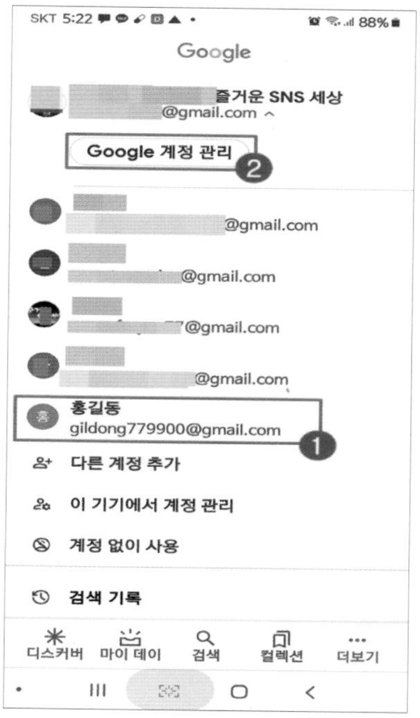
SKT 5:22
88%
Google
즐거운 SNS 세상
@gmail.com
Google 계정 관리
2
@gmail.com
@gmail.com
@gmail.com
@gmail.com
홍길동
gildong779900@gmail.com
1
다른 계정 추가
이 기기에서 계정 관리
계정 없이 사용
검색 기록
디스커버
마이 데이
검색
컬렉션
더보기

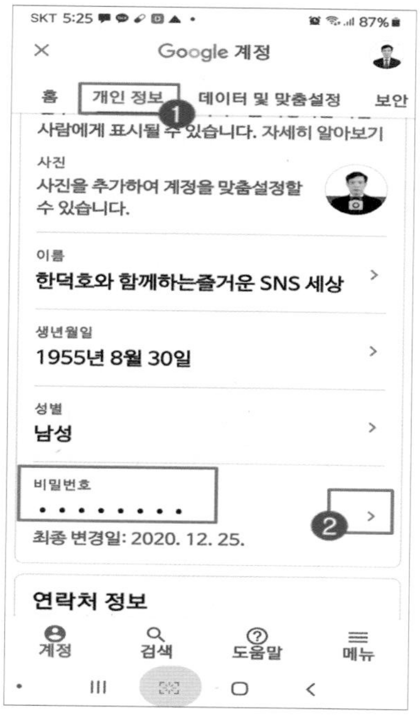
SKT 5:25
87%
Google 계정
홈
개인 정보
데이터 및 맞춤설정
보안
1
사람에게 표시될 수 있습니다. 자세히 알아보기
사진
사진을 추가하여 계정을 맞춤설정할 수 있습니다.
이름
한덕호와 함께하는즐거운 SNS 세상
생년월일
1955년 8월 30일
성별
남성
비밀번호
최종 변경일: 2020. 12. 25.
2
연락처 정보
계정
검색
도움말
메뉴

SKT 5:25
87%
Google 계정
Google
시작하기
Google에서는 보안을 위해 본인 확인을 진행합니다.
dhhan5830@gmail.com
화면 잠금 사용
계정에 액세스하려면 화면 잠금을 확인하여 본인임을 인증하세요.
기타 로그인 방법
계속

1 ①새로운 계정이 생성되었습니다. 이제는 기존 계정을 그대로 사용하며 비밀번호를 변경하는 방법을 알아보겠습니다. ②상단의 **[Google 계정관리]**를 터치합니다. **2** ①**[개인 정보]**를 터치합니다. 비밀번호 변경을 위해서 ②터치합니다. **3** 보안을 위해 본인 확인을 진행합니다. **[계속]**을 터치합니다. 이후에 새 비밀번호를 두 번 입력하고 **[비밀번호 변경]**을 터치하면 완료됩니다.

구글 Play 스토어 활용하기

1 [Play 스토어]의 다양한 메뉴들을 알아 보겠습니다. [Play 스토어]를 터치합니다.

2 ①[**영화**]에서는 영화를 테마별로 검색하여 유료로 구매할 수 있습니다. ②[**도서**]에서는 전자책(e-book)과 오디오 북을 검색하여 유료 및 무료로 구매할 수 있습니다. ③[**앱**]에서는 스마트폰에서 필요한 앱을 유료 또는 무료로 설치하여 사용할 수 있습니다. ④상단의 [**추천**]에서는 구글에서 추천해 주는 앱을 ⑤위로 드래그하며 테마별로 검색할 수 있습니다.

3 ①[**인기 차트**]에서는 인기 있는 앱들을 검색할 수 있습니다. ②[**인기 앱/게임**]을 터치합니다.

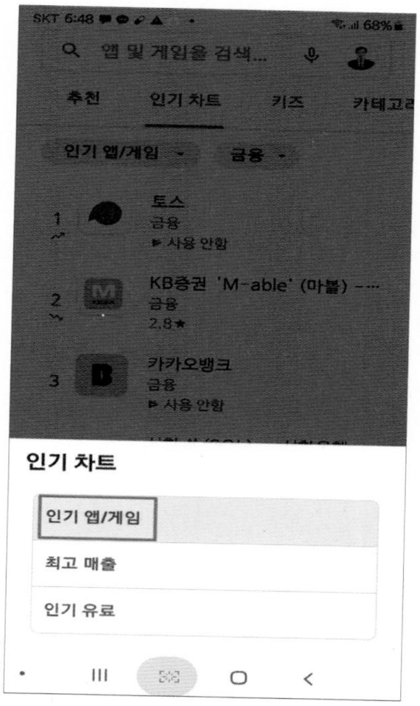

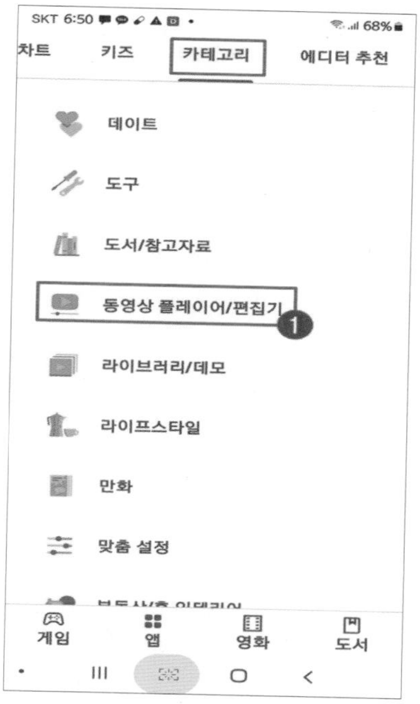

1 인기 차트에서 인기 앱, 최고 매출, 인기 유료를 구분해서 검색할 수 있습니다. **[인기 앱]**을 터치합니다.
2 순위별로 어플들을 보여줍니다. **[카테고리]**를 터치합니다.
3 테마별로 보여 줍니다. **[동영상 플레이어/편집기]**를 터치하면 세부내용을 보여주며 선택할 수 있습니다.

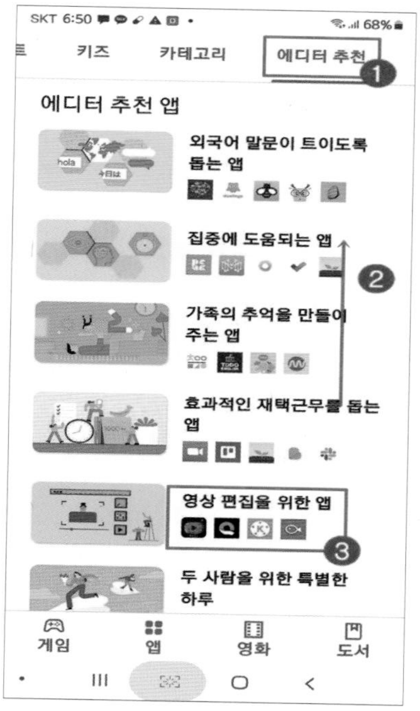

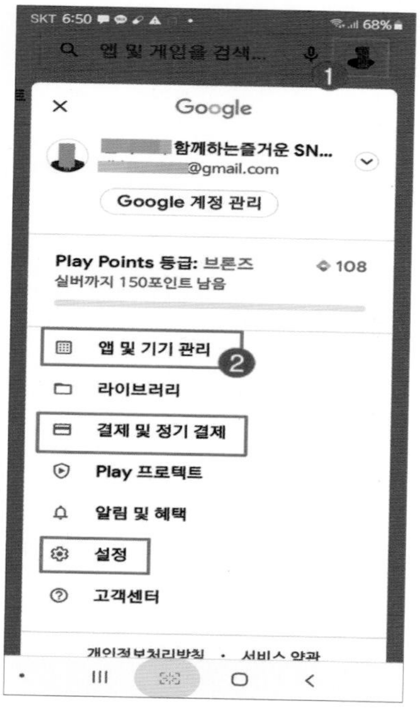

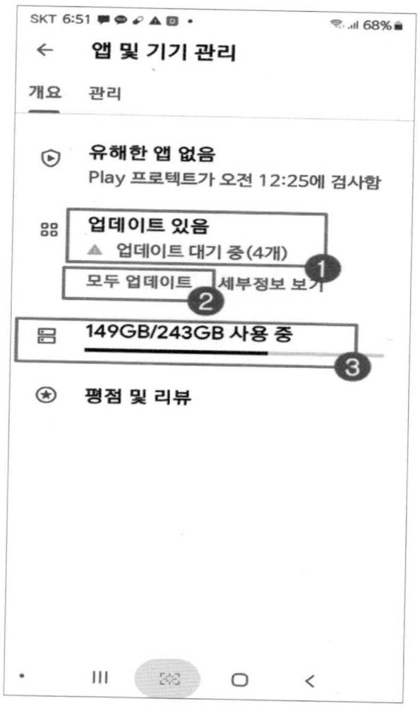

1 ①**[에디터 추천]**을 터치합니다. ②위로 드레그 하면서 테마별로 검색할 수 있습니다. ③**[영상 편집 편집을 위한 앱]**을 선택하면 세부내용을 보여줍니다. **2** ①상단의 로그인 마크를 터치합니다. 앱들을 관리할 수 있고, **[결제 및 정기 결제]**에서는 정기 구매한 내역을 취소할 수 있으며, **[설정]**에서는 다운로드 환경을 설정할 수 있습니다. ②먼저 **[앱 및 기기 관리]**를 터치합니다.
3 ①업데이트할 앱이 있음을 알려줍니다. ②**[모두 업데이트]**를 선택하면 바로 업데이트를 할 수 있습니다. ③총 저장용량 중 현재 저장된 용량을 보여줍니다. 저장공간 관리를 위해 터치합니다.

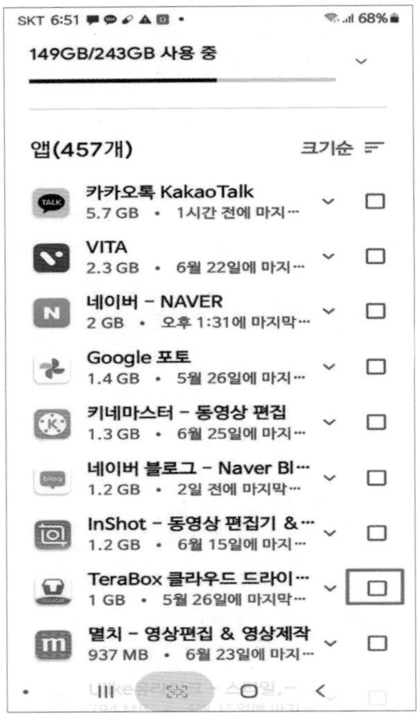

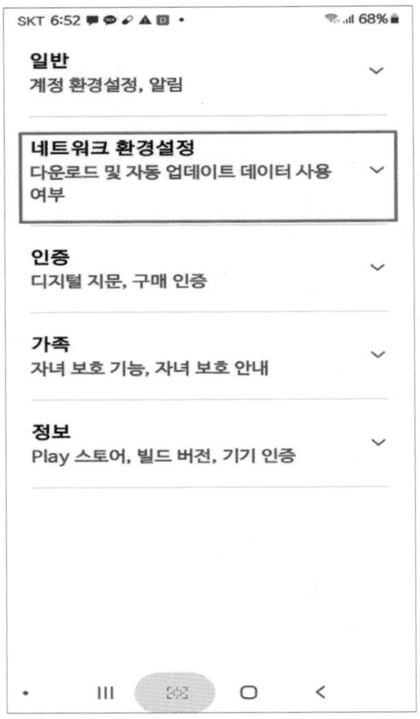

1 불필요한 앱들을 체크해서 삭제하면 저장공간을 확보할 수 있습니다. 2 다운로드 및 업데이트 시에 데이터 사용 절감을 위해서 [**네트워크 환경설정**]을 터치합니다. 3 ①[**앱 다운로드 환경설정**]을 터치해서 [**Wi-Fi에서만**]을 선택하고 ②[**앱 자동 업데이트**]를 터치해서 [**Wi-Fi에서만**]을 선택하고 ③[**동영상 자동 재생**]을 터치해서 [**Wi-Fi에서만**]을 선택합니다.

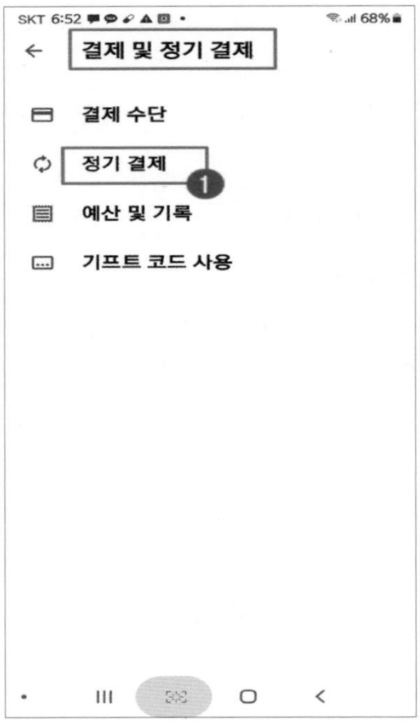

1 구매 취소를 위해 [**결제 및 정기 결제**]를 터치합니다. ①[**정기 결제**]를 터치합니다. 2 구매 내역 중 취소할 내역을 터치합니다. 3 하단의 [**구독 취소**]를 터치합니다.

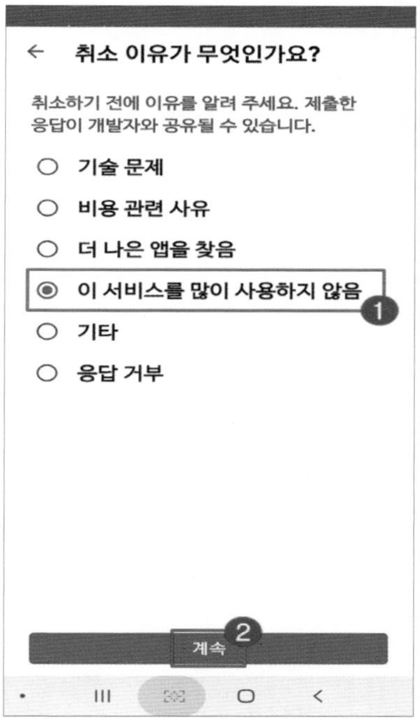

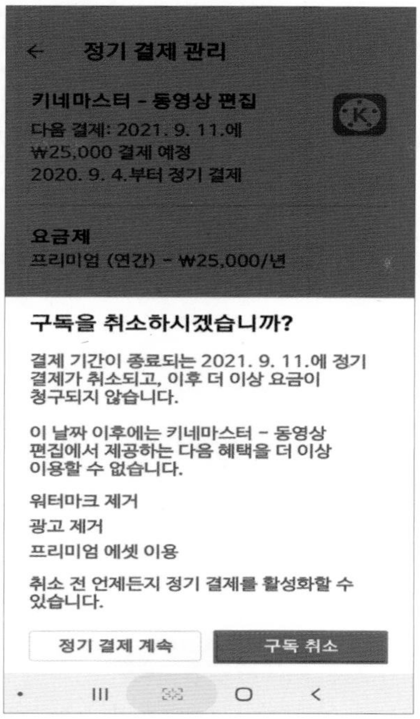

1 ①취소 이유를 선택하고 ②[**계속**]을 터치합니다. 2 [**구독 취소**]를 터치하면 구매가 취소됩니다.

3 다음에는 [**설정**]에서 저장공간을 확보하는 방법을 알아보겠습니다.

스마트폰의 [**설정**] 메뉴에서 ①[**애플리케이션**]을 터치해서 [**Google Play 스토어**]를 검색합니다.

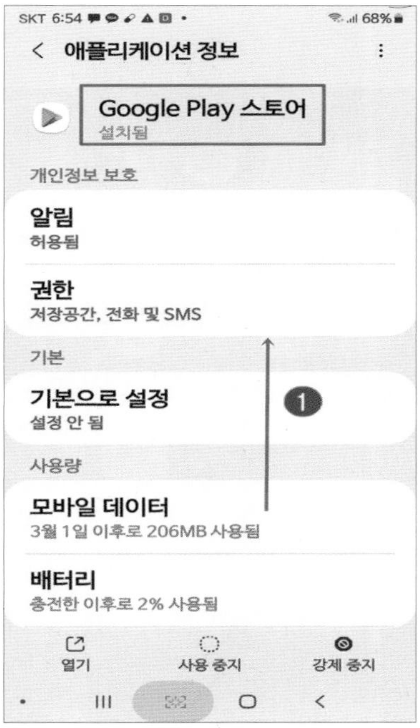

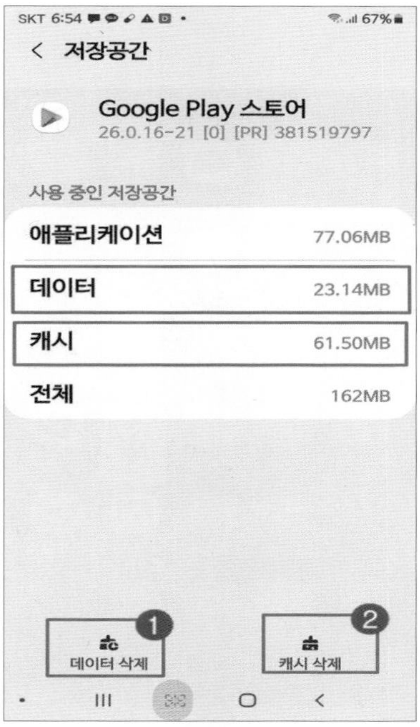

1 ①화면을 위로 드래그합니다. 2 [**저장공간**]을 터치합니다.

3 표시되고 있는 [**데이터**]와 [**캐시**]의 저장용량을 삭제하고 저장공간을 확보하기위해서

①[**데이터 삭제**]를 터치하고 ②[**캐시삭제**]를 터치합니다.

구글 어시스턴트 활용하기

1 **[구글 앱]**에서 **[마이크]** 아이콘을 터치해도 실행이 됩니다. **2** **[듣는 중]**이라는 화면이 보이면 원하는 명령어를 말하면 됩니다. ①**[노래 검색]**을 터치하고 음악을 들려주면 제목 및 관련된 내용을 보여줍니다. **3** **[Play 스토어]**에서 **[구글 어시스턴트]**를 검색하고 ①**[설치]**를 터치하여 실행합니다.

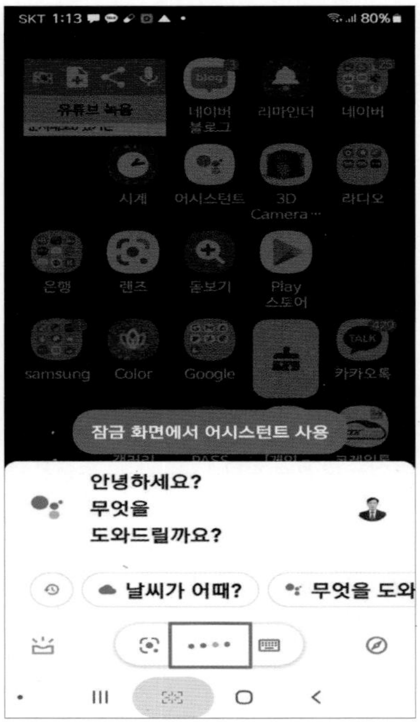

1 **[어시스턴트]** 앱을 터치합니다. **2** 명령어 입력 대기 상태입니다. **3** **[홈 버튼]**을 길게 눌러도 바로 **[어시스턴트]** 대기 상태로 전환됩니다.

구글 어시스턴트 명령어

리마인더 ("알려줘"라고 해도 됨)

▶ ○○○에게 열시에 전화하라고 알려줘

▶ 내일 아침 10시에 ○○○에게 미팅하자고 리마인드해줘

▶ 리마인드한 내용을 다 보고 싶다면 "리마인드 보여줘"하면 됨

전화 (스마트폰에 저장된 전화번호만 가능함)

▶ ○○○에게 전화 걸어줘

▶ ○○○에게 문자 보내줘

▶ 안 읽은 문자 읽어줘

▶ ○○○에게 "가고 있다"라고 문자 보내줘

시간

▶ 지금 몇시야?

▶ 지금 미국 뉴욕 몇시야?

▶ 9시에 알람해줘

▶ 20분후에 알람해줘

▶ 아침 7시에 깨워줘

▶ 내일 일몰 시간은?

▶ 타이머 1분 설정

▶ 타이머 취소

동영상

▶ 강아지 동영상 보여줘

▶ 메이크업 영상 보여줘

번역, 통역

▶ 모든 알람 취소(앱에서 직접 해야 함)

▶ 영어로 통역해줘

▶ 중국어로 안녕이 뭐야?

▶ 중국어로 통역해줘

질문

▶ 100제곱 미터는 몇 평?

▶ 36인치는 몇 센티미터?

▶ 100달러 환율 알려줘

▶ 바나나 칼로리는?

▶ 구글 주가 알려줘

▶ 스타벅스 아메리카노 가격은?

▶ 이마트 영업시간은?

게임

▶ 500+300+29+90*20은?

▶ 주사위 굴리기(주사위 숫자가 나옴)

▶ 가상 여친(가상 남친) 불러줘(답답할 수 있음)

▶ 1부터 100까지 숫자 중 아무 숫자 뽑아줘

▶ 나 게임해줘

뉴스

▶ 뉴스 들려줘

▶ 각 방송사 이름 대고 "뉴스 들려줘" 해도 됨

지역

▶ 가장 가까운 커피숍이 어디야?

▶ 근처 칼국수 집 알려줘

▶ 전주에서 가볼 만한 곳은?

로스트 폰(폰을 찾고자 할 때)

▶ 내 폰 어디있어? (내 기기 찾기 앱이 열립니다)

음악

▶ 이 노래 제목 알려줘

▶ 볼륨 최대로 해줘

▶ 삼성뮤직에서 "오라버니"틀어줘

▶ 볼륨 꺼줘

▶ 볼륨 50프로로 해줘

날씨

▶ 오늘 날씨 알려줘

▶ 내일 날씨 어때?

▶ 내일 비와?

▶ 오늘 미세먼지 어때?

▶ 오늘 서울 날씨 알려줘

소리(유튜브의 경우 광고를 봐야 하는 경우도 있음)

▶ 빗소리 들려줘

▶ 백색소음 들려줘

▶ 비 오는 숲소리 들려줘

CHECK 리스트

구글 렌즈 제대로 활용하기

Google Lens

1 [Play 스토어]에서 [구글 렌즈] 앱을 설치하여 사용하거나 2 [구글 앱]에서 상단의 검색창의 [렌즈] 아이콘을 터치하여 실행할 수 있습니다. 3 구글 렌즈 실행 화면이며 ①메뉴를 선택할 수 있습니다.

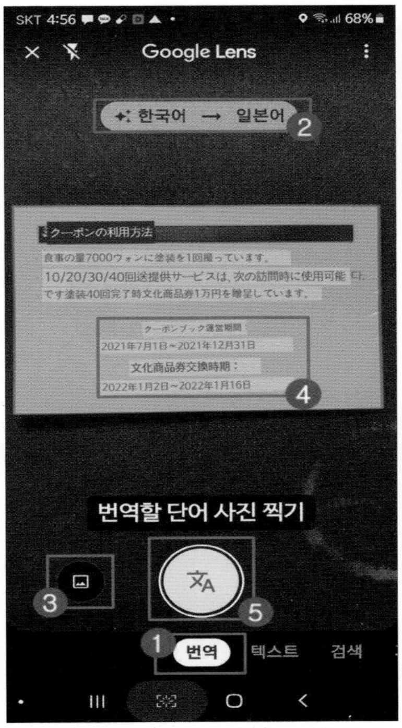

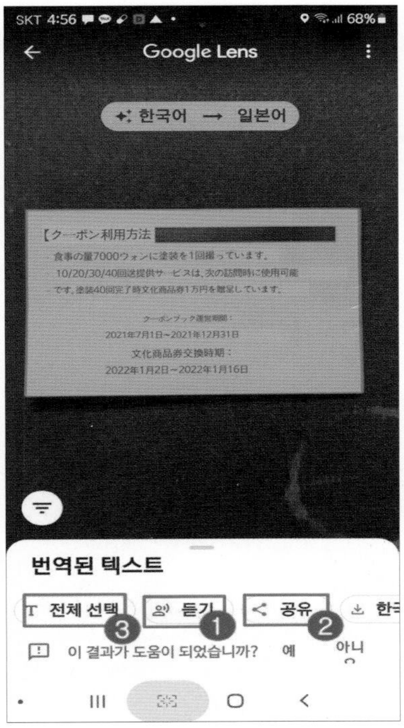

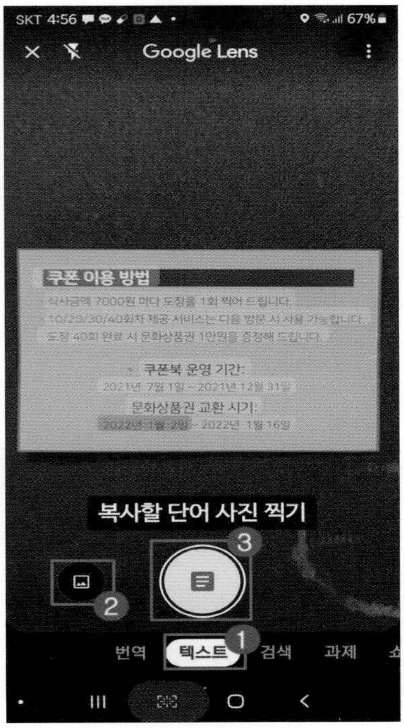

1 ①[번역]을 선택하고 ②입력 언어와 출력 언어를 설정합니다. ③갤러리에서 이미지를 선택할 수 있습니다. ④바로 번역이 되며 ⑤터치합니다. 2 ①[듣기]할 수 있고 ②[공유]할 수 있으며 ③[전체선택]을 선택해서 텍스트 복사할 수 있습니다. 3 ①[텍스트] 메뉴를 선택합니다. ②갤러리에서 이미지를 선택할 수 있으며 ③텍스트를 확인하고 터치합니다

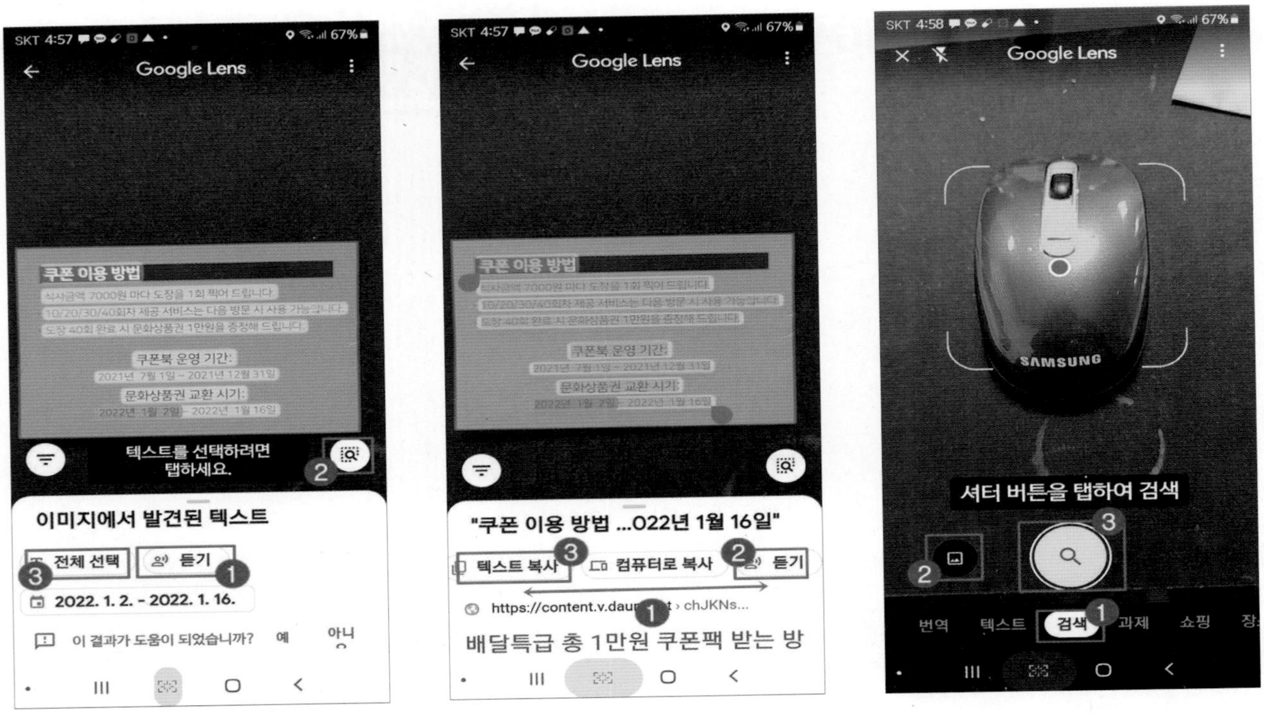

■1 ①텍스트를 **[듣기]**할 수 있으며 ②이미지 일부 구간을 선택할 수 있습니다. ③**[전체 선택]**을 터치합니다. ■2 ①좌우로 메뉴 선택할 수 있으며 ②**[듣기]**할 수 있습니다. ③**[텍스트 복사]**를 터치해서 복사하여 메모장 등에 붙여넣기 할 수 있습니다. ■3 ①**[검색]**을 선택합니다. ②갤러리에서 이미지를 선택할 수 있습니다. ③검색할 물건을 확인하고 터치를 합니다. 시각적 검색을 할 수 있습니다.

■1 ①화면을 위로 드래그하여 ②이미지를 선택합니다. 검색 내용을 볼 수 있으며 관련 사이트로 이동할 수 있습니다. ■2 ①**[쇼핑]**을 선택합니다. ②갤러리에서 이미지를 선택할 수 있으며 ③쇼핑할 물건을 확인하고 터치합니다. ■3 ①화면을 드래그하여 ②이미지를 선택합니다. 관련 사이트로 이동되며 구매할 수 있습니다. 시각적 검색으로 쇼핑을 할 수 있습니다.

텍스트 스캔 기능

▶ 눈앞의 단어를 번역하고, 명함을 연락처에 저장하고, 캘린더에 안내된 일정을 캘린더에 추가하며, 복잡한 코드나 긴 문단을 간편하게 복사하고, 스마트폰에 붙여 넣어 시간을 절약할 수 있습니다.

검색 기능

▶ 친구가 기르는 식물 이름이 무엇인지, 공원에서 만난 강아지가 어떤 품종인지 촬영하여 알아볼 수 있습니다.

▶ QR 코드와 바코드를 빠르게 스캔하세요.

과제 기능

▶ 수학문제를 풀어주는 [**콴다**] 앱처럼 기본적인 문제들을 해결해줍니다.

장소 - 주변 장소 둘러보기

▶ 명소, 음식점, 매장 등의 유명 건물들을 촬영하여 자세한 정보를 검색할 수 있습니다. 평점, 영업시간, 역사적 사실 등을 확인할 수 있습니다.

음식점 - 주문할 메뉴 정하기

▶ 구글 지도의 리뷰를 바탕으로 식당의 인기 메뉴를 확인할 수 있습니다.

CHECK 리스트

카카오톡

카카오톡 설정 메뉴 살펴보기

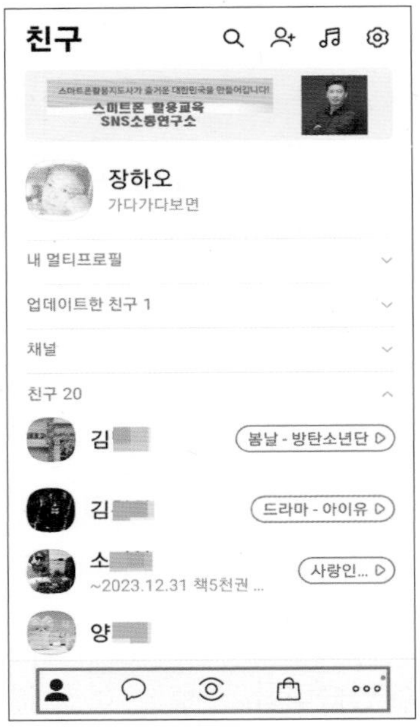

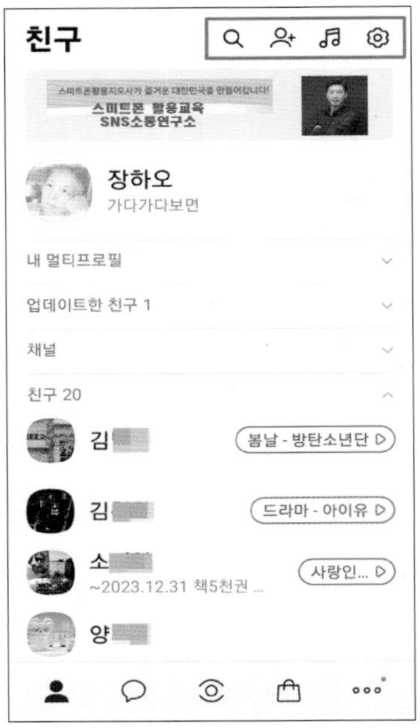

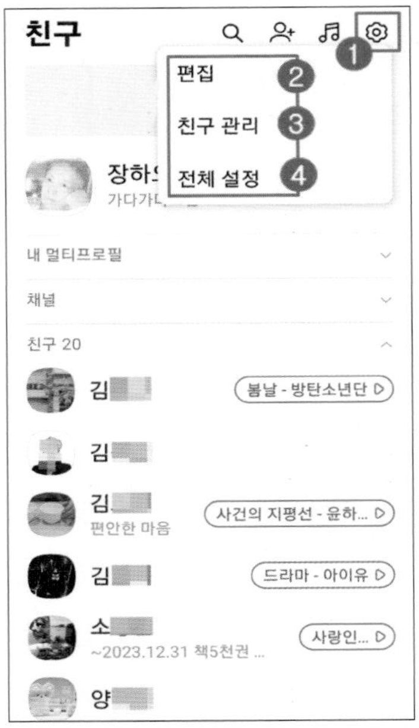

1 카카오톡 하단에 [친구, 채팅, 뷰, 쇼핑, 더보기] 아이콘이 있습니다.

2 카카오톡 상단에 [검색, 친구추가, 음악, 설정] 아이콘이 있습니다.

3 ①우측상단의 톱니바퀴 아이콘 [설정]을 터치하면 ②편집, ③친구관리, ④전체설정 메뉴가 열립니다.

1 상위메뉴 [편집]을 터치하면 편집창이 열리고 ①[해제]를 터치하여 즐겨찾기를 해제할 수 있습니다. ②[숨김]을 터치하여 친구 목록에서 숨길 수 있습니다. 2 [친구관리]에서 버튼을 활성화하여 ①자동 친구 추가, ②친구 추천 허용, ③친구 이름 동기화를 할 수 있습니다. 터치하여 ④숨김친구 관리 ⑤차단친구 관리를 할 수 있습니다. 3 [전체설정]에서는 카카오톡 사용에 필요한 모든 부분을 설정할 수 있습니다.

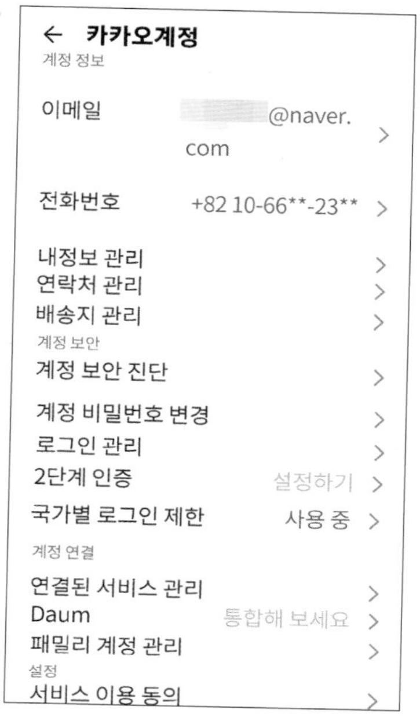

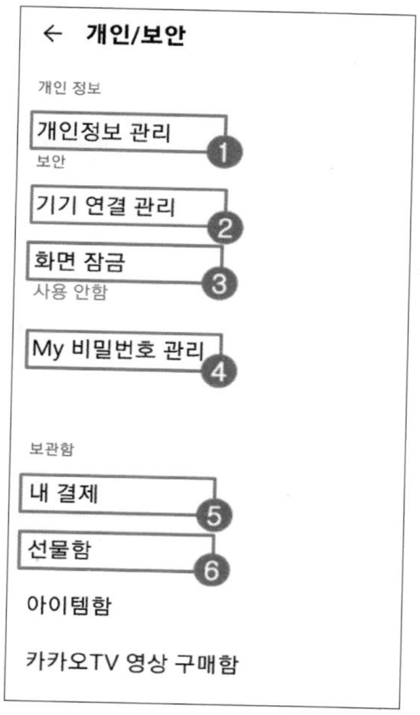

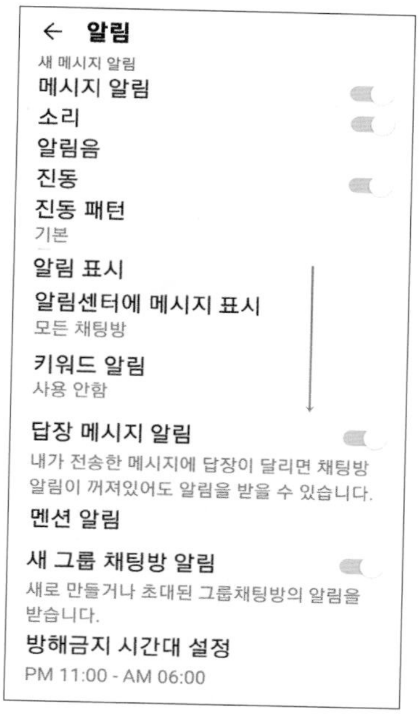

❶ [카카오계정]에서는 카카오와 연동된 이메일, 전화번호, 연락처관리 등을 할 수 있습니다. ❷ [개인/보안] ①터치하여 개인정보를 관리할 수 있습니다. ②에서는 다른 기기와 연결할 때 인증하거나 연결된 기기를 관리할 수 있습니다. ③비밀번호나 패턴을 설정할 수 있습니다. ④카카오 서비스에서 사용하는 6자리 비번을 설정할 수 있습니다. ⑤내 결제정보와 ⑥선물함에서 선물하기, 받은 선물을 관리할 수 있습니다. ❸ [알림]에서 알림과 관련된 설정을 할 수 있습니다.

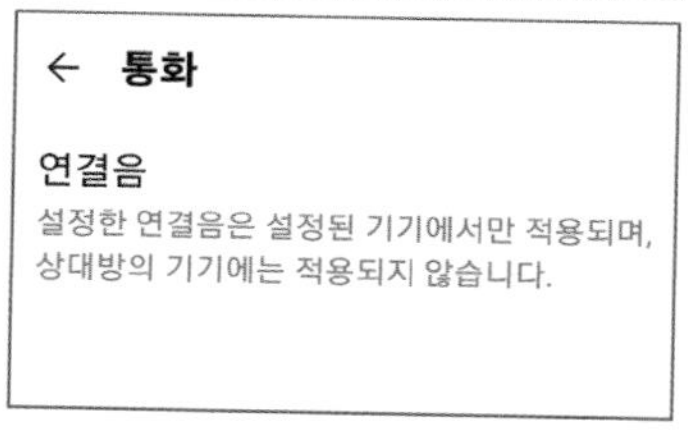

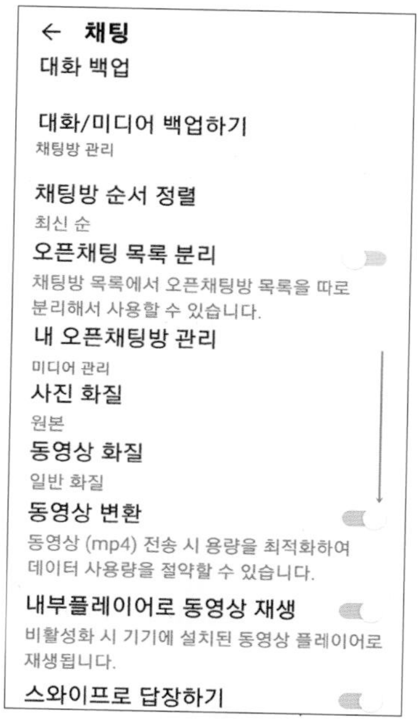

❶ [화면]에서는 글자크기, 배경화면, 화면 방향을 설정할 수 있습니다. [통화]에서는 연결음을 설정할 수 있습니다. ❷ [테마]에서는 시스템 모드를 설정할 수 있고, 카카오톡에서 제공하는 다양한 테마를 적용할 수 있습니다. ❸ [채팅]에서는 채팅방, 오픈채팅방, 미디어, 답장, 이모티콘, 키보드, 메시지 수신등 채팅방의 다양한 기능들에 대한 설정을 할 수 있습니다.

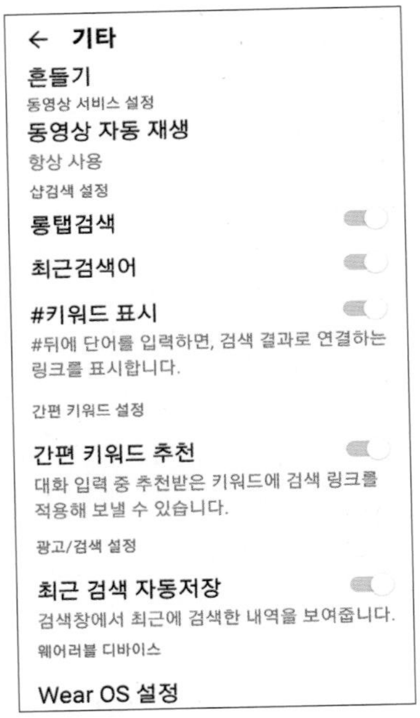

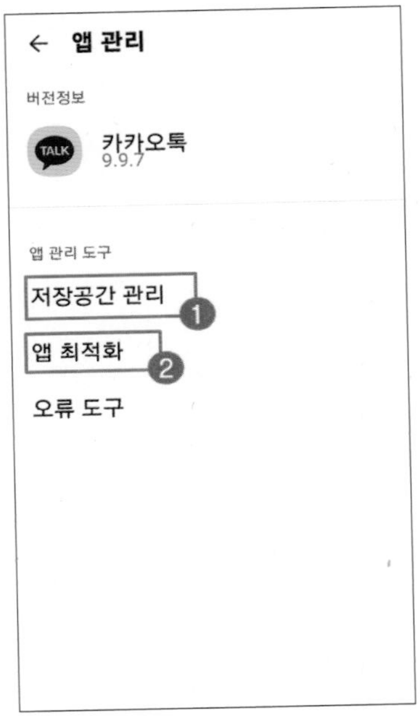

1 [기타]에서는 흔들기 기능을 통해 QR코드나 바코드 스캔, 결제, 지갑 및 톡명함QR을 설정할 수 있습니다. **2** [앱 관리]에서는 ①저장공간관리 ②카카오 앱을 최적화할 수 있습니다. **3** [저장공간 관리]에서 ①캐시 테이터 삭제 ②음악 캐시 데이터를 삭제하여 저장공간을 최적화할 수 있습니다.

카카오톡 프로필 관리하기

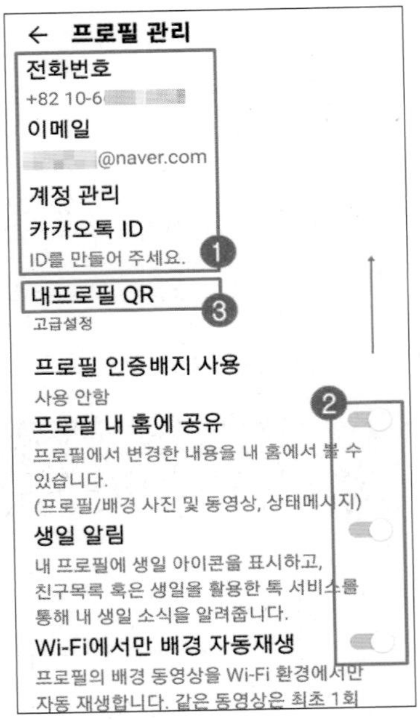

1 [전체설정]에서 우측 상단의 ①[프로필 관리]를 터치하여 **2** ①전화번호, 이메일, 카카오 계정 관리와 ID를 관리할 수 있습니다. ②버튼을 터치하여 기능을 활성화할 수 있습니다. ③내프로필 QR을 터치하여 내프로필 QR코드를 생성할 수 있습니다. **3** ①새로운 QR코드생성 ②내프로필QR 보내기 ③QR이미지를 앨범에 저장 ④QR코드나 바코드 스캔 기능을 활용하여 친구, 채널추가, 송금, 공과금 납부 등을 할 수 있습니다.

내 프로필 편집하기

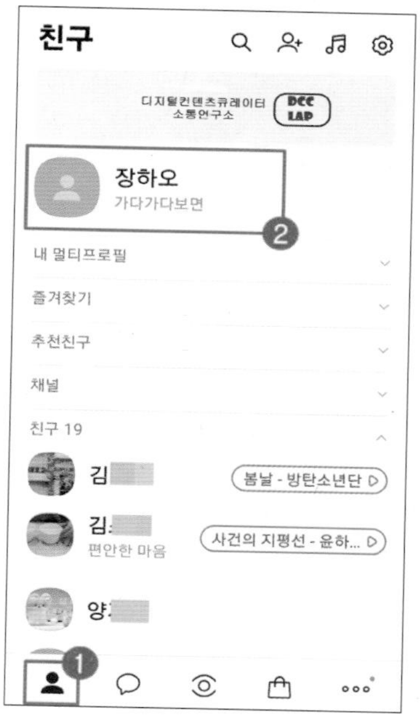

1 카카오톡 홈화면 하단에 ①친구를 터치합니다. 상단의 ②본인의 이름을 터치합니다. **2** 내프로필 화면에서 [프로필 편집]을 터치합니다. **3** 프로필 이미지 위의 ①을 터치하여 프로필 사진을 변경할 수 있습니다. 하단의 ②카메라 아이콘을 터치하여 배경화면을 변경할 수 있습니다. ③의 펜을 터치하여 이름을 변경할 수 있습니다. ④펜을 터치하여 상태메시지를 변경할 수 있습니다.

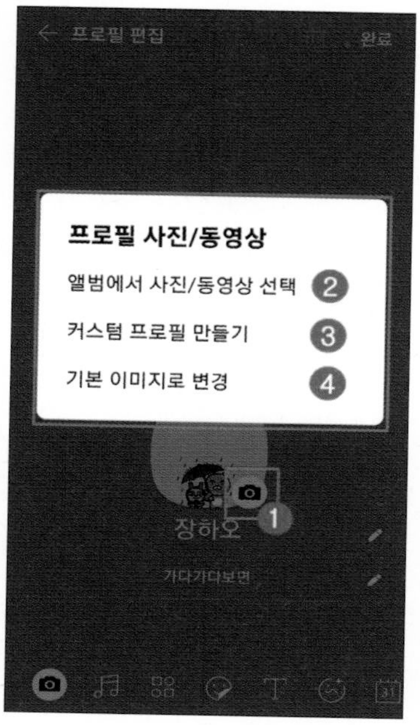

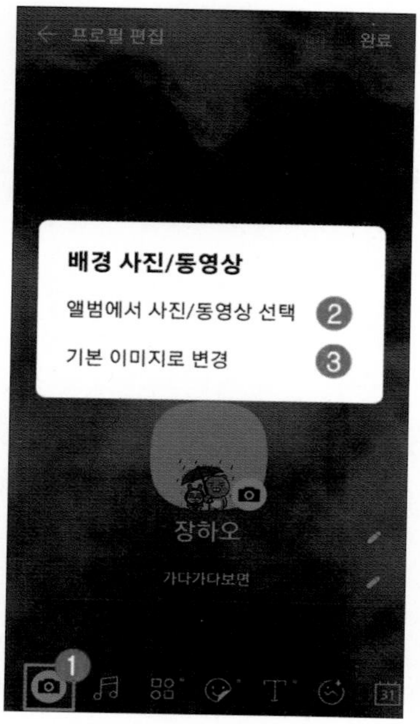

1 [프로필 편집]을 터치 후 프로필 사진 옆의 ①카메라 터치하면 팝업창이 보입니다. ②, ③, ④번을 터치하여 프로필 사진을 변경할 수 있습니다. **2** [프로필 편집] 하단의 ①카메라 아이콘을 터치하면 ②앨범에서 선택하거나 ③기본 이미지로 배경 이미지를 변경할 수 있습니다. **3** 앨범에서 사진, 동영상 선택을 터치하면 앨범 창이 열리고 사진을 선택하여 배경 사진을 변경할 수 있습니다.

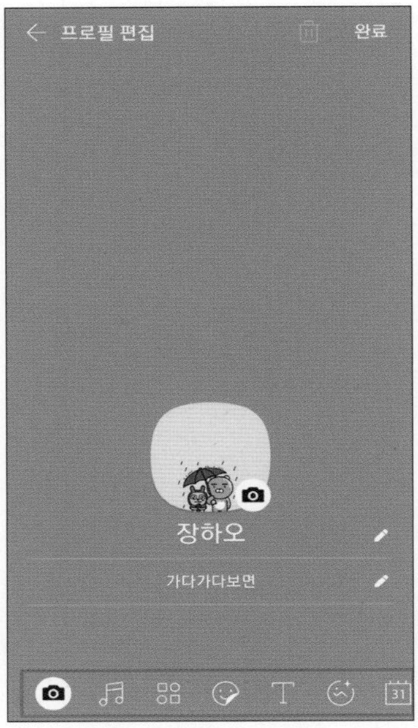

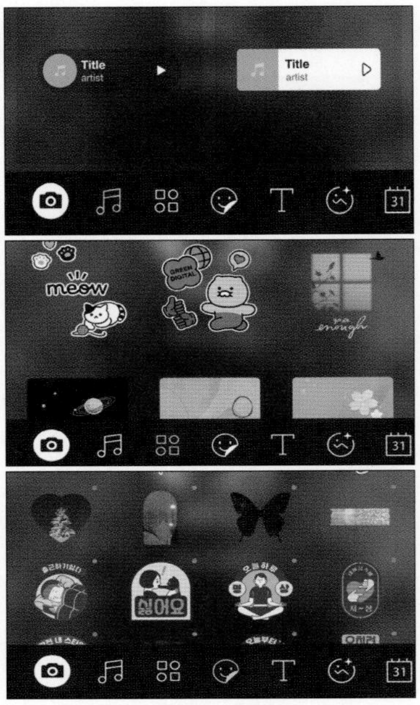

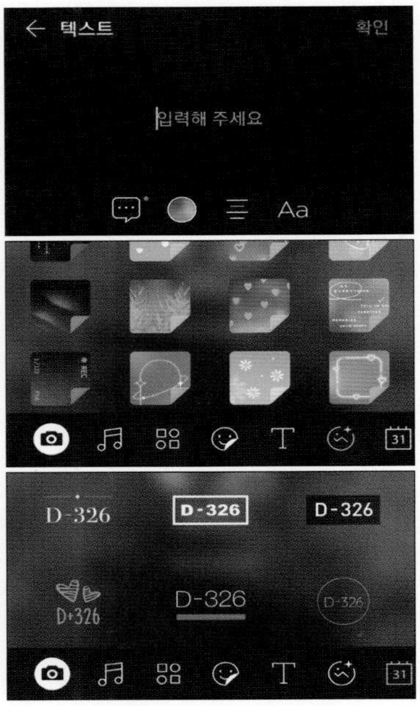

❶ [프로필 편집]에서 하단의 아이콘을 터치하여 ❷, ❸ 내 프로필에 음악 설정, 테마설정, 스티커, 텍스트 배경효과, D-day 카운팅을 할 수 있는 추가 기능으로 나만의 스타일대로 프로필을 꾸밀 수 있습니다.

CHECK 리스트

친구 즐겨찾기 추가, 해제 및 이름 변경하기

1 ①친구창에서 ②즐겨찾기 추가할 친구의 이름을 지그시 누릅니다. **2** ①[즐겨찾기에 추가]를 터치하여 즐겨찾기 목록에 추가합니다. ②[이름 변경]을 터치합니다. **3** ①변경할 친구의 이름을 작성합니다. ②친구가 설정한 이름을 확인할 수 있습니다. ③[확인]을 터치합니다.

1 친구창에서 즐겨찾기 메뉴에서 친구의 이름이 변경된 것을 확인할 수 있습니다.

2 즐겨찾기 목록에서 이름을 지그시 누르면 [즐겨찾기 해제]를 터치하여 목록에서 해제할 수 있습니다.

3 즐겨찾기 목록에서 사라진 것을 확인할 수 있습니다.

친구 관리 - 숨김 및 차단하기

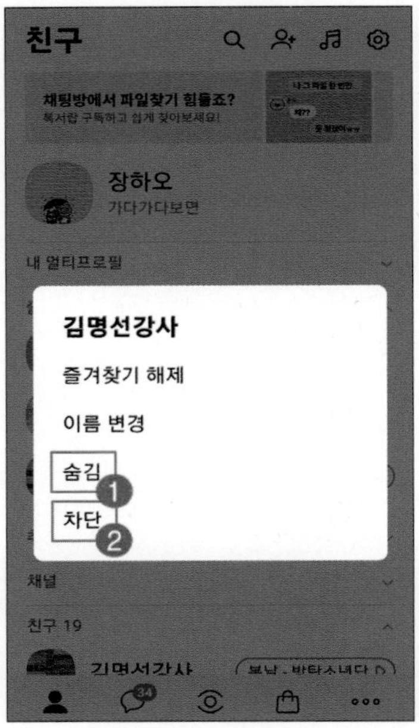

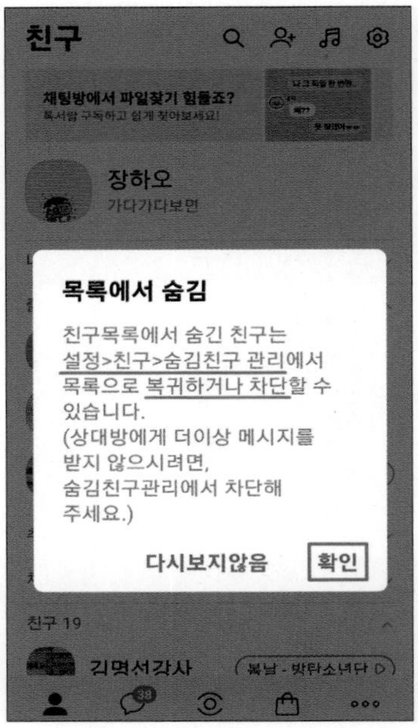

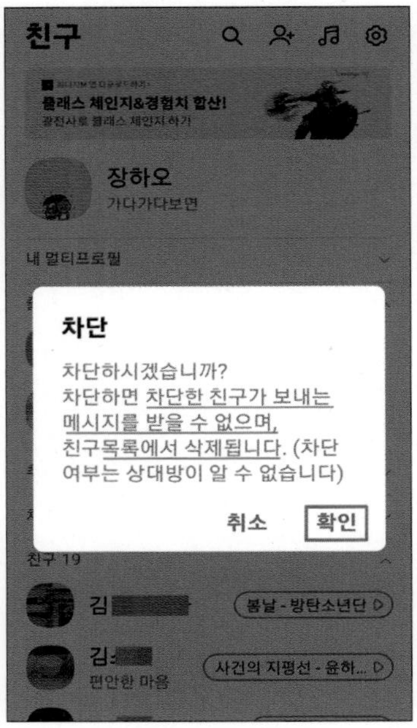

1 친구목록에서 숨기고 싶은 친구이름을 지그시 터치합니다. ①[숨김]을 할 수 있습니다. ②[차단]을 할 수 있습니다. 2 [숨김]을 터치한 후 [확인]을 터치하여 목록에서 숨김을 할 수 있습니다. 3 [차단]을 터치한 후 [확인]을 터치하여 차단할 수 있습니다.

친구 관리 - 숨김 및 차단 해제하기

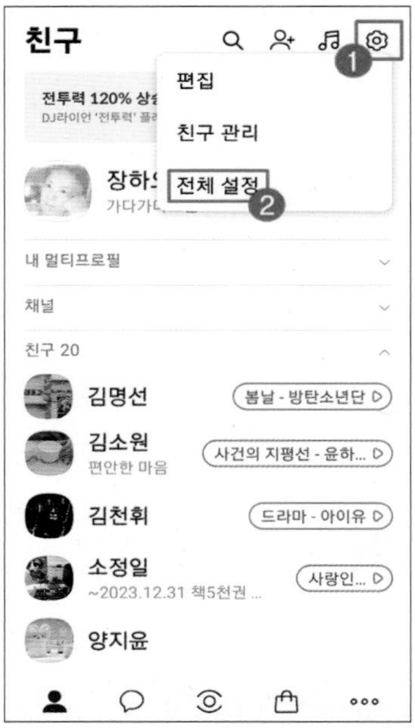

1 ①[설정] → ②[전체 설정] 터치합니다.
2 [친구]를 터치합니다.
3 ①[숨김친구 관리], ②[차단친구 관리]를 할 수 있습니다.

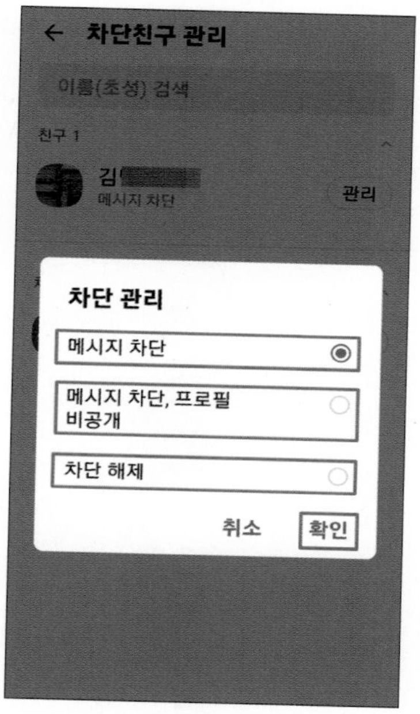

1 [숨김친구 관리]에서 숨김친구 목록을 볼 수 있습니다. [관리]를 터치합니다.
2 ①[친구목록으로 복귀]를 터치하면 다시 친구목록에 숨김친구가 나타나게 됩니다. ②[차단(메시지 차단)]을 터치하면 차단한 친구가 보내는 메시지를 받을 수 없으며 친구목록에서 삭제할 수 있습니다. ③[삭제]를 터치하면 내 카카오톡 친구목록에서는 삭제되지만 메시지는 받을 수 있습니다.
3 [메시지 차단], [메시지 차단, 프로필 비공개], [차단 해제]를 할 수 있습니다.

위치보내기

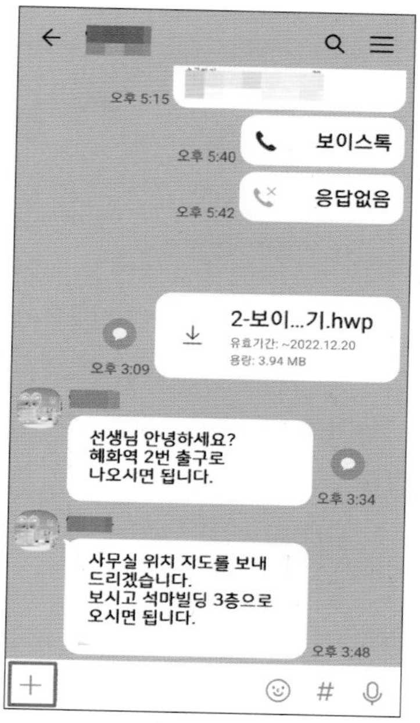

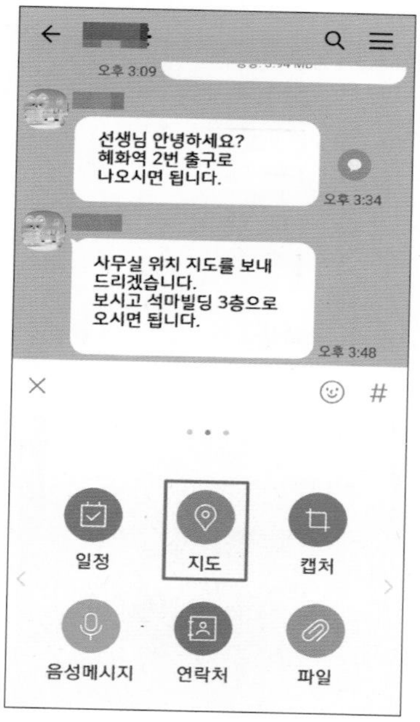

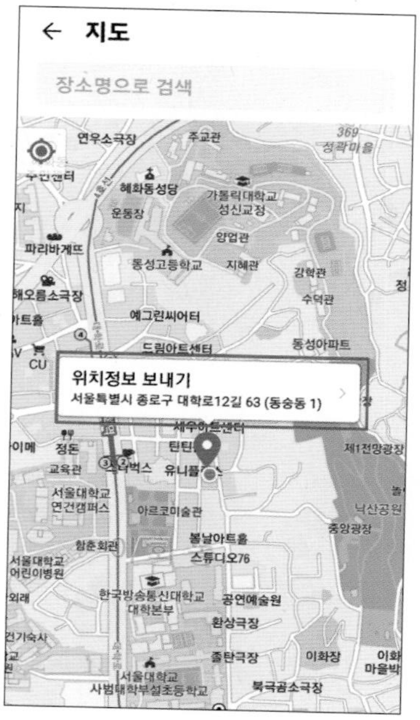

1 친구와의 채팅창에서 [+]를 터치합니다. **2** 왼쪽으로 밀어 [지도]를 터치합니다. 위치정보허용을 선택하시면 **3** 위치정보 보내기 창이 열립니다. [위치정보 보내기]를 터치하여 내위치를 채팅상대에게 알려 줄 수 있습니다.

1:1 보이스톡하기

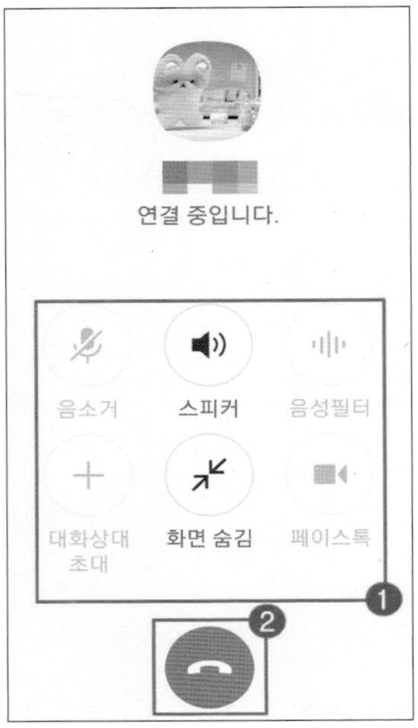

1 친구목록에서 친구이름을 터치합니다. [통화하기]를 터치합니다.
2 전화번호가 보여지며 전화연결을 할 수 있습니다. ②[보이스톡]을 터치합니다.
3 ①보이스톡의 기능을 선택할 수 있습니다. ②터치하면 통화가 종료됩니다.

그룹 보이스톡하기

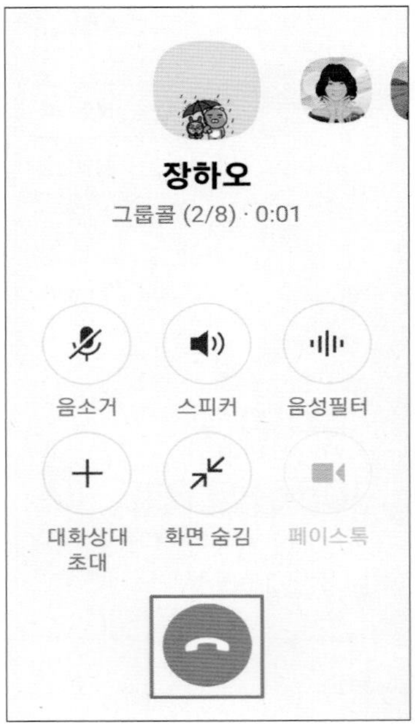

1 그룹 채팅방에서 좌측 하단의 [+]를 터치합니다. 메뉴창이 열리면 [통화하기]를 터치합니다.
2 [그룹 보이스톡]을 터치합니다.
3 그룹콜이 연결되고 종료 버튼을 터치하면 통화가 종료됩니다.

카카오톡에서 1:1 페이스톡(영상통화) 하기

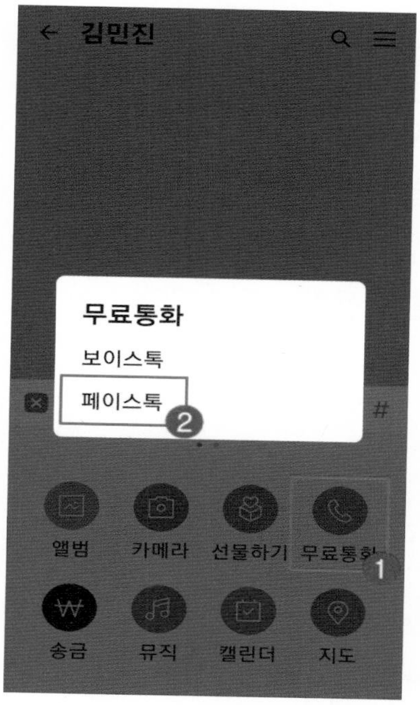

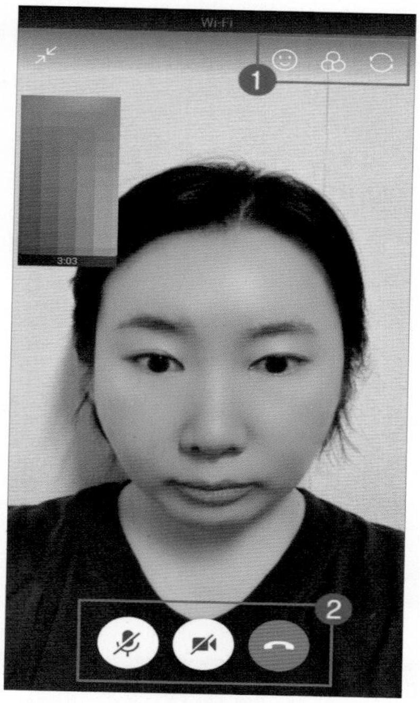

1 1:1 채팅방에서 하단의 대화 입력창 왼쪽 [✚]를 터치합니다. ①[**무료통화**]를 터치합니다. ②[**페이스톡**]을 터치합니다. 2 페이스톡이 연결 중입니다. 3 ①왼쪽부터 이펙트, 필터, 화면전환 버튼을 터치하여 화면 상태를 조절합니다. ②왼쪽부터 음소거, 카메라 끄기, 통화종료 버튼입니다.

카카오톡에서 그룹 페이스톡(그룹영상통화) 하기

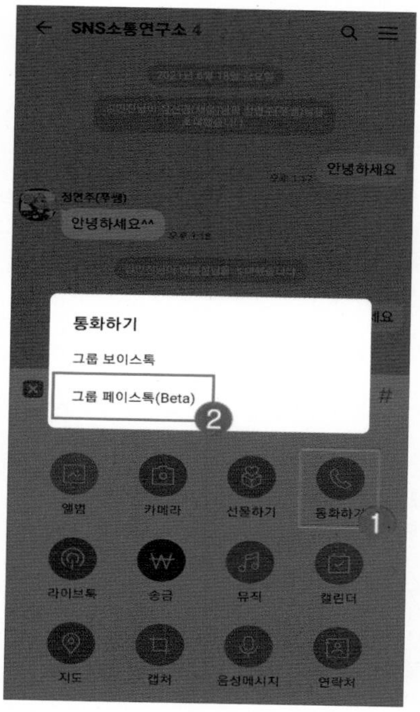

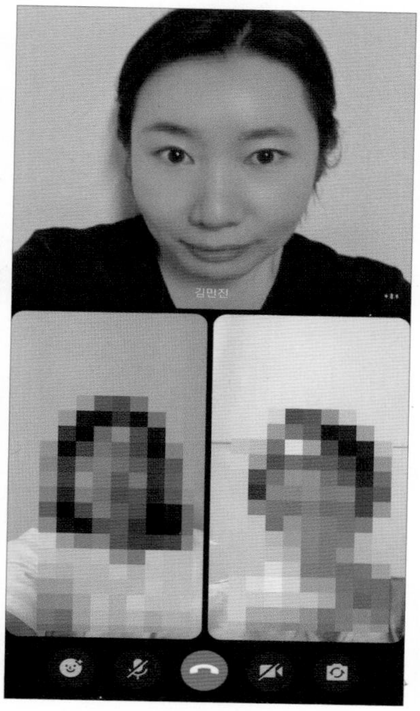

1 그룹 채팅방에서 하단의 대화 입력창 왼쪽 [✚]를 터치합니다. ①[**통화하기**]를 터치합니다. ②[**그룹 페이스톡**]을 터치합니다. 2 그룹 페이스톡이 연결 중입니다. 3 서로 얼굴을 보면서 대화가 가능합니다.

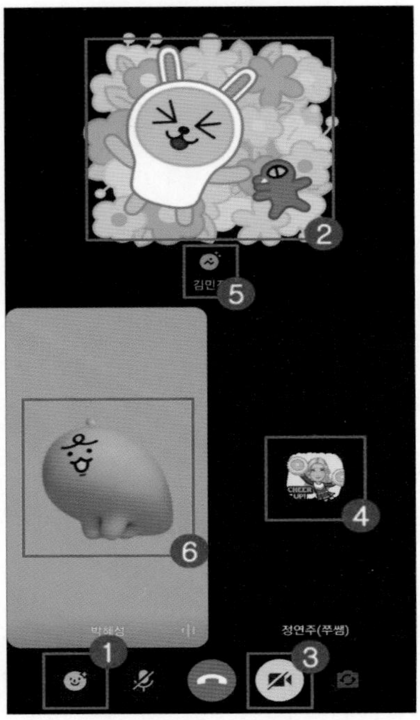

1 그룹 페이스톡의 다양한 기능을 알아보겠습니다.
①터치합니다. ②이모티콘을 사용할 수 있습니다.
③터치합니다. ④프로필 사진이 보입니다.
⑤터치합니다. ⑥카카오톡 캐릭터를 사용할 수 있습니다.

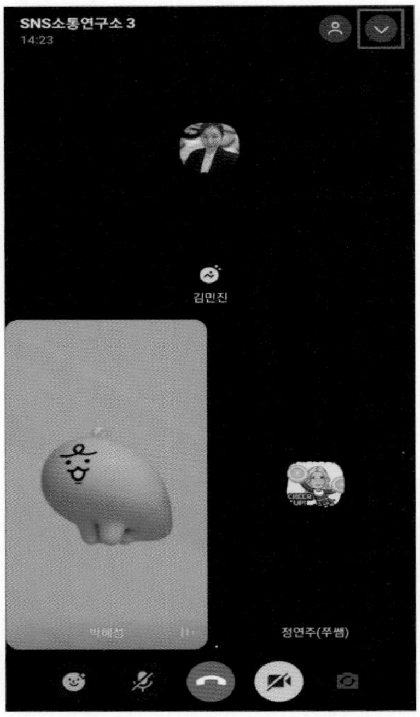

1 ①그룹 페이스톡 우측 상단의 을 터치합니다. (10명까지 가능) ②**[친구 초대]**를 터치하여 친구를 초대합니다. 2 를 터치합니다. 3 PIP(Picture-In-Picture) 기능은 그룹 페이스톡 창을 작은 플로팅 화면으로 만들어줍니다. 이 기능을 사용하면 페이스톡을 하면서 다른 작업을 할 수 있습니다.

CHECK 리스트

그룹 채팅방 만들기

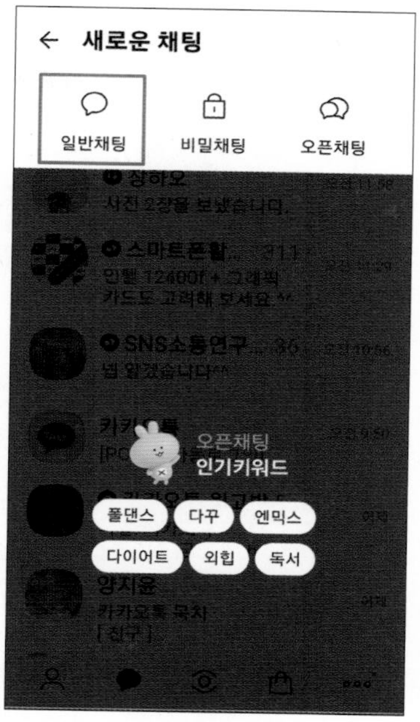

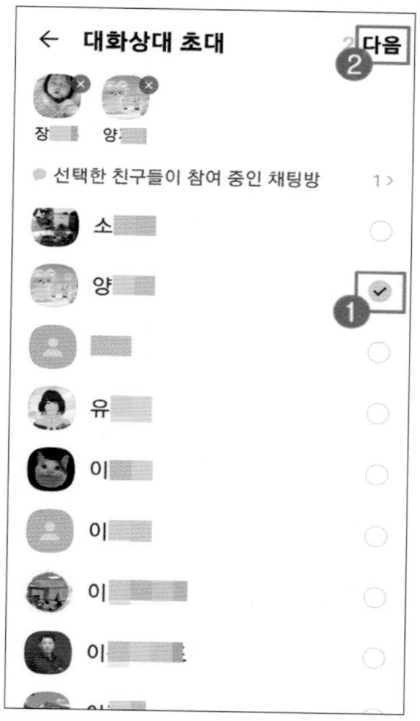

1 [채팅] 메뉴 오른쪽 상단의 를 터치합니다.
2 [일반 채팅]을 터치합니다.
3 ① 대화 상대로 초대할 친구를 선택합니다. ② [다음]을 터치합니다.

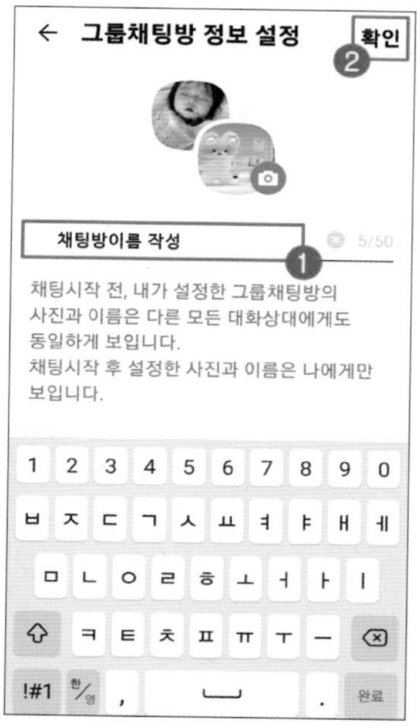

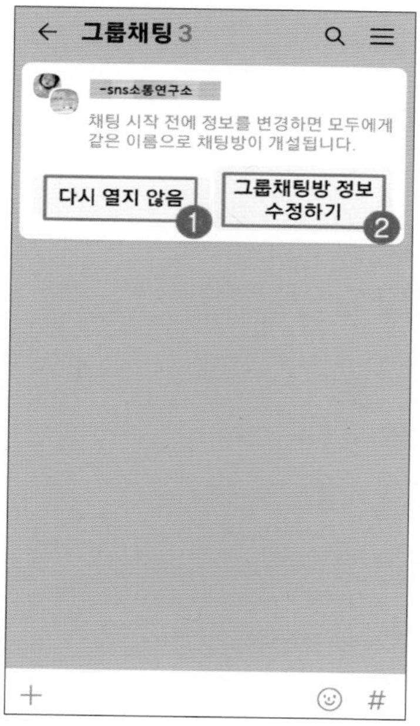

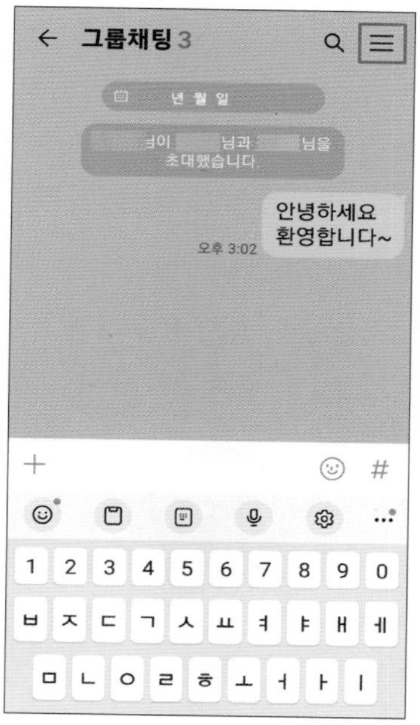

1 그룹 채팅방 정보 설정 창이 열리면 ①을 터치하여 채팅방 이름을 입력한 후 ②[확인]을 터치합니다. **2** ①[다시 열지 않음]을 터치하면 그룹채팅방 입력창이 열리고 ②[그룹채팅방 정보수정하기]를 터치하면 그룹채팅방 정보 설정 페이지로 이동합니다. **3** 그룹채팅창에 입력한 내용이 보입니다. 상단 [삼선표시]를 터치하여 그룹채팅방 이름, 배경화면 변경 및 프로필 사진 등록을 할 수 있습니다.

그룹 채팅방 정보 변경하기

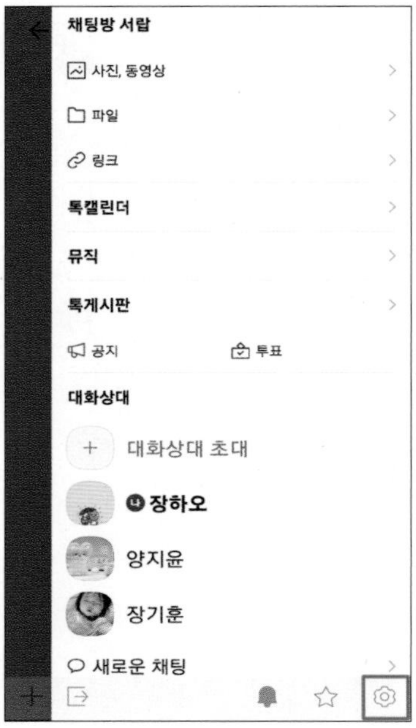

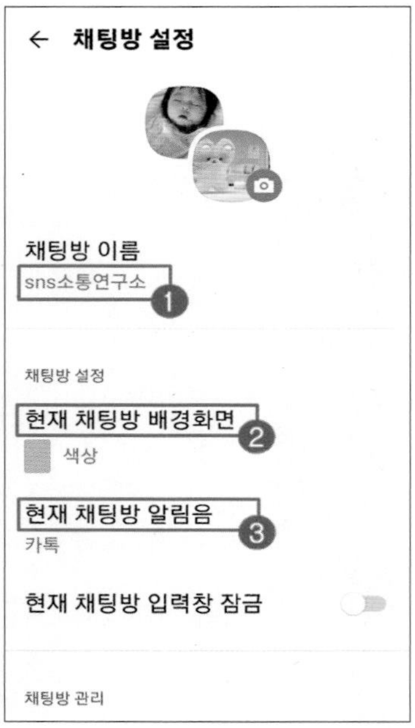

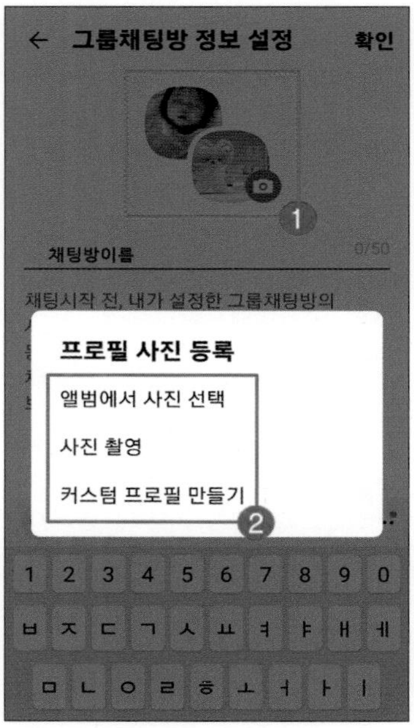

1 채팅방 상단 [삼선표시] ☰ 터치하여 열린 창에서 [설정]아이콘을 터치하면
2 채팅방 설정 창이 열리고 ①채팅방 이름, ② 현재 채팅방 배경화,면 ③ 채팅방 알림음을 변경할 수 있습니다.
3 [사진 아이콘]을 터치합니다. ②[앨범에서 사진을 선택, 사진 촬영, 커스텀 프로필 만들기]를 이용하여 프로필 사진을 만들 수 있습니다.

1 원하는 커스텀 프로필을 선택하고 ①[텍스트]를 입력합니다.
2 ①채팅 메뉴창에서 그룹 채팅방의 프로필을 확인할 수 있습니다.

그룹 채팅방에 지인 초대하기

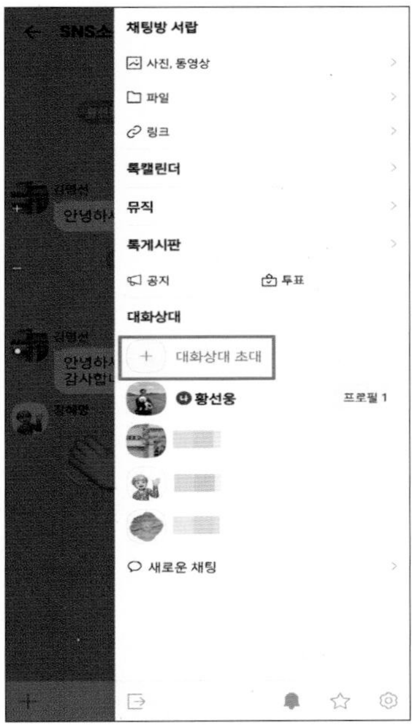

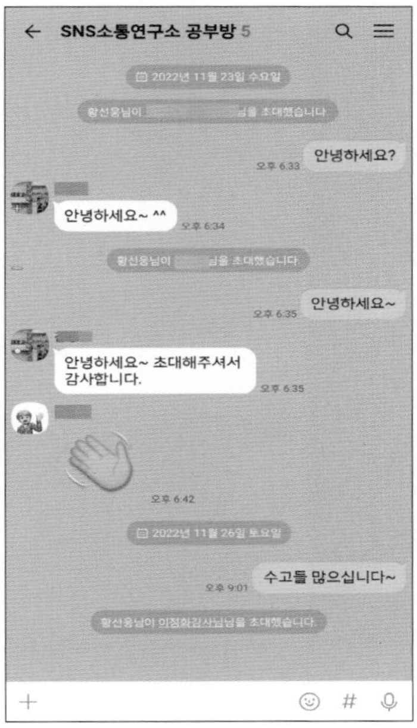

1 그룹 채팅방 우측상단의 [삼선표시]를 터치합니다. [대화상대 초대]를 터치합니다.
2 ①초대를 원하는 지인을 검색합니다. ②대화상대를 선택합니다. ③[확인]을 터치합니다.
3 지인이 초대됩니다.

오픈 채팅방 만들기 및 활용법

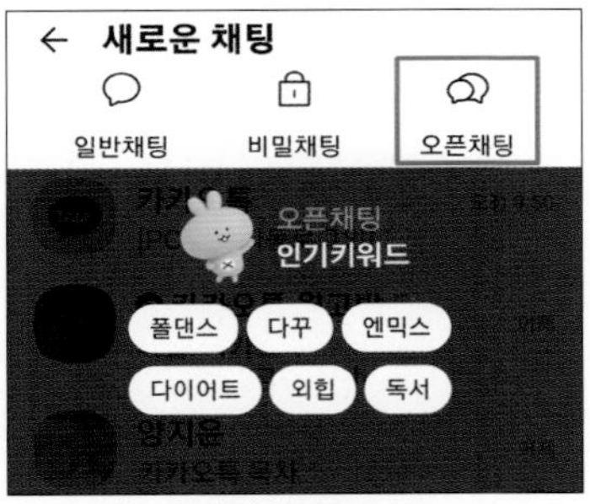

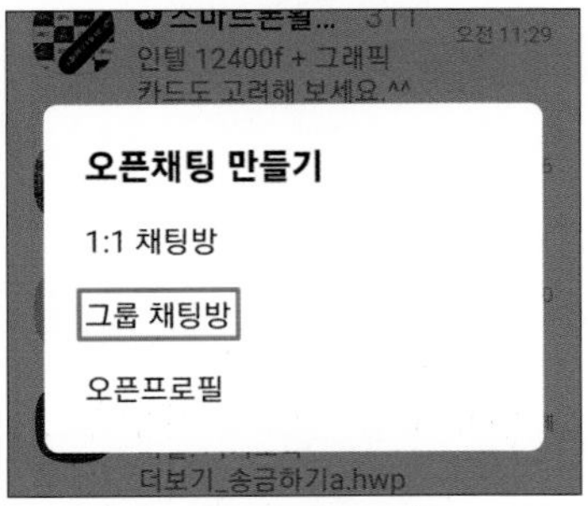

1 ①을 터치합니다. ②을 터치합니다.
2 [오픈 채팅]을 터치합니다. [그룹 채팅방]을 터치하여 채팅방을 만듭니다.
3 [오픈 채팅방 이름]을 입력합니다. ②필요 시 오픈채팅방을 소개하는 [#해시태그]를 입력합니다. ③[커버 이미지 변경]을 터치하여 사진을 변경합니다. ④[완료]버튼을 터치하면 오픈채팅방이 생성됩니다.

1 오픈 채팅방에 대화 상대를 초대하려면 [삼선 표시]를 터치합니다. ①[QR코드] 또는 ②[주소 공유]를 터치합니다. [QR코드]를 터치하면 QR코드가 생성됩니다.
2 ①을 터치하면 QR코드를 공유할 수 있습니다. ②를 터치하면 QR코드를 앨범에 저장할 수 있습니다.
3 주소 공유를 하고자 할 경우엔 [복사]를 터치하여 카카오톡 등 SNS에 공유할 수 있습니다.

CHECK 리스트

채팅방에서 음성메시지 보내기

1 채팅창에서 친구의 이름을 지그시 터치합니다.
2 왼쪽 하단의 [+]를 터치합니다.
3 하단에 메뉴창이 열리면 화살표를 터치하여 2번째 창의 [음성메시지]를 터치합니다.

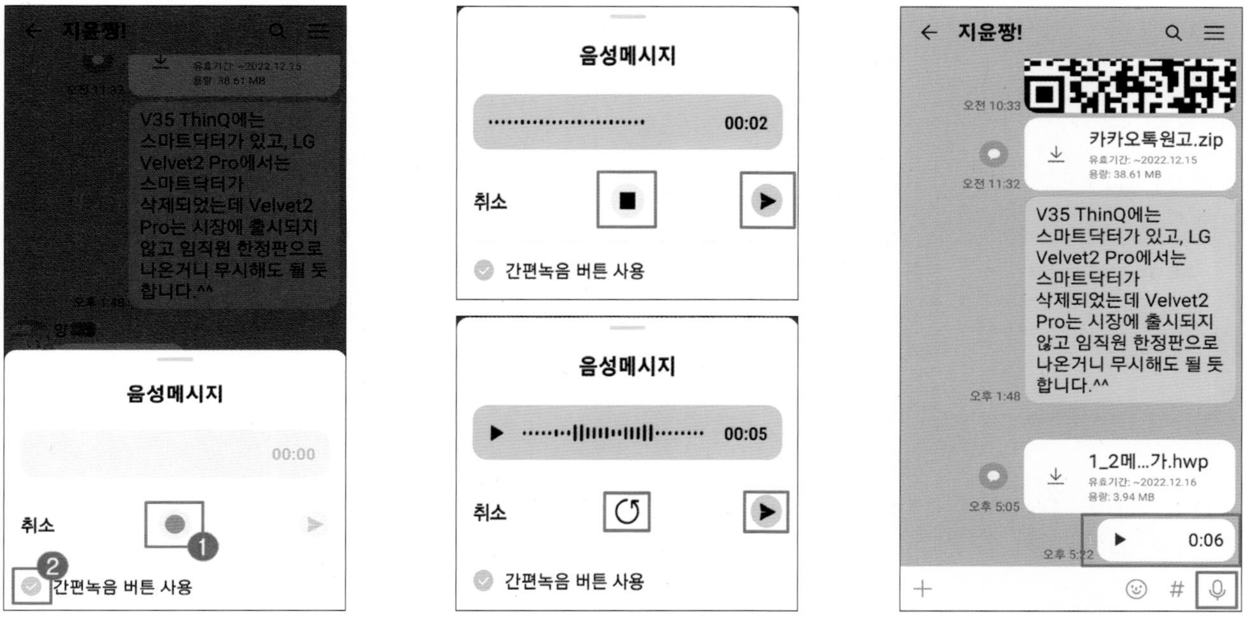

1 ①[녹음버튼]을 터치하면 음성메시지 창이 열립니다. ②[간편녹음 버튼 사용]을 활성화하면 채팅창 하단의 + 표시 우측에 간편녹음 버튼 아이콘이 생겨 음성메시지를 간편하게 보낼 수 있습니다.
2 음성녹음을 하고 [보내기] 버튼을 터치합니다. [새로고침] 버튼을 터치하여 새 메시지를 녹음할 수 있습니다.
3 음성메지시가 간 것을 확인할 수 있습니다.

채팅방 메시지 5분 안에 삭제하기

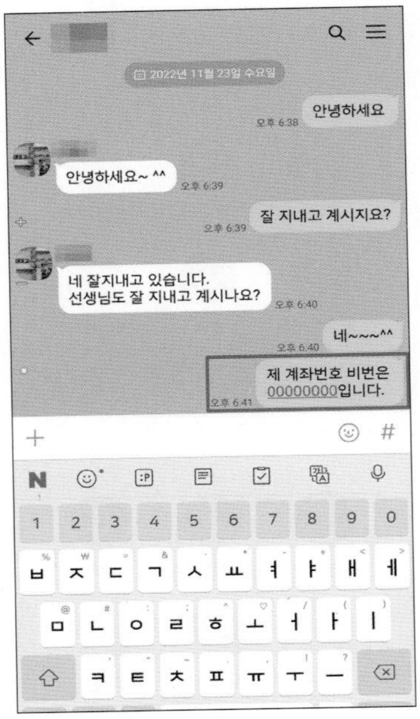
2022년 11월 23일 수요일
안녕하세요
안녕하세요~ ^^
잘 지내고 계시지요?
네 잘지내고 있습니다.
선생님도 잘 지내고 계시나요?
네~~~^^
제 계좌번호 비번은 00000000입니다.

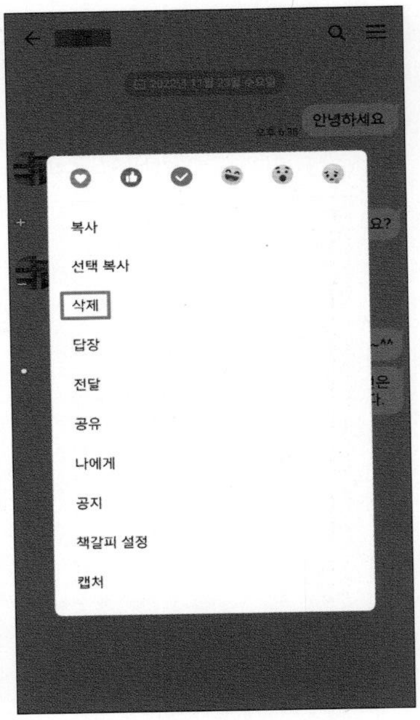
안녕하세요
복사
선택 복사
삭제
답장
전달
공유
나에게
공지
책갈피 설정
캡처

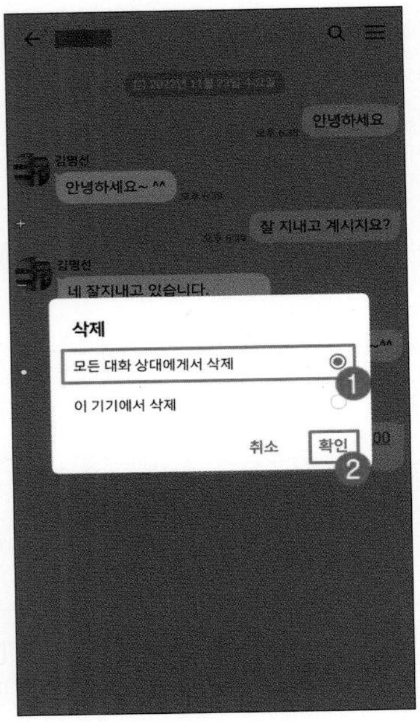
안녕하세요
김명선
안녕하세요~ ^^
잘 지내고 계시지요?
삭제
모든 대화 상대에게서 삭제
이 기기에서 삭제
취소
확인

1 잘못 보낸 메시지는 5분안에 삭제할 수 있습니다. 잘못 보낸 메시지를 지그시 터치합니다.
2 [삭제]를 터치합니다.
3 ① [모든 대화 상대에게서 삭제]를 터치합니다. ② [확인]을 터치합니다.

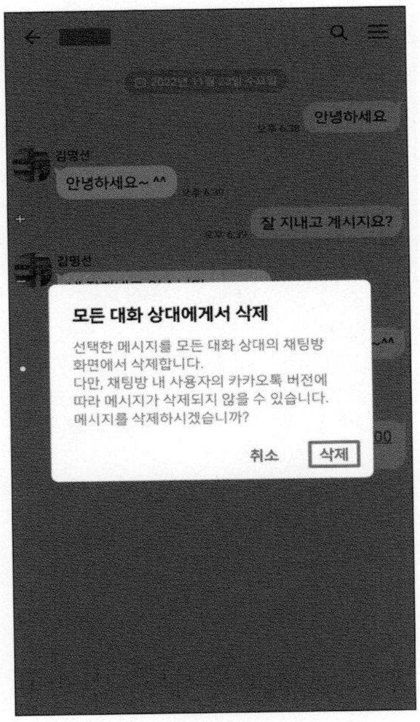
안녕하세요
김명선
안녕하세요~ ^^
잘 지내고 계시지요?
모든 대화 상대에게서 삭제
선택한 메시지를 모든 대화 상대의 채팅방 화면에서 삭제합니다.
다만, 채팅방 내 사용자의 카카오톡 버전에 따라 메시지가 삭제되지 않을 수 있습니다.
메시지를 삭제하시겠습니까?
취소
삭제

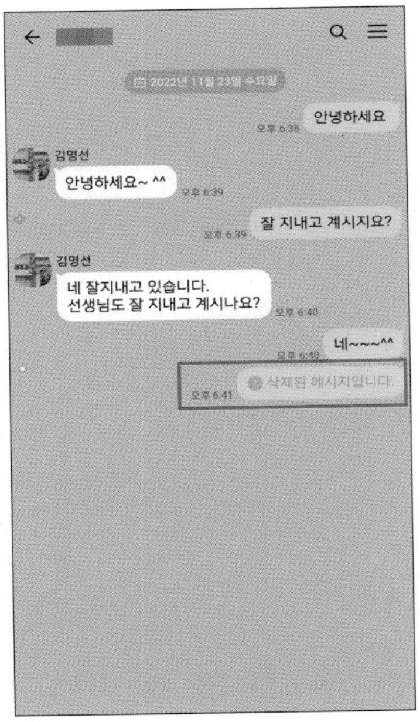
2022년 11월 23일 수요일
안녕하세요
김명선
안녕하세요~ ^^
잘 지내고 계시지요?
네 잘지내고 있습니다.
선생님도 잘 지내고 계시나요?
네~~~^^
삭제된 메시지입니다.

1 [삭제]를 터치합니다.
2 잘못 보낸 메시지는 삭제되고 [삭제된 메시지입니다.] 라는 문구가 보입니다.

중요내용 책갈피 설정하기

환영합니다.
오픈채팅방입니다.
이정화
포토스케이프 작업시
사진을 자르기 하실 때
가로 1080*2060~65
범위로 자르기 해 주셔야
숫자나 이미지가 눌려
보이지 않습니다.
참고해주세요.

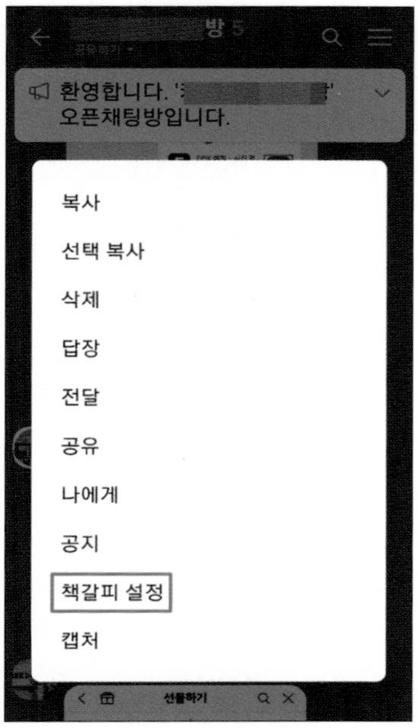
복사
선택 복사
삭제
답장
전달
공유
나에게
공지
책갈피 설정
캡처

이정화
포토스케이프 작업시
사진을 자르기 하실 때
가로 1080*2060~65
범위로 자르기 해 주셔야
숫자나 이미지가 눌려
보이지 않습니다.
참고해주세요.

1 채팅방에서 메시지가 쌓여 중요내용을 찾기 어려울 때 중요내용의 메시지에 책갈피를 끼워 쉽게 찾을 수 있습니다. 책갈피를 끼워둘 메시지를 지그시 터치합니다.
2 설정메뉴창이 열리면 [책갈피 설정]을 터치합니다.
3 [책갈피 아이콘]을 누르면 찾는 메시지가 보입니다.

채팅방에서 이모티콘 전송하기

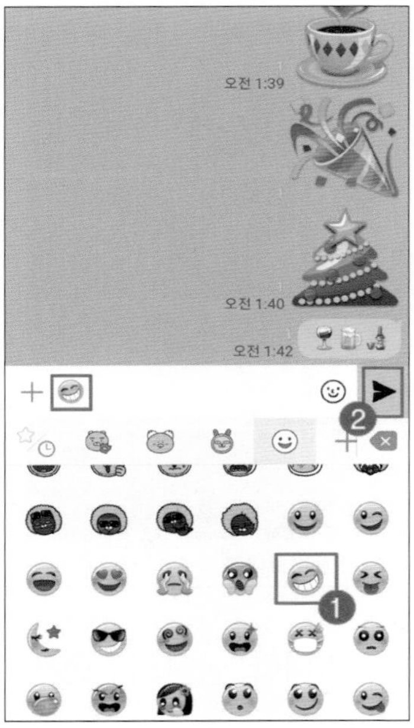

1 1대1 혹은 단체 채팅방에서 우측 하단 를 터치합니다.
2 ①[원하는 이모티콘]을 선택합니다. ②[보내기]를 터치합니다.
3 채팅창에 이모티콘이 보입니다.

채팅방에서 사진 전송하기

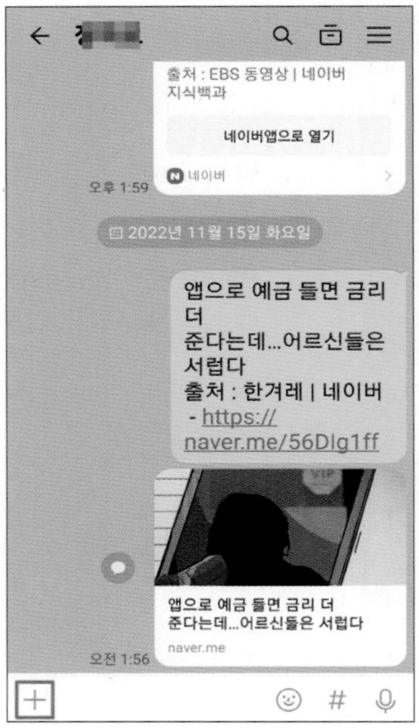

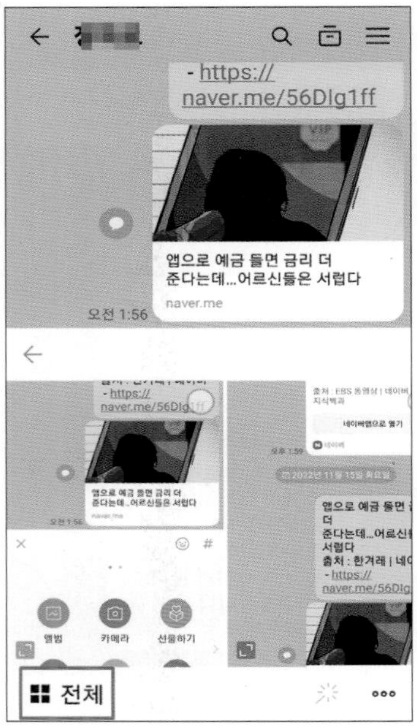

1 채팅방에서 하단 왼쪽의 [+]아이콘을 터치합니다.
2 보이는 아이콘 중 [앨범]을 터치합니다.
3 왼쪽 하단의 [전체]를 터치합니다.

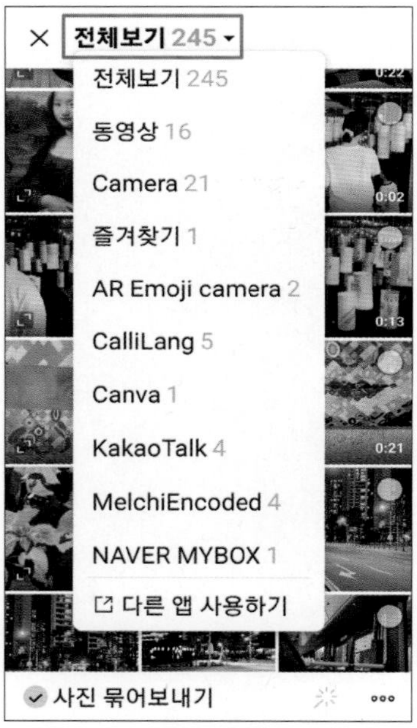

1 내 앨범에 저장되어 있는 사진들이 보입니다. 상단의 [**전체보기**]를 터치하면 카테고리별로 들어가 사진을 선택할 수 있습니다.
2 ①내가 원하는 사진을 선택하면 ②선택한 사진이 상단에 보여집니다. ③[**전송**]을 누르면 사진이 전송됩니다. ④[**요술봉**] 아이콘을 터치합니다.
3 ①의 편집도구를 사용하여 사진 편집을 할 수도 있습니다. ②[**전송**]을 터치하여 편집한 사진을 전송합니다.

채팅방에서 동영상 전송하기

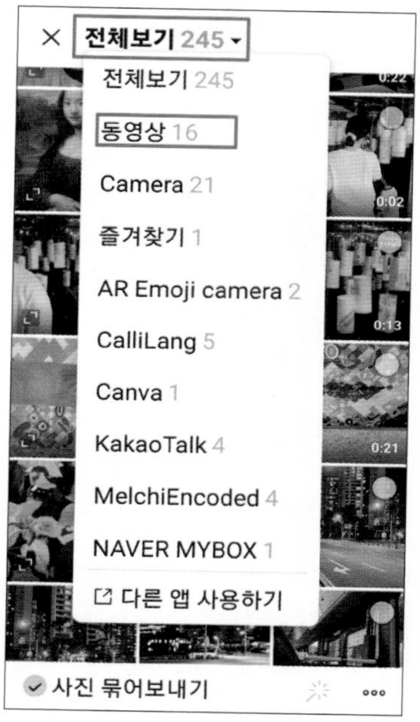

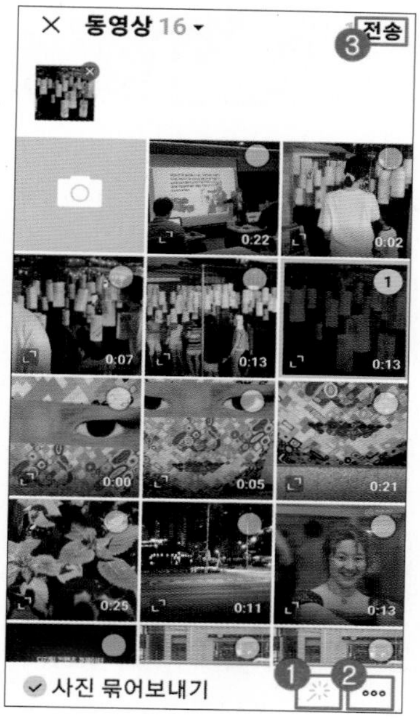

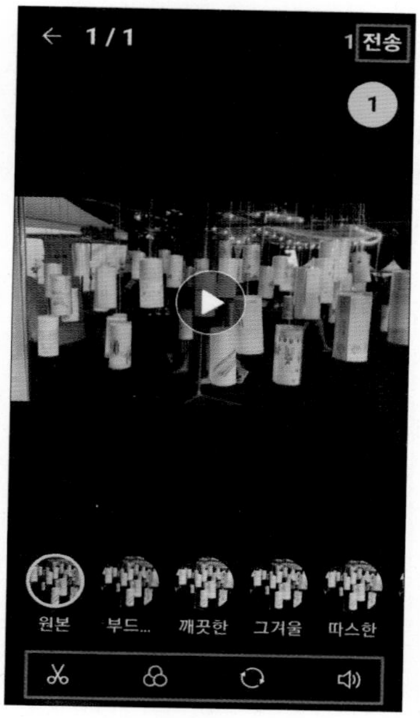

❶ [전체보기]를 터치하여 [동영상] 카테고리를 터치하여 선택합니다.
❷ ①[요술봉] 아이콘을 터치하여 동영상을 편집하고 ②[더보기 •••]를 터치하여 원하는 화질로 선택한 후 ③[전송]할 수 있습니다.
❸ [요술봉]을 터치하여 하단의 효과를 주어 [전송]할 수 있습니다.

❶ [더보기]를 터치하여 원하는 화질로 선택하여 전송할 수 있습니다.
❷ 선택한 동영상이 채팅방에 보내진 것을 확인할 수 있습니다.

주고 받은 사진 및 동영상 저장하기와 확인하기

1 채팅방에서 저장하고 싶은 사진 또는 동영상을 터치합니다. **2** ①저장 버튼을 터치하여 내 갤러리에 저장합니다. ②사진이나 동영상을 다른 사람에게 공유할 수 있습니다. ③현재의 채팅방에서 삭제합니다.(삭제된 사진 또는 동영상은 내 채팅방에서만 적용되고 상대방의 채팅방에서는 적용되지 않습니다. ④요술봉을 터치하여 효과를 주거나 편집할 수 있습니다. ⑤더보기 버튼을 터치하여 선택한 사진 또는 동영상의 종류, 크리, 해상도와 같은 [상세정보]를 알 수 있습니다. [다른 앱으로 공유]를 터치하여 카카오톡, 인스타, 네이버등 다른 앱으로 공유할 수 있습니다. **3** [저장 버튼] 을 터치한 화면입니다.

1 [전달 버튼] 을 터치한 화면입니다.
2 [요술봉] 을 터치하면 편집도구가 열립니다.
3 [더보기 버튼] 을 터치한 화면입니다.

저장공간 확보하기

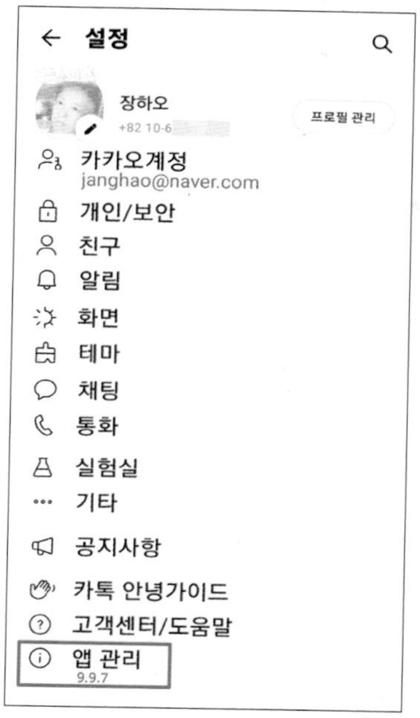

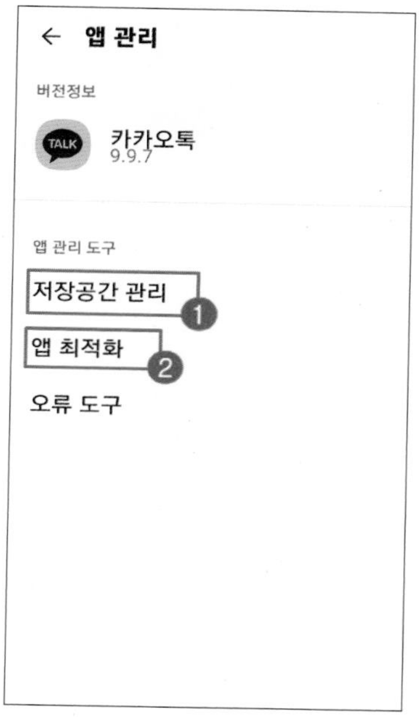

1 ①[설정] ⚙을 터치합니다. ②[전체 설정]을 터치합니다.
2 [앱관리]를 터치합니다.
3 ①[저장공간 관리]를 터치합니다. ②[앱 최적화]를 할 수 있습니다.

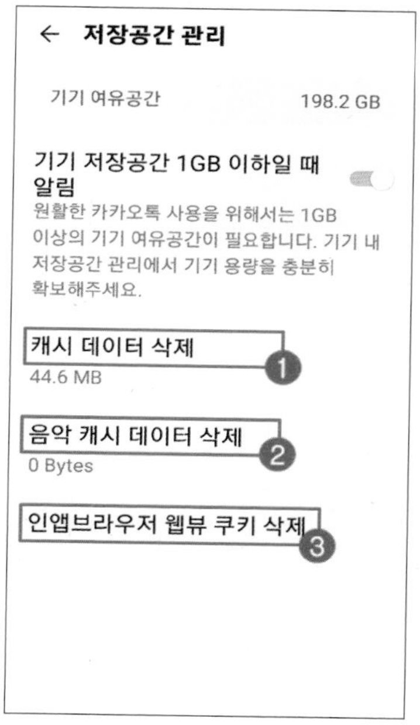

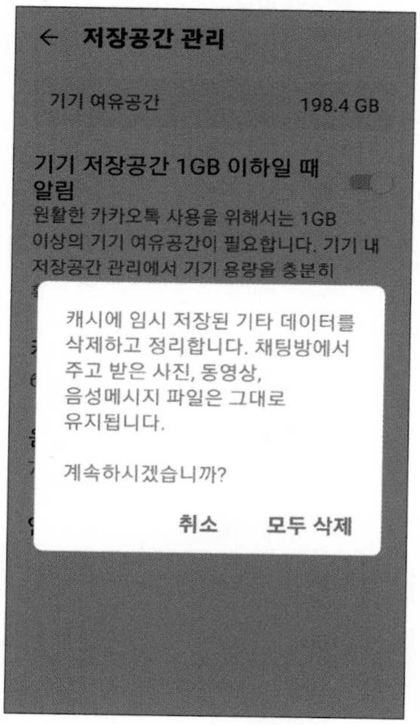

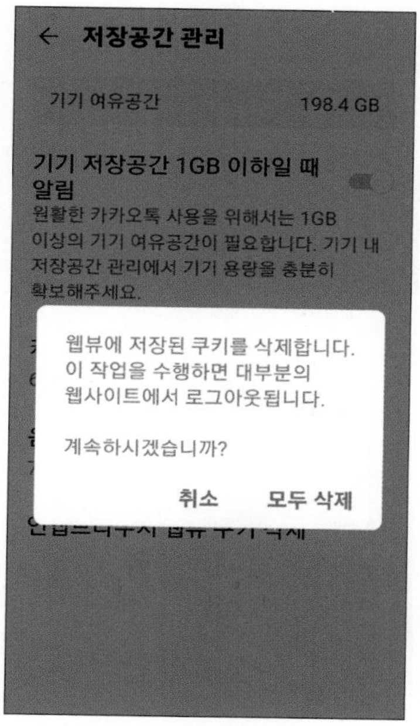

1 ①[캐시 데이터 삭제]를 터치하여 불필요한 임시 파일을 삭제하고 정리합니다. ②[음악 캐시 데이터 삭제]를 터치하여 불필요한 음악의 음원과 앨범 이미지 등을 삭제하고 정리합니다. ③[인앱브라우저 웹뷰 쿠키 삭제]를 터치하여 웹뷰에 저장된 쿠키를 삭제합니다. **2** [캐시 데이터 삭제]를 터치한 화면입니다. **3** [인앱브라우저 웹뷰 쿠키 삭제]를 터치한 화면입니다.

채팅방 용량 관리하기

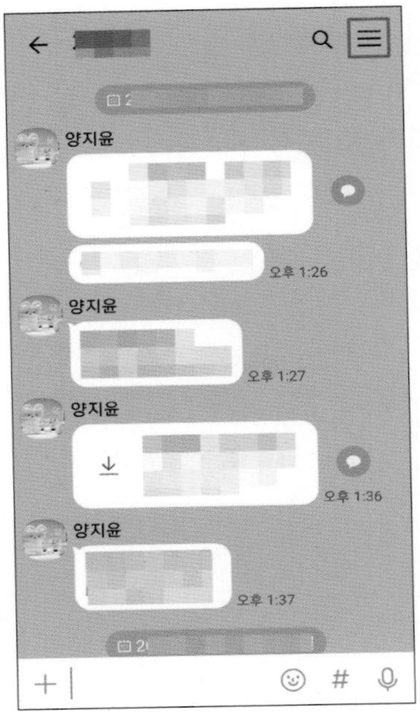

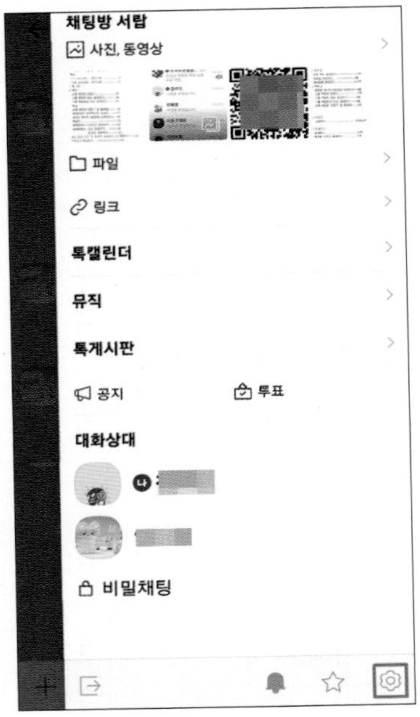

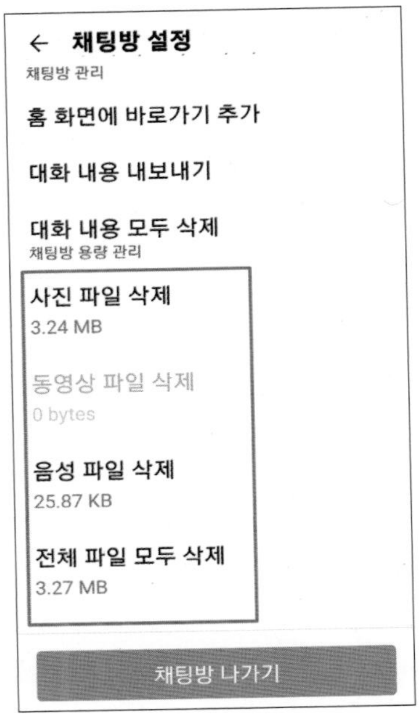

1 채팅방 우측 상단의 [삼선표시]를 터치합니다. 2 채팅방 서랍 창의 우측 하단 ⚙를 터치합니다. 3 [전체 파일 모두 삭제]를 터치하거나 [사진 파일 삭제], [동영상 파일 삭제], [음성 파일 삭제]를 선택하여 정리합니다.

대화내용 삭제하기

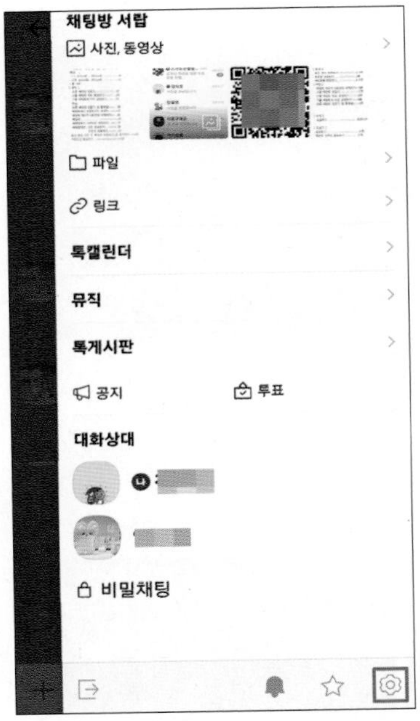

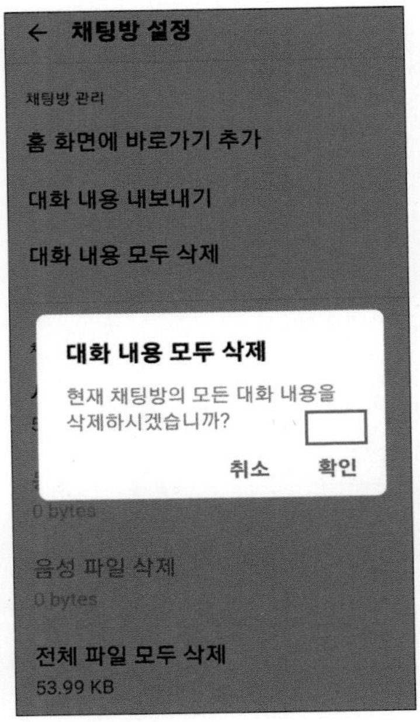

1 채팅방에서 우측상단 [삼선]을 터치하여 [채팅방 서랍]으로 들어옵니다. 채팅방 서랍 우측하단 [설정]을 터치합니다. 2 [채팅방 설정]에서 [대화내용 모두 삭제]를 터치합니다. 3 알림창이 열린 후 [확인]을 터치하면 채팅창은 남아 있지만 대화 내용은 모두 삭제됩니다.

채팅방 나가기

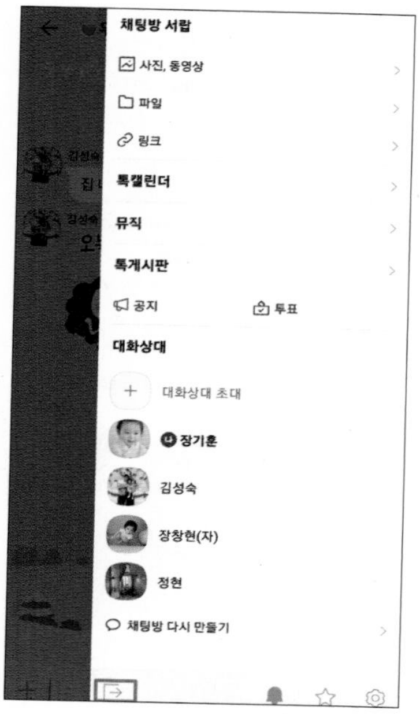

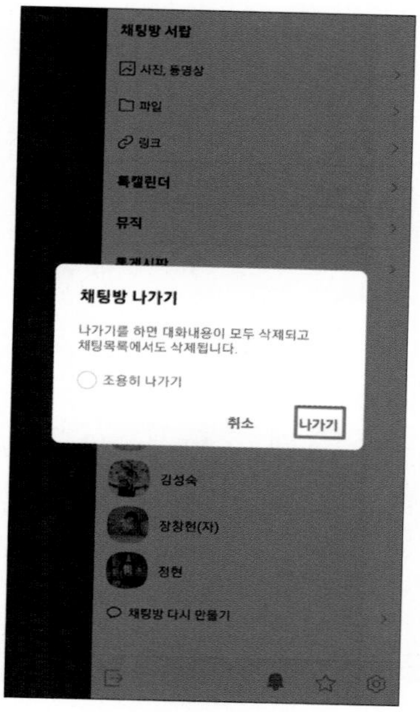

채팅방을 나가는 방법 1. ❶ 채팅방 우측 상단 [삼선]을 터치합니다. ❷ 좌측 하단의 [**나가기**] 아이콘을 터치합니다. ❸ 채팅방 나가기 창이 열리면 [**나가기**]를 누릅니다.

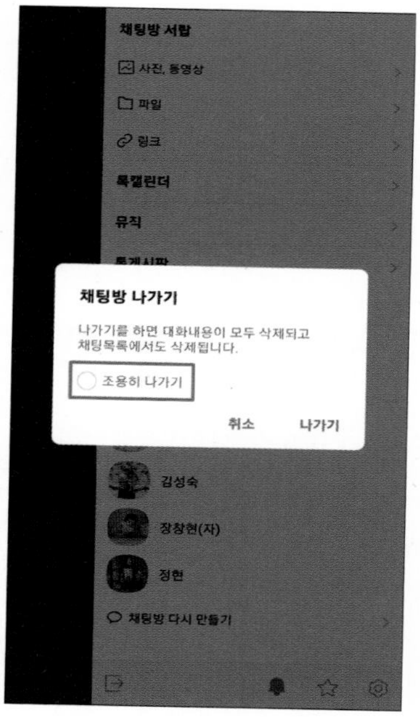

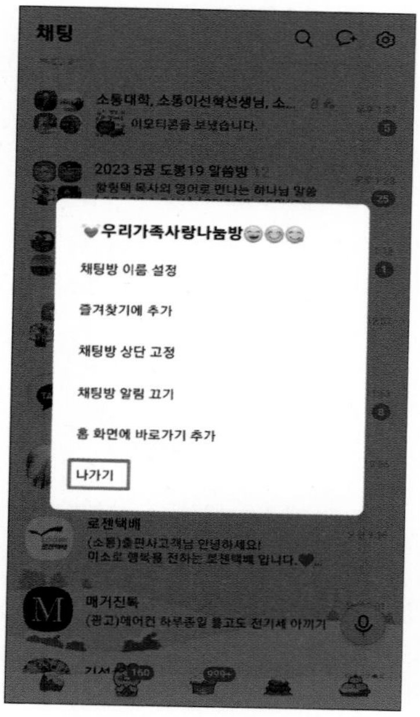

채팅방 나가는 방법 2. ❶ 조용히 나가기: 여기서 그냥 나가기를 누르면 채팅창에 나갔다는 메시지가 뜹니다. 좌측에 조용히 나가기를 누르면 아무 표시 없이 나가게 됩니다.
*단, 오픈 채팅방에서는 이 기능이 없고, 일반 채팅방에서만 가능합니다.
채팅방 나가는 방법 3. ❷ [**채팅**] 화면에서 나가고자 하는 채팅방의 이름을 길게 누르면 알림창이 열리고 [**나가기**]를 터치하면 나갈 수 있습니다. ❸ 채팅방 나가기 알림창이 열리면 [**나가기**]를 터치하여 채팅방에서 나갈 수 있습니다. 빠르게 나갈 수 있으나 채팅창에 나갔다는 흔적을 남기게 됩니다.

쇼핑 - 선물하기

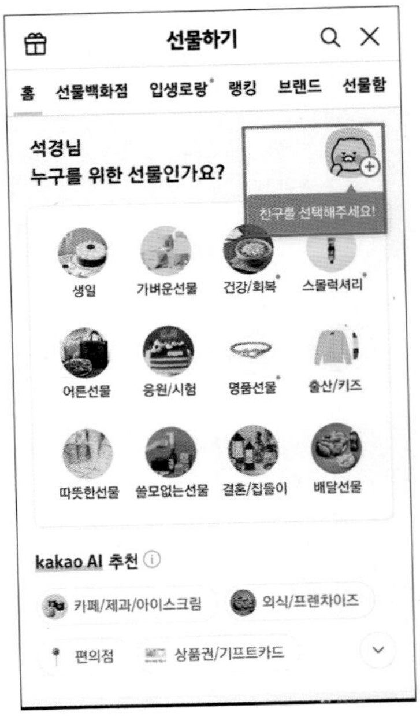

1 ①[지갑]을 선택 후 ②[선물하기]를 선택합니다.
2 내가 보내고자 하는 대상 친구를 선택합니다.
3 [카페 / 제과 / 아이스크림]을 터치합니다.

1 [카페 / 제과 / 아이스크림] 항목에 있는 여러 메뉴 중 원하는 상품 하나를 선택합니다.
2 카카오톡 친구 프로필 모양이 담긴 선물하기를 터치합니다.
3 ①수량을 추가하여 ②[선물하기] 를 터치합니다.

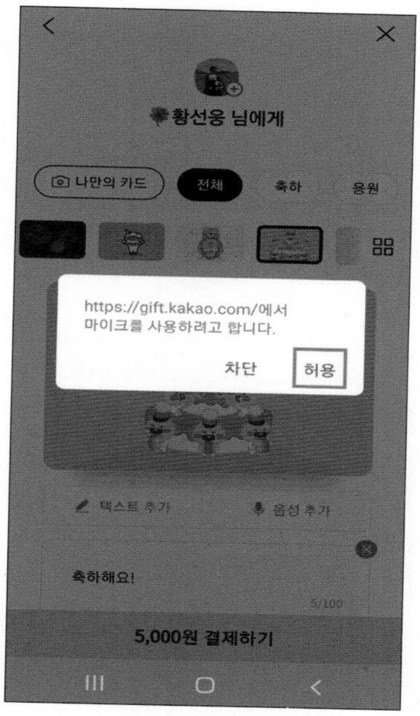

1 [카드] 그림 중 카드를 선택 터치합니다.
2 ①[텍스트 추가]와 ②[음성 추가]를 터치하여 내용을 기록합니다.
3 음성 추가 기록은 [마이크 사용]을 [허용]으로 선택합니다.

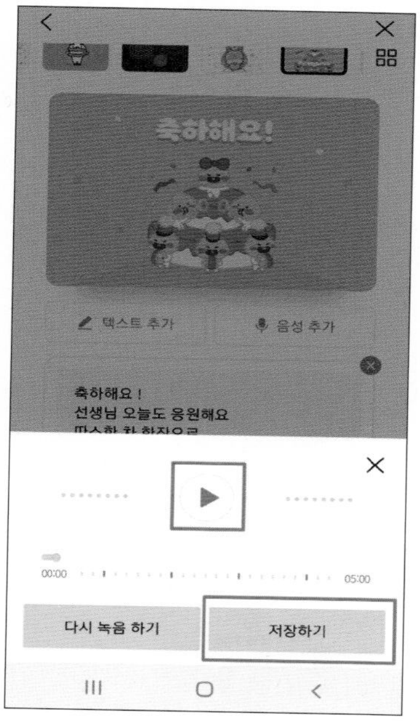

1 [녹음 버튼]을 터치하여 음성 녹음을 합니다. 2 [플레이]버튼으로 음성 녹음 확인 후 [저장하기]를 터치합니다. 3 ①텍스트와 음성은 각각 사용할 수 있습니다. ②[결제하기]를 터치합니다.

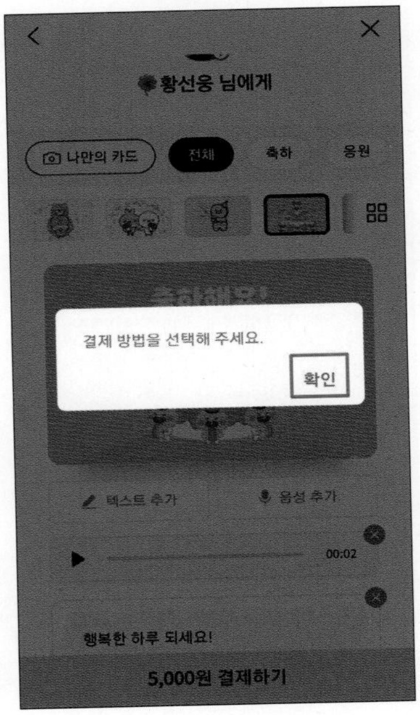

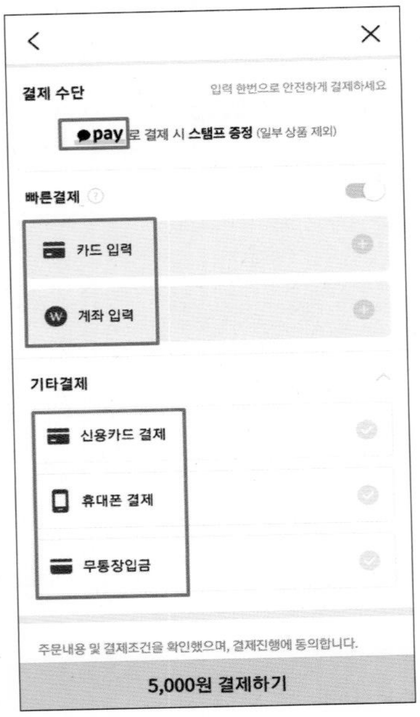

1 결제방법을 선택 창의 [확인]을 터치합니다. 2 [결제 수단]을 선택하여 최종 결제금액을 확인하고 [결제하기]를 진행합니다. 3 [선물 쿠폰 발송]으로 내가 보내고자 하는 상대방에게 선물과 메시지를 보냈습니다. 선물 쿠폰이 발송되었습니다.

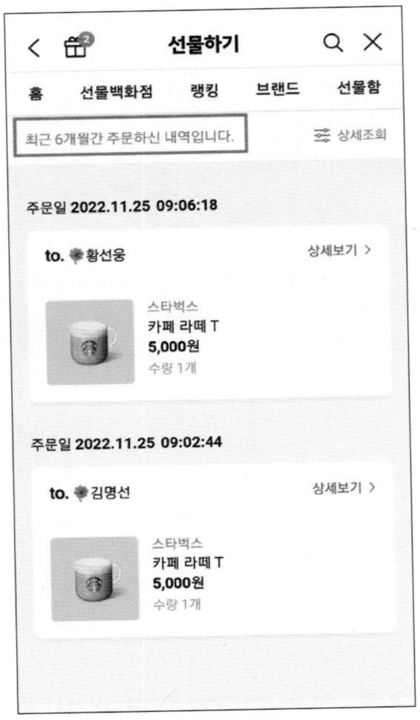

1 ①[선물함]에 ②[주문내역] 확인해볼 수 있습니다.
2 [주문일자 확인] 주문내역은 최근 6개월간 주문하신 내역만 확인 가능합니다.

송금하기

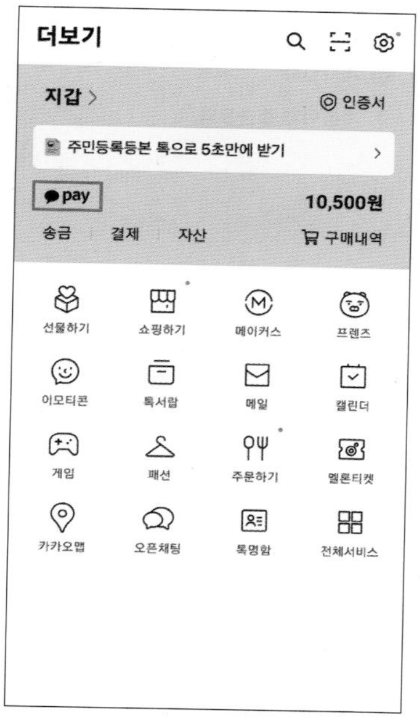

1 카카오톡에서 송금하기를 하려면 카카오페이에 계좌연결을 해야합니다. 하단에서 더보기 [···]를 터치합니다.
2 더보기에서 [pay]를 터치합니다.
3 [pay]에서 [점 세개]를 터치합니다.

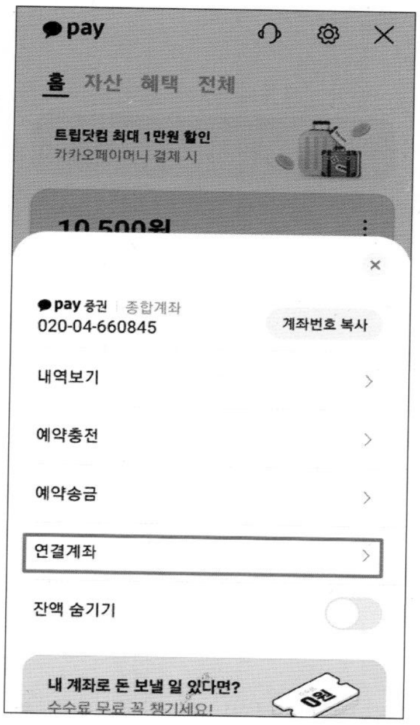

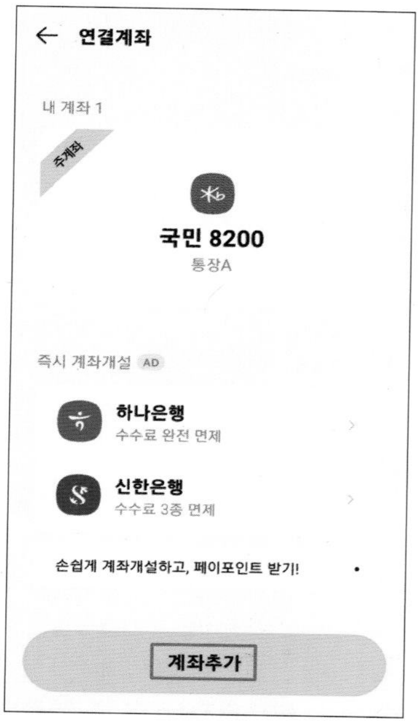

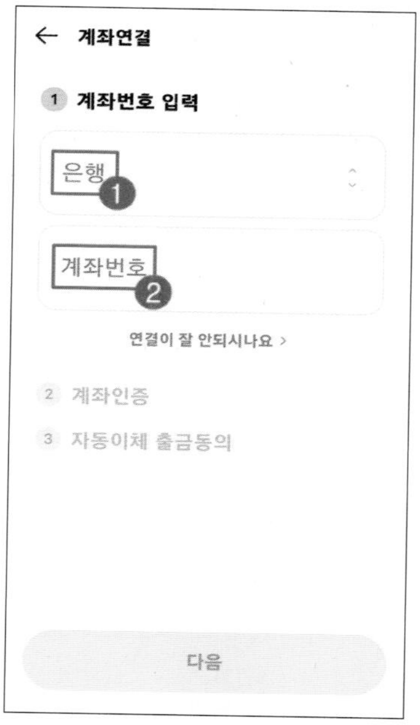

1 [연결계좌]를 터치합니다.
2 [계좌추가]를 터치합니다.
3 ①[은행]을 터치해서 은행을 선택하고 ②[계좌번호]를 입력합니다.

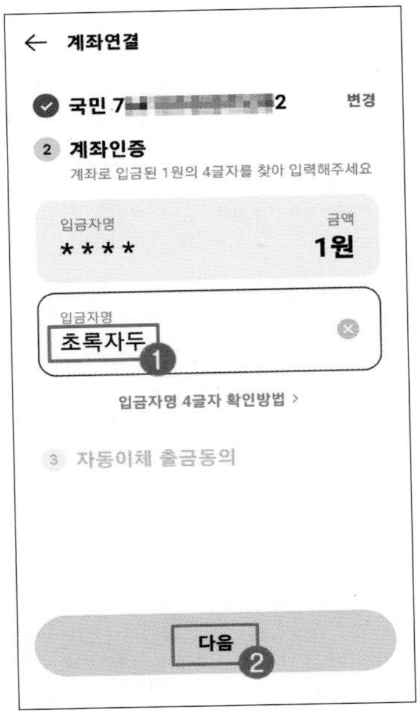

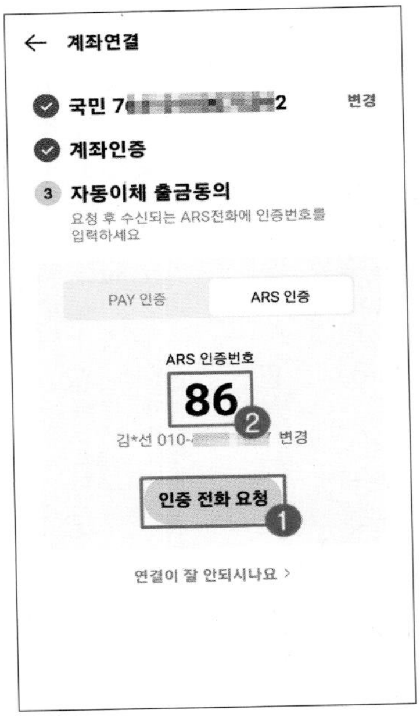

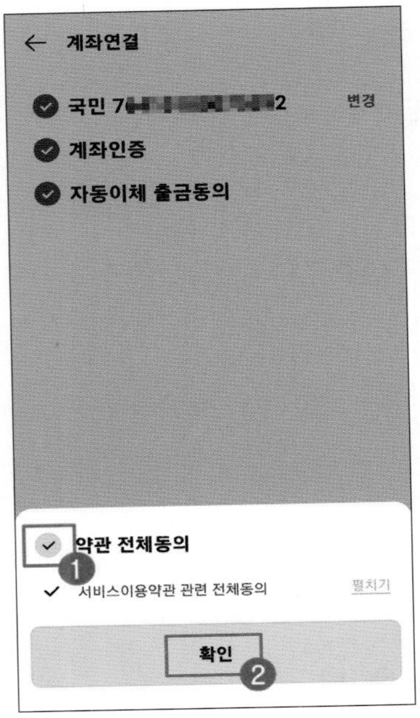

1 연결한 통장에 1원의 입금자명을 확인하고 ①에 입력 후 ②[다음]을 터치합니다.
2 ①[인증 전화 요청]을 터치한 후 전화가 오면 안내에 따라 ②의 숫자를 입력합니다.
3 ①[약관 전체동의]에 체크한 후 ②[다음]을 터치하면 카카오페이 계좌연결이 완료됩니다.

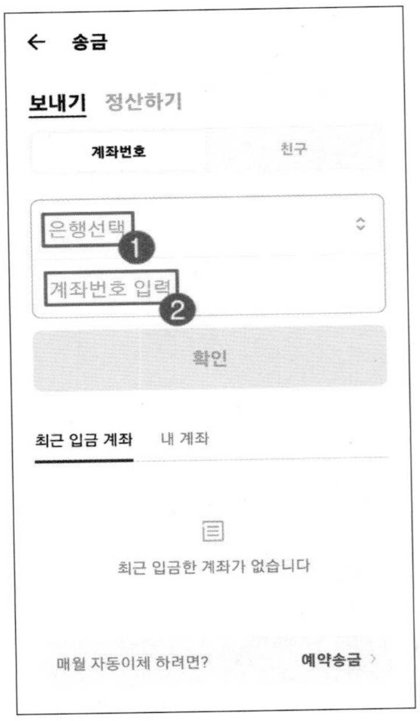

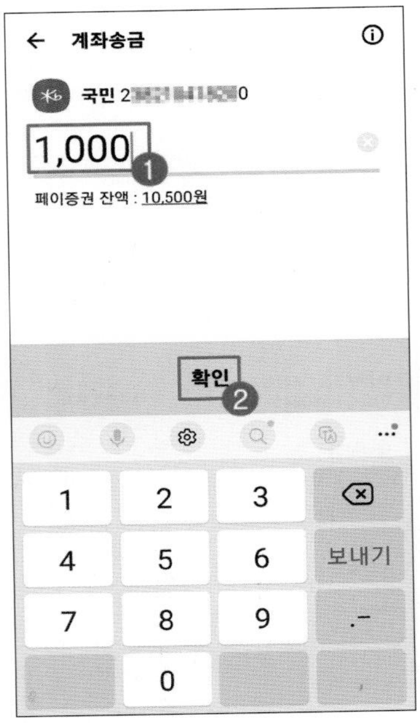

1 [더보기]에서 ①[송금]을 터치합니다. 2 계좌번호를 입력하여 송금하는 방법과 친구를 선택해서 송금하는 방법이 있습니다. ①[은행선택]을 터치하여 은행을 입력하고 ②[계좌번호]를 입력합니다. 3 ①[보낼 금액(원)]을 입력하고 ②[확인]을 터치하면 송금이 됩니다.

1 보내고자 하는 대상과의 1:1채팅창에서 왼쪽 하단에 더하기 [+]를 터치합니다.
2 [송금] 아이콘을 터치합니다.
3 알림창이 뜨면 [송금하기]를 터치합니다.

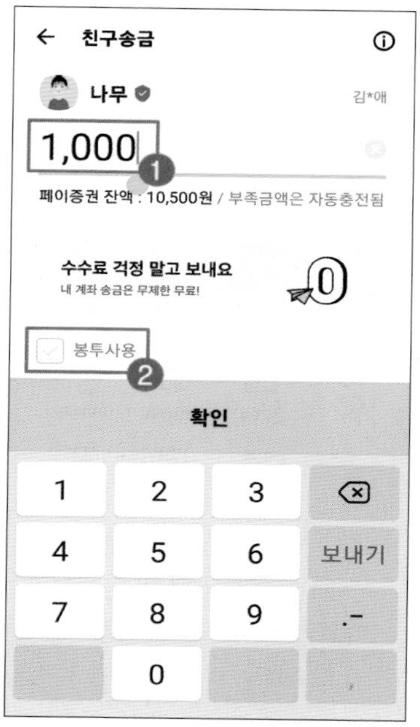

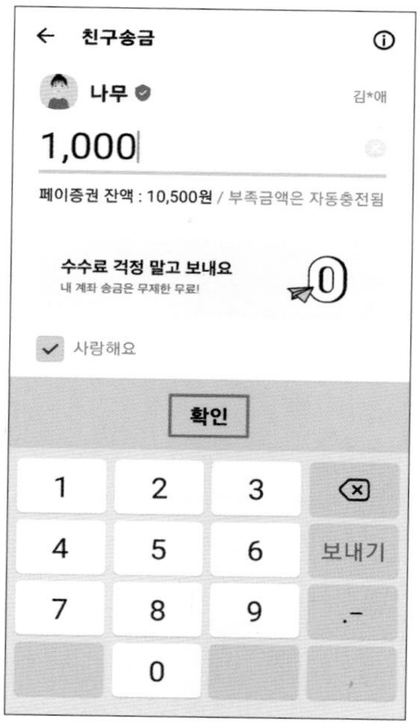

1 ①[보낼 금액]을 입력한 후 ②[봉투사용]을 터치합니다.(봉투사용을 원하지 않으면 [확인]을 터치합니다.
2 봉투종류 알림창이 뜨면 원하는 봉투를 선택하여 터치합니다.
3 [확인]을 터치합니다.

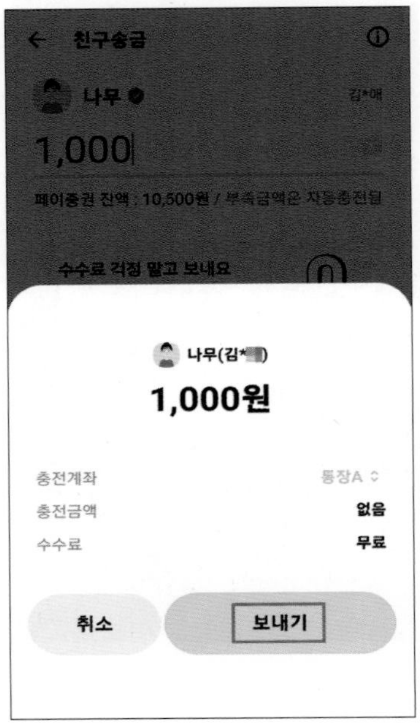

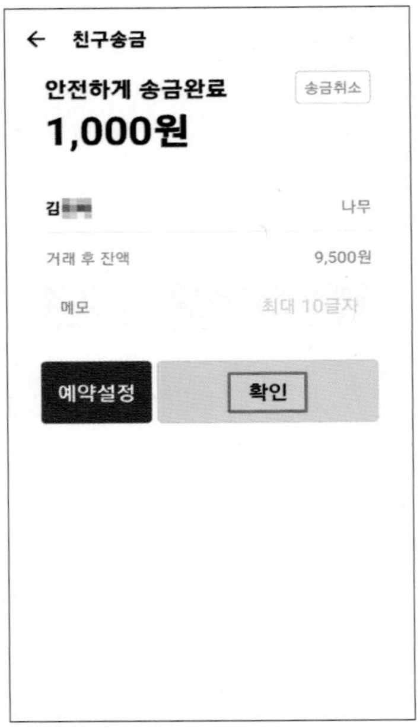

1 본인인증 후 보내는 사람과 보낼 금액을 확인하고 [보내기]를 터치합니다.
2 송금완료 화면이 나오면 [확인]을 터치합니다.
3 상대방이 받기를 하면 상대방의 카카오페이로 보내집니다.

결제하기

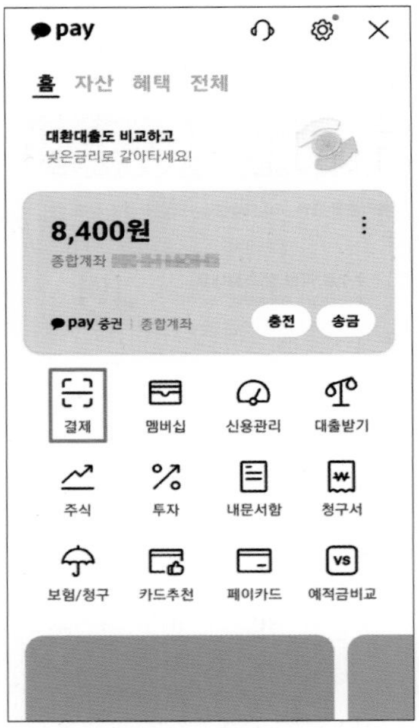

1 [친구]메뉴에서 더보기 [···]를 터치합니다. 2 [더보기] 메뉴에서 [결제]를 터치하면 바코드 화면이 나옵니다(바코드화면은 보안문제로 캡쳐 안 됨) 3 [pay]메뉴에서 [결제]아이콘을 터치해도 바코드화면이 나옵니다. 오프라인 매장에서 바코드를 이용해 결제를 할 수 있습니다.

멤버십 바코드 활용하기

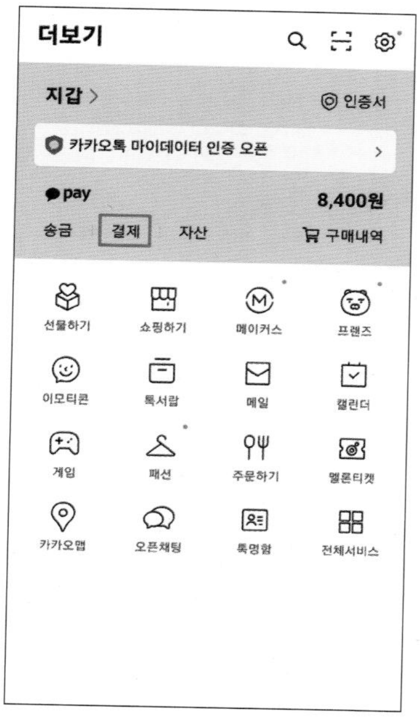

1 [친구] 메뉴에서 더보기 [···]를 터치합니다.
2 [더보기]에서 [결제]를 터치합니다.
3 ①[멤버십]을 터치한 후 ②바코드 하나로 적립/사용 부분의 [+]를 터치합니다.

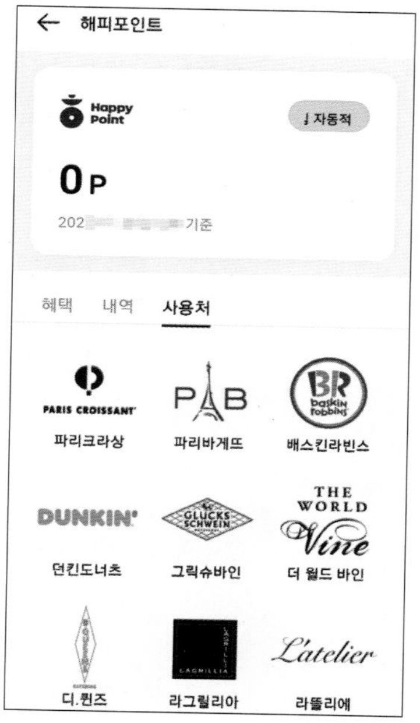

1 제휴사 중에서 내가 자주 사용할 멤버십 제휴사를 선택 후 [+]를 터치합니다.
2 이메일 주소를 입력하고 약관에 동의한 후 [연결하기]를 터치합니다. 확인 팝업창에서 확인을 터치하면 맴버십 바코드가 등록됩니다.
3 통합바코드 하나로 해피포인트가 가능한 여러 사용처에서 편리하게 포인트를 적립할 수 있습니다.

톡서랍

1 [친구]메뉴에서 더보기 […]를 터치합니다.
2 [더보기] 메뉴에서 [톡서랍]을 터치합니다.
3 [톡서랍] 메뉴는 카카오톡 방에 업로드 되어있는 메모, 사진, 동영상, 파일, 링크를 모두 볼 수 있습니다. [사진, 동영상]을 터치합니다.

1 ①[전체]를 터치하면 모든 카톡방의 사진과 동영상이 보여집니다. ②특정 카톡방을 터치하면 해당 카톡방의 사진, 동영상이 보여집니다. 각 카톡방에 들어가지 않고 한 번에 사진과 동영상을 관리할 수 있어 유용합니다.
2 [중요]를 터치하면 모든 카톡방에서 중요 표시된 사진과 동영상이 보여집니다.
3 [톡서랍 플러스]를 구독하면 팀채팅도 가능하고 향상된 톡서랍 기능을 이용할 수 있습니다.

유튜브 앱 제대로 활용하기

유튜브와 광고

"아들아. 스마트폰 이거 어떻게 하는 거냐?"

"저번에 알려 드렸잖아요. 아버지, 웬만한 건 유튜브에 다 나와 있어요. 유튜브를 보시면 좋아요."

"다들 유튜브 유튜브 하더라만 그게 도대체 뭐냐? 한 번 들어가 봤는데 영 복잡해서 뭐가 뭔지 모르겠더라"

유튜브에는 재미, 휴식, 교육, 정보 뉴스 등 수많은 내용(콘텐츠)들이 들어 있기 때문에 유튜브를 제대로 활용하는 것은 남녀노소 누구에게나 매우 중요하다고 할 수 있겠습니다.

유튜브에서 영상을 볼 때는 제일 먼저 '광고'에 대해 알고 보는 것이 좋습니다. 왜냐하면 유튜브에 있는 광고에는 '더 알아보기', '설치', '구매하기', '다운로드' 등을 유도하는 여러 가지의 문구가 들어 있기 때문이다. 스마트폰에 익숙한 사람들은 자신에게 필요한 광고, 필요 없는 광고를 선별하여 시청할 수 있지만 유튜브가 익숙하지 않은 분들은 그야말로 광고에 무방비로 노출되어 있습니다.

문제는 무분별하게 보여지는 광고로 인해 유튜브나 인터넷에서 정작 원하는 정보를 찾지 못하거나, 필요 없는 앱을 다운로드하는 경우가 많다는 것입니다.

어르신의 스마트폰에 초등학생들이 하는 게임 앱들과 사용하지 않는 앱들이 설치되어 있는 것을 종종 볼 수 있다. 당연히 저장 공간도 많이 차지한다. "손주랑 같이 사시나 봐요? 이 앱들을다 사용하시나요" 하고 여쭤보면 "아니요. 손주 없어요. 나도 몰라요. 그것들이 왜 내 폰에 깔려 있는 지..."라고 대답하시는 분들의 경우 광고 때문인 경우가 많습니다.

TV를 볼 때 중간에 광고가 나오는 것처럼 유튜브에서도 영상을 볼 때 시작 전, 끝난 후에도 광고가 있고 영상이 긴 경우 중간광고도 들어가 있습니다. 유튜브 뿐만 아니라 play스토어, 카카오톡, 밴드 등대부분의 앱과 웹에 광고가 들어 있는 것을 볼 수 있습니다.

온라인 공간, 디지털 공간에서의 활동을 피할 수 없는 시대가 되면서 인터넷, 앱, 웹 등에서 광고는 피할 수 없게 되었습니다.

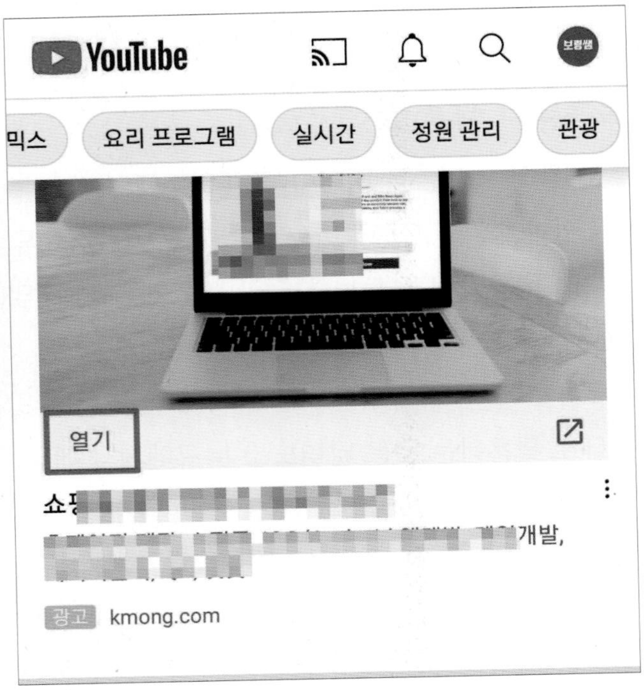

유튜브 화면에 보이는 **[설치]**, **[열기]** 등의 문구가 보이는데 터치하지 않는 것이 좋습니다.

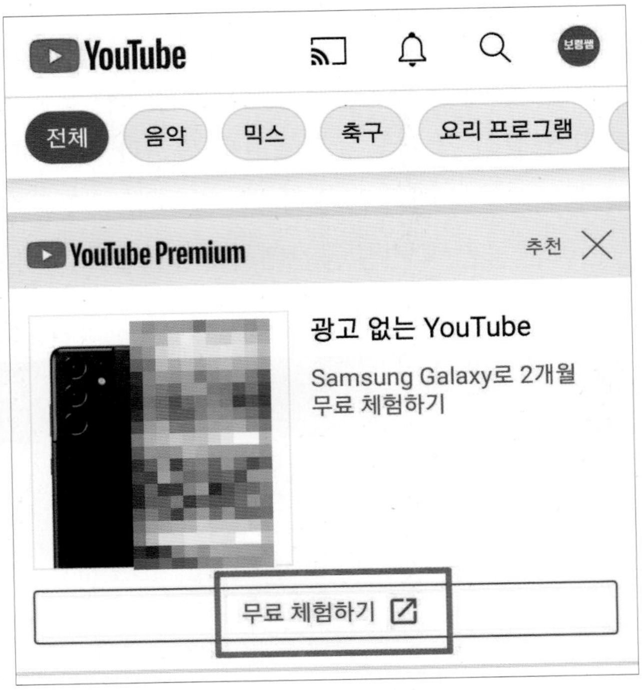

유튜브 화면에 보이는 **[다운로드]** 등은 터치하지 않는 것이 좋으며,**[무료 체험하기]**의 경우에도 터치하면 미리 카드결제를 하고 나중에 취소해야 되는 경우가 많으므로 가급적 하지 않는 것이 좋습니다.

유튜브와 와이파이, 모바일데이터

유튜브는 인터넷 접속을 통해 시청할 수 있기 때문에 유튜브를 사용하기 위해서는 와이파이가 설치된 곳이나 스마트폰의 모바일데이터가 있어야 사용할 수 있습니다.

유튜브 사용은 쉽고 간편할 뿐만 아니라 인공지능이 추천해 주는 개인 맞춤형 콘텐츠를 즐길 수 있어 유용하지만 실버요금제 등 제공되는 모바일데이터의 양이 적은 분들의 경우 "유튜브에서 노래 몇 곡 들었더니 데이터 다 썼다"는 이야기를 종종 들을 수 있습니다.

어르신들의 경우 기본 제공되는 LTE나 5G 모바일데이터가 모두 소진된 후에 데이터를 무제한으로 사용할 수 있는 안심옵션에 가입한 분들이 계신데 '안심옵션 무제한 데이터'의 경우 3G 통신 속도로 제공되어 유튜브 영상을 터치했을 때 뱅글뱅글 돌아가기만 하는 등 원활하게 사용하기 어려운 경우가 많습니다.

따라서 유튜브를 제대로 사용하기 위해서는 와이파이가 있는 곳에서 사용하는 것을 권장하며, 모바일데이터를 사용하여 유튜브를 시청하는 경우 본인의 요금제에서 제공되는 모바일데이터의 용량을 확인하여 '데이터 요금 폭탄'을 맞지 않도록 주의해야 합니다.

요즘 부모와 자녀들이 가족 결합 등으로 '데이터 무제한', 또는 '가족끼리 데이터 공유'하는 경우가 많은데, 젊은 부모와 자녀들끼리만 모바일데이터를 공유할 것이 아니라 할머니, 할아버지께도 데이터를 공유하여 풍요로운 인터넷세상을 누릴 수 있도록 해드리면 좋을 것입니다.

와이파이와 모바일데이터를 사용하지 않는 앱

와이파이와 모바일데이터를 사용하는 앱

CHECK 리스트

유튜브 화면 설명

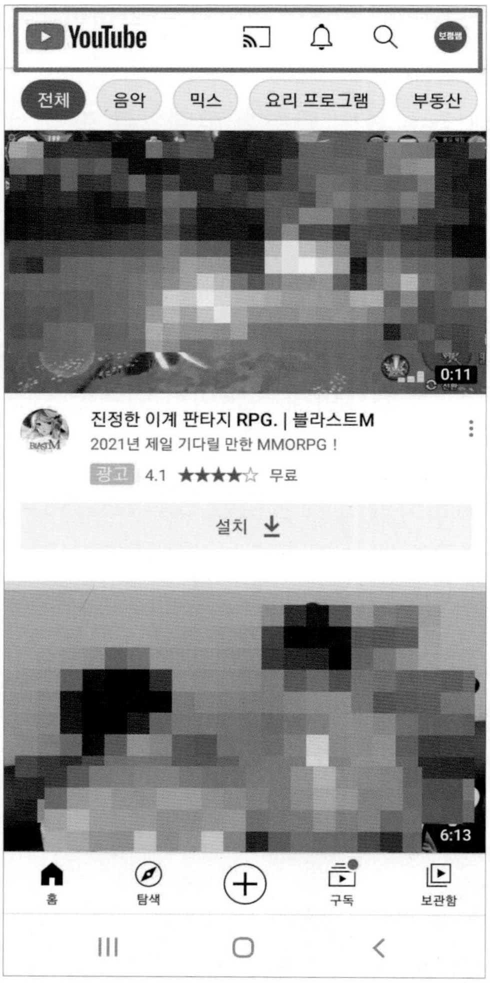

기기를 연결하여 유튜브 TV시청하기 : 스마트폰, 태블릿 또는 컴퓨터를 스마트TV나 다른 기기를 연결하여 TV에서 유튜브를 시청할 수 있다. YouTube TV를 지원하는 모든 기기에서 사용할 수 있습니다.

종 : 구독한 채널, 맞춤 동영상, 내 채널의 활동 등 내가 설정해 놓은 알림을 수신할 수 있습니다.

알림 설정 방법 : 유튜브 화면 1시 방향 내 이름 설정 알림 필요한 알림에 체크

돋보기 : 수많은 콘텐츠가 쌓여 있는 유튜브에서 돋보기를 사용하여 내가 원하는 정보를 직접 찾을 수 있다. 돋보기를 터치하면 자판이 나오며 원하는 검색어를 쓴 후 자판의 돋보기를 누르면 검색결과가 나온다. 1시 방향의 마이크를 사용하여 "미스터트롯 노래 찾아줘" 라고 말하여 검색할 수 있습니다.

1시 방향의 동그라미를 터치하여 내 개인 계정이나 내 채널 관련 정보를 볼 수 있으며 유튜브 사용에 필요한 설정을 할 수 있습니다.

CHECK 리스트

유튜브 화면 설명

유튜브 상단 광고

유튜브 앱을 열면 화면 맨 위에 보여지는 것은 '광고'입니다. '더 알아보기', '설치','구매하기', '다운로드'등 여러 가지의 문구가 있는데, 꼭 필요한 경우에만 보면 좋습니다.

유튜브 영상 오른쪽 아래의 숫자

유튜브 화면 오른쪽 하단에 보이는 0:11, 6.13 등의 숫자는 영상 재생 시간을 나타낸다. 각각 11초짜리, 6분 13초짜리입니다.

1시간 20분 12초짜리 영상의 경우 1:20:12로 표시됩니다.

하단 메뉴

○ **홈** : 유튜브 첫 화면으로 가는 메뉴입니다.

○ **탐색** : 인기 급상승 동영상, 음악, 게임, 영화, 학습, 스포츠 등 장르별로 볼 수 있는 메뉴입니다.

○ ⊕ : 동영상 업로드나 실시간 스트리밍 시작, 게시물 작성 등 유튜브에 영상을 올릴 때 사용하는 메뉴입니다.

○ **구독** : 내가 구독하고 있는 채널이 보여집니다. 신문 구독처럼 원하는 채널이 있는 경우 구독할 수 있고 구독 해제 할 수 있습니다.

○ **보관함** : 내가 최근에 본 동영상, 어떤 동영상을 봤는지 알 수 있는 기록, 내가 업로드한 동영상, 구매한 내 영화, 나중에 볼 동영상, 재생 목록 등을 볼 수 있습니다.

CHECK 리스트

유튜브 영상 보는 방법

재생, 일시정지, 정지 등의 방식은 유튜브 뿐만 아니라 대부분의 음악, 동영상 플레이어가 아래와 같은 방법으로 사용합니다.

1 재생 : 유튜브 영상을 터치하면 영상이 재생됩니다.

2 일시정지 : 재생되고 있는 영상의 화면을 터치하면 ll표시가 나오며 ll을 터치하면 '옆으로 된 삼각형 모양'이 되면서 일시 정지합니다. 삼각형을 터치하면 다시 재생됩니다.

3 다시 재생 : 삼각형을 터치하면 다시 재생됩니다.

유튜브 영상 빨리 재생하기 (배속으로 보기)

유튜브 영상 상단 점3개를 터치하여 재생속도를 빠른 속도로 보거나 느린 속도로 보는 등 재생 속도를 설정할 수 있습니다.

유튜브 알림 해제하기

스마트폰 상단 알림표시줄에 유튜브 영상 알림이 필요 이상으로 많이 뜨는 경우, 구독한 채널과 유튜브 알고리즘에 의해 맞춤 동영상 알림이 뜨는 경우가 많습니다. 그럴 때는 유튜브 화면 1시 방향의 내 프로필을 터치하여 설정, 알림에서 구독, 맞춤 동영상 알림을 해제하면 알림이 줄어듭니다.

유튜브 영상 화면 크게 보기

유튜브 영상 하단 5시 방향 뚫린 네모를 터치하여 스마트폰에 꽉 차게 가로 큰 화면으로 볼 수 있습니다. 다시 세로로 보려면 11시방향의 V를 터치하거나 5시방향의 를 터치합니다.

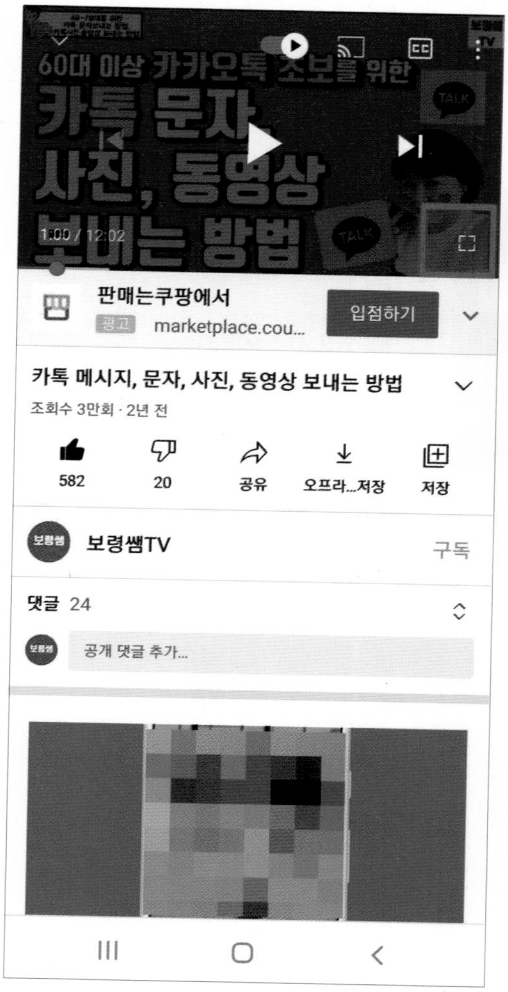

CHECK 리스트

유튜브 영상 광고 없이 보는 방법

유튜브 영상을 시청하다 보면 광고 없이 보면 좋겠다는 생각이 들 때가 있습니다. 그럴 때는 유앤미소프트에서 개발한 **[땡꼬(TANGKO)]** 앱을 사용하면 좋습니다. 유앤미소프트는 무료로 양질의 음원 및 동영상을 시청할 수 있도록 하기 위하여 동영상 플랫폼 서비스인 "땡꼬"를 개발하여 2018년 스마트미디어 대상에서 우수상을 수상하였으며 현재 국내와 동남아시아 등에 수출하고 있습니다. **[땡꼬]**는 **[play스토어]**에서 다운로드한 후 구글계정으로 로그인하여 휴대폰 본인인증하여 사용할 수 있습니다.

1 **[땡꼬]**를 다운받은 후 열기를 하면 **[Google 계정으로 로그인 하기]** 화면이 보입니다.

2 터치하면 현재 스마트폰에 로그인되어 있는 **[지메일]** 계정이 보이게 되는데 터치합니다.

3 **[휴대폰 본인 인증]** 화면이 나오면 자신의 전화번호를 입력합니다.

1 자신의 문자로 온 **[인증코드]**를 입력한 후 **[확인]**버트을 터치하면 **[땡꼬]**를 활용할 수 있습니다.

2 맨 위 상단 **[검색]** 부분에 원하는 키워드를 입력하면 관련된 영상을 볼 수 있습니다.
상단 메뉴바에 보이는 **[분야]**를 터치하면 해당 **[분야]**에서 추천한 영상 콘텐츠들을 볼 수 있습니다.

네이버 앱 제대로 활용하기

1 [Play 스토어]에서 네이버앱을 설치하고 열기합니다. 2 왼쪽상단 [**삼선**]을 터치합니다.
3 바로가기에서 자주 사용하는 컨텐츠를 추가하거나 순서를 변경할 수 있습니다.
4 오른쪽 상단 [**설정**] 톱니바퀴를 터치합니다.

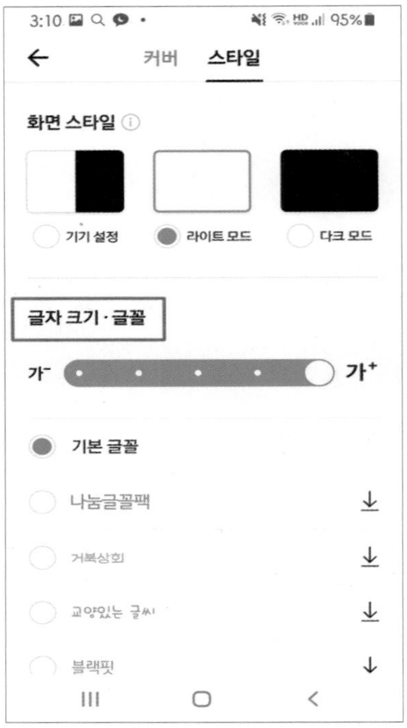

1 ①[**화면 스타일 폰트 설정**]터치합니다. **2** [**가운데**]화면 스타일을 터치하여 화면모드 변경 적용이 가능합니다. [**글자크기. 글꼴**]을 선택하여 [**스타일**] 적용 할 수 있습니다. **3** ②[**홈 커버 꾸미기**]를 터치하면 [**내 사진**]이나 추천 사진 등으로 홈 화면 [**커버**]로 사용할 수 있습니다.

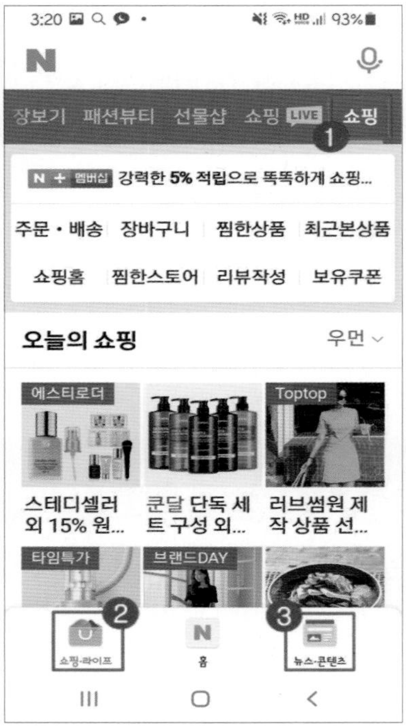

1 음성 검색 활용하기는 ①[**그린닷**] 음성 검색 버튼과 ④[**마이크**] 음성 검색 버튼을 활용합니다.
2 왼쪽 ②[**쇼핑 라이프**]에서 상단의 각 메뉴를 즐길 수 있으며 ①[**쇼핑**]을 터치하면 패션, 먹거리 가득찬 콘텐츠입니다. 오른쪽 ③[**뉴스.콘텐츠**]를 터치하면 [**뉴스**] 검색창 화면이 보입니다. **3** 뉴스와 연예, 스포츠 소식, 글로벌 경제 지표, 다양한 관심사를 담은 주제판 콘텐츠를 확인 할 수 있습니다.

1 ①검색창에 **[인공지능]**을 검색해보기위해 입력하고 돋보기를 터치합니다. 지식백과, 뉴스, 블로그, 동영상등의 검색결과를 보여줍니다. ②화면을 **[위]**로 밀어 올리며 더보기 검색 합니다.

2 뉴스부분에서 읽고싶은 제목을 터치합니다. **3** ②**[본문듣기]**를 터치하면 기사를 들을수 있습니다. **[설정]**은 **[본문듣기]**에 대한 설정을 할 수 있습니다. ①**[요약봇]**을 터치하면 기사요약문을 보여줍니다. ③터치하면 기사글자 크기를 조절할 수 있습니다. ④**[더보기]** 아이콘을 터치하면 메뉴아이콘들이 있습니다. 사전, 번역기등이 있습니다.

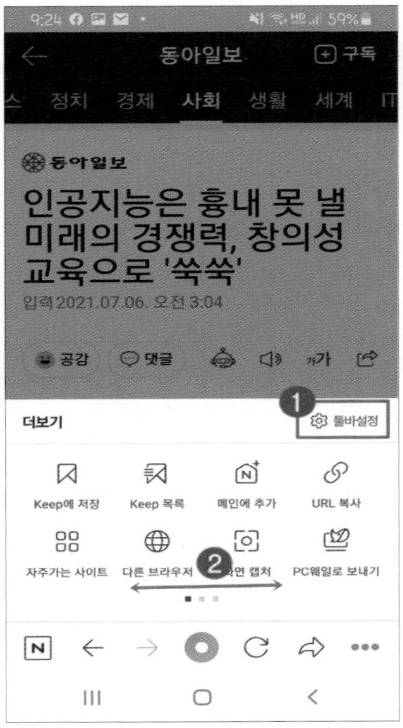

1 ①**[툴바설정]**을 터치하면 보이는 메뉴 아이콘 선택과 순서를 조절할 수 있습니다. ②**[↔]** 화면을 좌.우로 드레그하면 추가 메뉴들을 볼 수 있습니다. **2** 검색창에서 마이크 아이콘**[음성]**을 터치합니다. **[그린 닷]**이 진동 파장을 보일 때 검색어나 명령어를 말합니다. **3** **[인공지능]**이라고 말하니 검색결과를 보여줍니다. **[내일 날씨 알려줘]**, **[메시지]**, **[앱 실행]**등을 명령 할 수 있습니다.

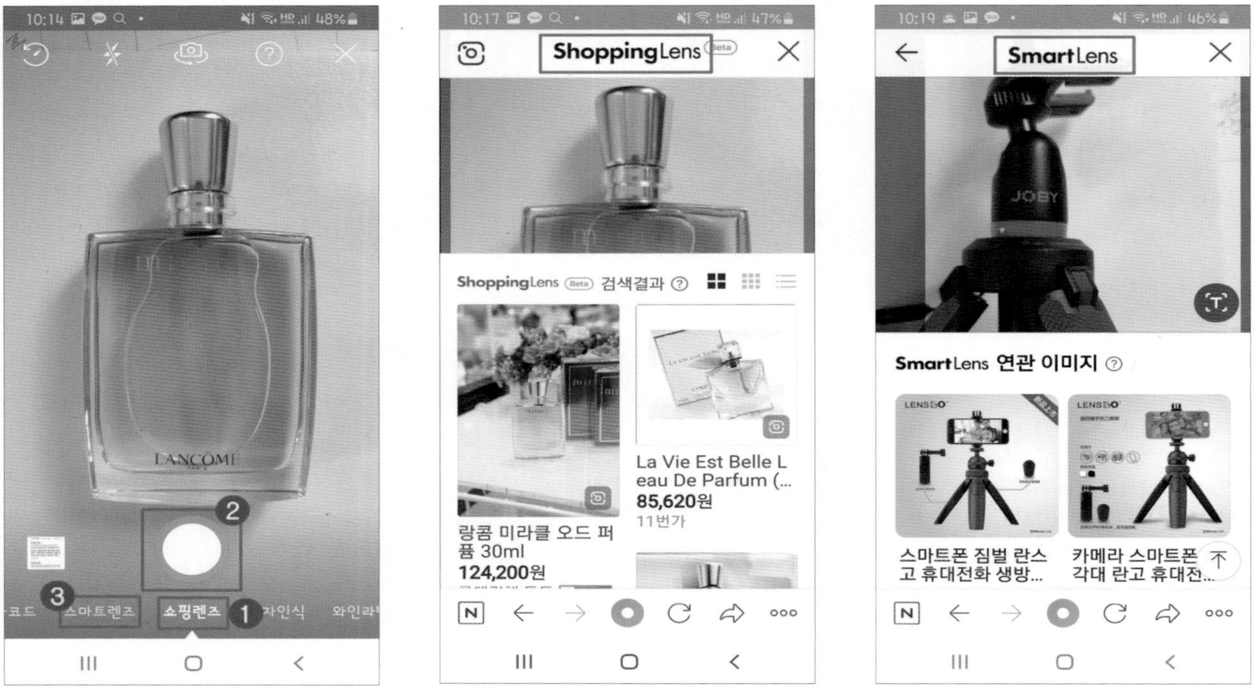

1 검색창에서 [**렌즈**]를 터치합니다. ①[**쇼핑렌즈**]를 드래그하거나 터치합니다. 사물을 화면에 놓고 ②[**셔터**] 아이콘을 터치합니다. 메뉴에 ③[**스마트렌즈**], [**QR/코드**] [**와인라벨**], [**문자인식**]이 있습니다. 2 유사한 물건들을 검색해서 가격과 함께 보여줍니다. 이중 원하는 물건을 터치하면 해당 쇼핑몰로 연결이 되어 구매가 가능합니다. [**렌즈**]에서 [**스마트렌즈**]를 선택하고 검색하고자 하는 사물을 촬영합니다. 3 그러면 유사한 이미지와 내용을 검색하여 보여줍니다

1 내 도구는 [Na]에서 간편하게 꺼내 쓸수 있습니다. 화면 상단의 오른쪽 내 프로필 아이콘 [Na]을 터치하거나, 홈 화면을 꾹 눌러 내리면 볼 수 있습니다. 2 ①[**QR체크인**], [**인증서**], [**네이버 페이**], [**현장 결제**], [**교환권**] 등 자주쓰는 기능들만 정리되어 있습니다. ②도구 화면에 [**↕**]를 위 아래로 스크롤 하면 관심있는 메뉴를 터치하여 볼수 있습니다. 3 오른쪽 도구 화면 하단에 [**화면편집**]을 터치합니다. 흔들거리는 아이콘을 드래그하여 이동할 수 있습니다.

네이버 MYBOX앱 제대로 활용하기
(스마트폰 저장공간 관리하기)

[MYBOX] - 앱(App)은 문서 또는 사진을 언제 어디서든 안전하게 저장할 수 있습니다.

[MYBOX] 앱(App)의 장점과 활용

- **자동 백업 및 동기화** - 일일이 업로드하지 않아도 쉽고 안전하게 보관할 수 있습니다.
- **언제 어디서나 접근** - 스마트폰, 태블릿, 모바일과 PC의 브라우저로 언제 어디서나 이용하세요
- **어떤 파일이든 보관** - 사진, 영상 뿐 아니라 라이브 포토, 음악, 문서 어떤 파일이든 보관하세요.

❶ [Play 스토어]에서 [MYBOX]을 설치하고 열기를 합니다.
❷ 기기의 사진, 미디어, 파일에 액세스하도록 허용하시겠습니까? 메시지가 나오면 [**허용**]을 터치합니다. ❸ 하단의 [**건너뛰기**]를 터치합니다.

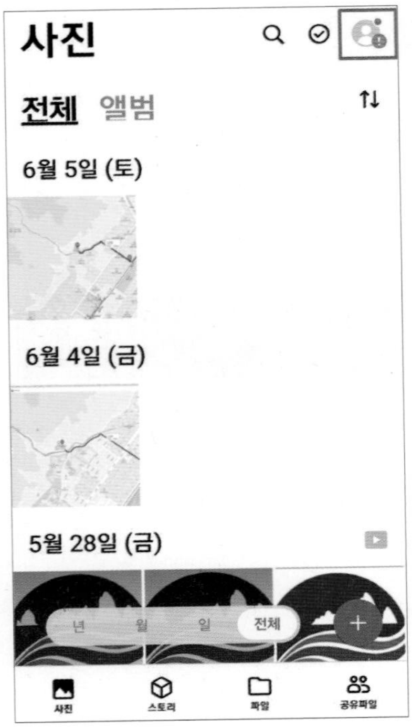

❶ 화면 오른쪽 상단의 [**로그인 단추**]를 터치합니다. ❷ 메뉴목록에서 [**기기 사진**]을 터치합니다.
❸ 저장된 스마트폰 사진이 나타나면 올릴 [**사진**]을 터치하여 선택후 하단의 [**올리기**]를 터치합니다.

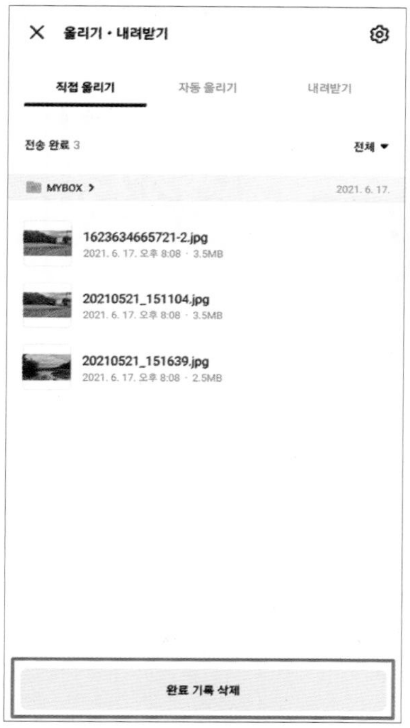

1 선택한 사진을 확인한 후 화면 하단의 **[올리기]**를 터치합니다.

2 선택한 사진이 네이버 MYBOX에 올리기가 완료되면 **[완료기록 삭제]**를 터치합니다.

3 네이버 MYBOX에 올린 사진을 확인하기 위해 하단의 **[사진]**을 터치합니다. 사진이 올려진 것을 확인할 수 있습니다.

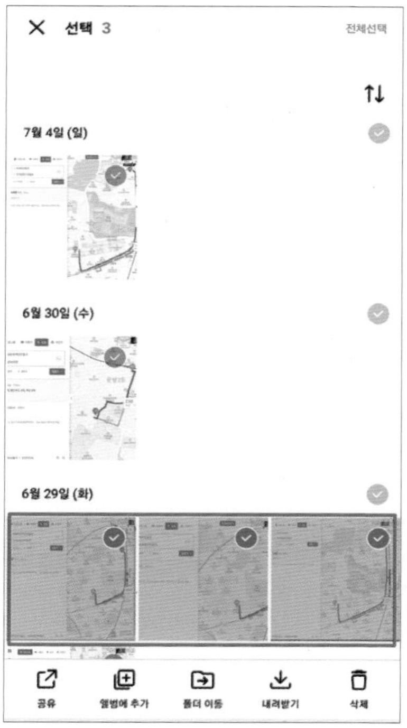

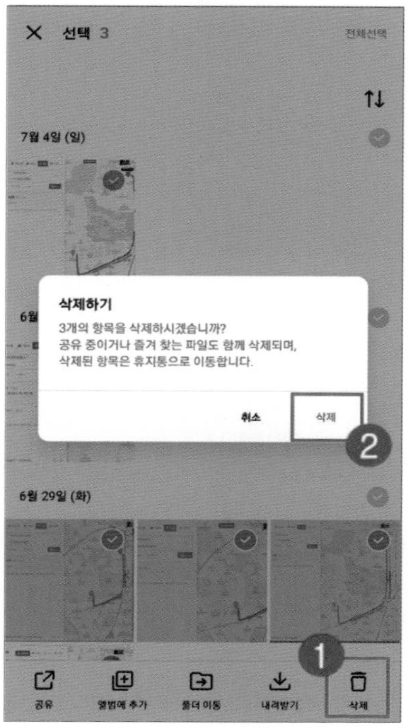

1 사진을 삭제하기 위해 화면 하단의 **[사진]**을 터치합니다.

2 삭제할 사진을 선택한 후 화면 하단의 ①**[삭제]**를 터치 합니다.

3 **[삭제하기]** 창에서 ②**[삭제]** 를 터치 합니다. 3개의 사진이 삭제된 것을 확인할 수 있습니다.

멋진 카드뉴스 만들기(글그램 및 글씨팡팡)

다운로드하기 Google Play

[글그램] 앱(App)의 활용

[특징]

- 글그램은 사진에 글쓰기 어플로서 감성글, 사랑글, 안부인사, 응원글, 썸네일등 다양한 사진글귀를 만드는 최적화된 어플입니다.
- 글그램 앱(App)은 자신의 마음을 담은 카드뉴스를 만들 수 있습니다.
- 카드뉴스는 모바일의 가독성을 높이기 위해 이미지 위에 텍스트를 첨부하는 뉴스포맷입니다.

[장점]

- 글쓰기에 어울리는 83가지 카테고리의 배경을 제공합니다.
- 글쓰기에 어울리는 다양한 무료 한글 글꼴을 제공합니다.
- 카드뉴스에 다양한 스타일의 날짜 입력기능을 제공합니다.

[사용자별 앱 활용]

- **비즈니스맨 :** 회사 소개, 행사 및 제품 관련 정보를 가독성이 높은 카드뉴스로 만들어 홍보할 수 있습니다.
- **일반인 :** 감성글, 사랑글, 안부 인사 등 다양한 사진 테마를 활용하여 카드뉴스를 만들어 주변인들과 감성 소통을 할 수 있습니다.
- **가족 및 친지 :** 감성과 사랑을 담아 마음을 전하거나, 마주 보며 하기 어려운 대화나 감정의 표현을 카드뉴스에 담아 표현 할 수 있어 상호 간의 소통이 원할해지고 친밀감이 돈독해집니다.

▶ 글그램 설치하기

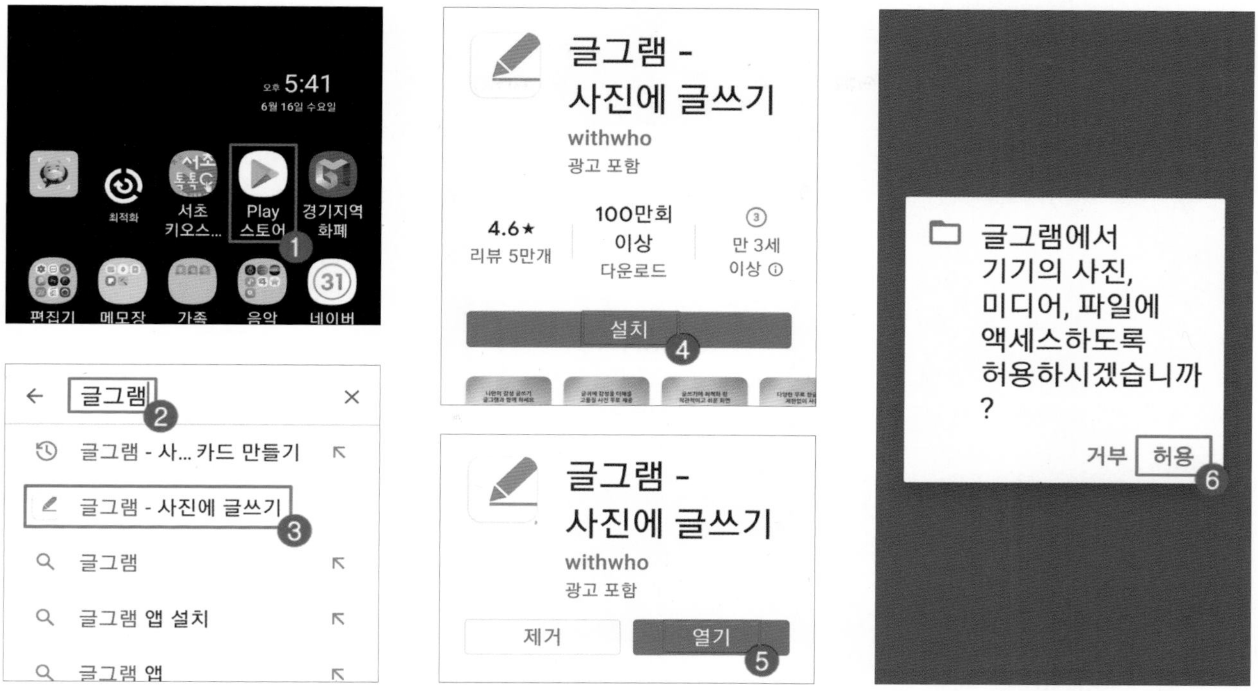

1 ①[Play 스토어]에서 2 ②[**글그램**]을 검색하여 ③글그램-사진에 글쓰기 터치한 후 3 ④[**설치**]를 터치합니다. 4 설치가 다 되면 ⑤[**열기**]를 터치합니다. 5 ⑥[**허용**]을 터치합니다. 스마트폰에서 어떠한 어플을 사용하기 위해서는 허용, 동의 등을 해야 합니다.

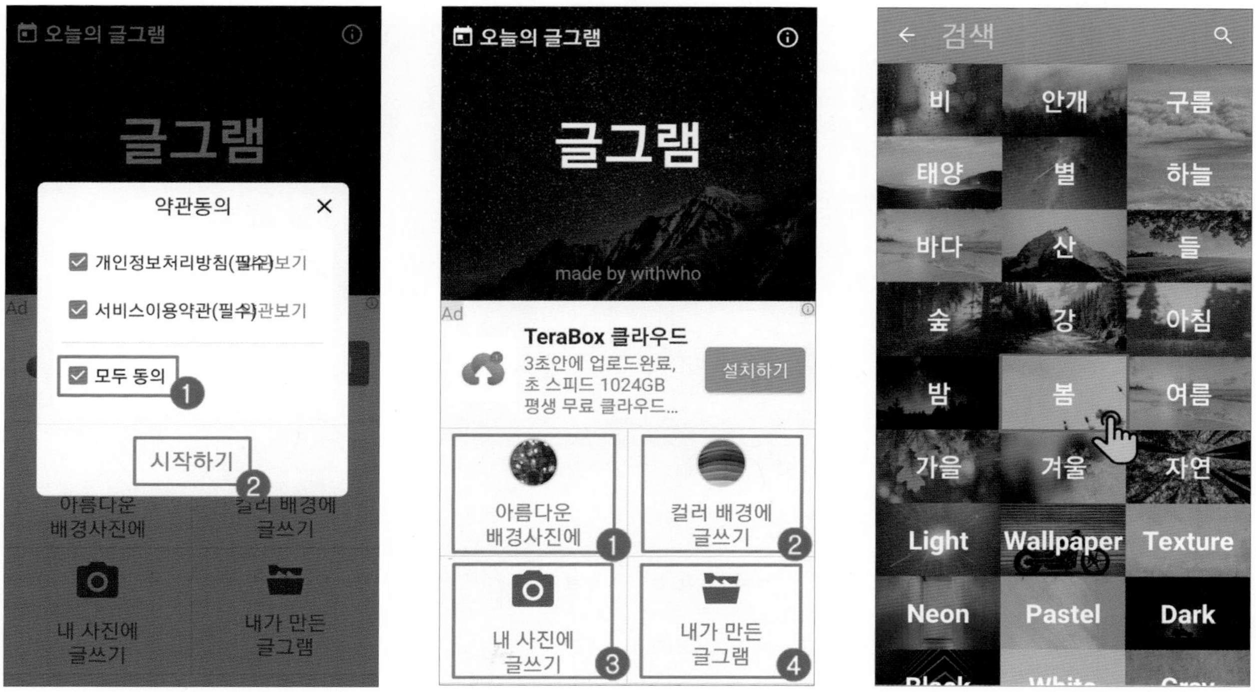

1 [**약관동의**]에 ①[**모두동의**] 체크하고 ②[**시작하기**]를 터치합니다. 2 글그램에서 [**①아름다운 배경사진에**] ②[**컬러 배경에 글쓰기**] ③[**내 사진에 글쓰기**] ④[**내가 만든 글그램**]을 편집하거나 공유할 수 있습니다. 3 책에서는 ex) ①[**아름다운 배경사진에**]를 터치하였습니다. 4 사진을 위로 밀어 올리며 원하는 배경을 선택 할 수 있습니다. 예시에서는 [**봄**]을 선택하였습니다.

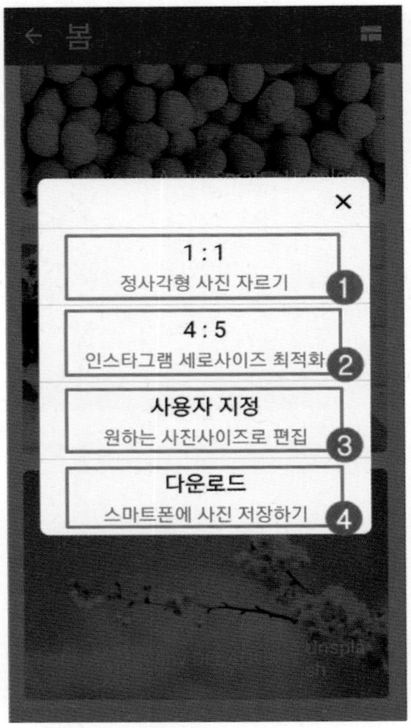

1 [봄]에서 그림을 위로 밀어 올리며 원하는 배경 사진을 선택 할 수 있습니다. 원하는 사진을 선택하면 2 ①[1:1] 정사각형 사진 자르기 ②[4:5] 인스타그램 세로사이즈 최적화 ③[**사용자 지정**] 원하는 사진 사이즈로 편집 ④[**다운로드**] 스마트폰에 사진 저장할 수 있습니다. ③[**사용자 지정**]은 3 ⑤[**1:1, 3:4, 원본, 3:2, 16:9**]를 선택할 수 있으며, ⑥[**자르기**] ⑦[**회전**] ⑧[**확대**]조절할 수 있으며, 사진을 좌,우 드래그 또는 핑거줌 하여 원하는 구도를 잡은 후 ⑨[✔]를 터치합니다.

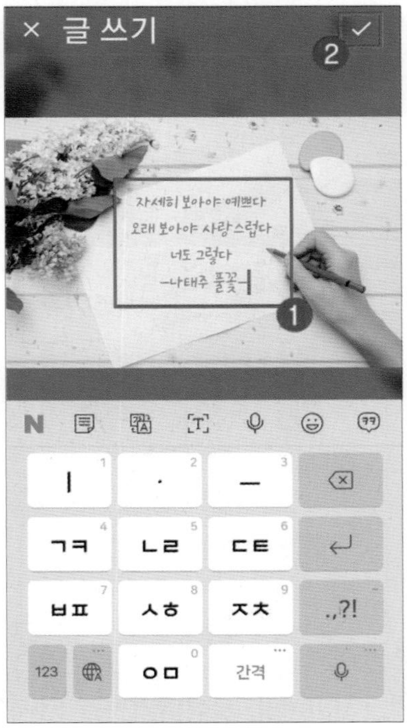

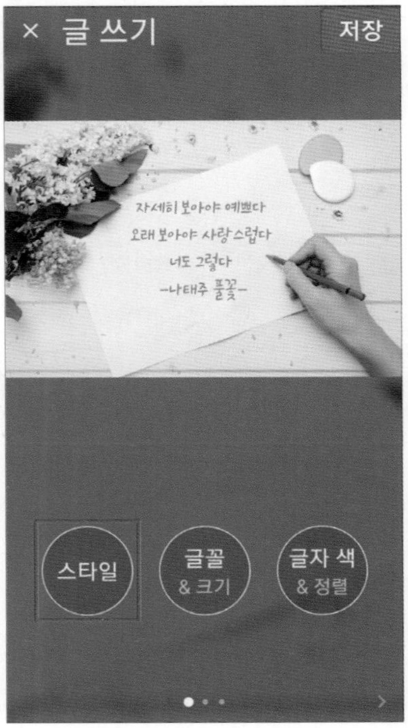

1 [**터치하여 글자를 입력하세요**]를 터치합니다. 2 ①입력하고자 하는 글을 입력한 후 ②[✔]터치합니다. 3 글의 스타일을 선택하기 위하여 [**스타일**]을 터치합니다.

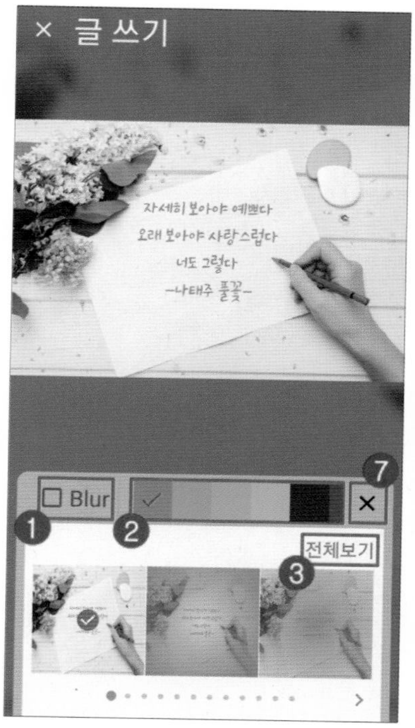

■1 ①배경사진의 [Blur]효과 적용 여부를 결정하고, ②스타일의 배경색을 선택한 후 ③스타일[**전체보기**]를 선택합니다. ■2 ④스타일을 위로 밀어 올리며 ⑤원하는 스타일을 터치합니다. 스타일 선택완료 후 ⑥[✖]를 터치합니다.

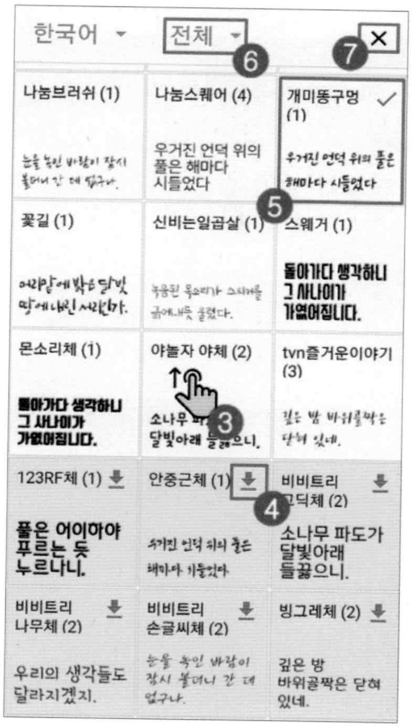

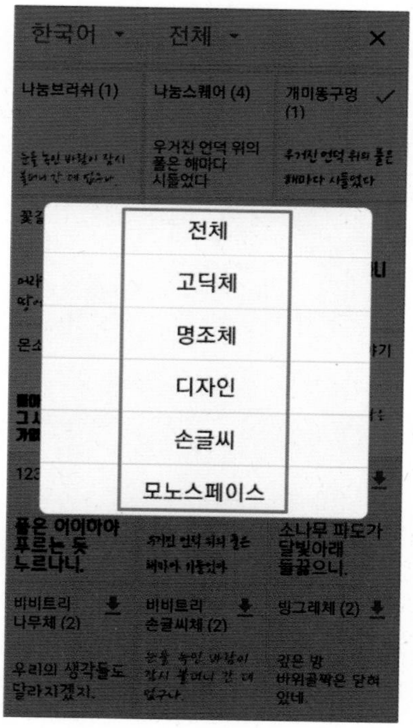

■1 ①크기조절을 드래그하여 글씨 크기를 조절한 후, 적용 가능한 모든 글꼴을 보기 위해 ②[**전체보기**]를 터치합니다. ■2 ③화면을 위로 밀어 올리며 원하는 글꼴을 찾아 ④적용하고자 하는 글꼴을 [**화살표**] 터치하여 다운로드합니다. ⑤다운로드 완료된 글꼴을 터치해서 적용합니다. 글꼴 모아보기 ⑥[**전체**]를 터치하여 ■3 [**고딕체, 명조체, 디자인, 손글씨, 모노스페이스**]를 선택하여 적용하고자 하는 글꼴을 찾아서 선택할 수도 있습니다.

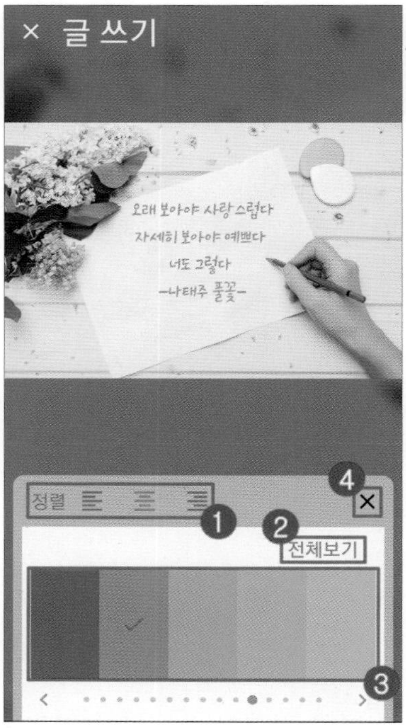

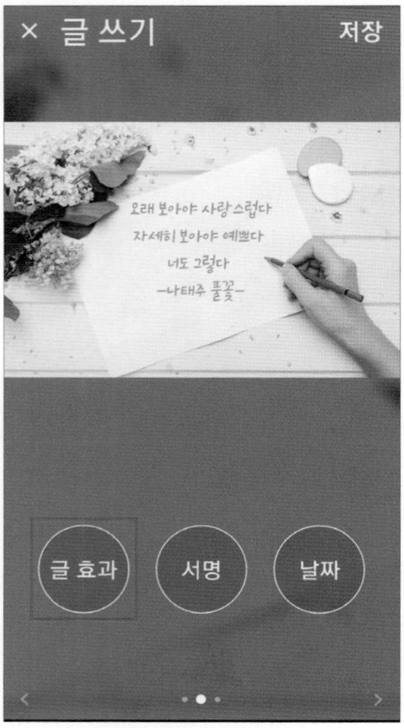

1 [**글자색&정렬**]터치하고 2 ①[**정렬**] 왼쪽, 가운데, 오른쪽 중에 선택하고, 적용 가능한 모든 글씨 색을 보기 위해 ②[**전체보기**]를 터치합니다. ③원하는 글씨 색을 선택 후 ④[✕]를 터치합니다.
3 글에 효과를 적용하기 위하여 [**글효과**]를 터치합니다.

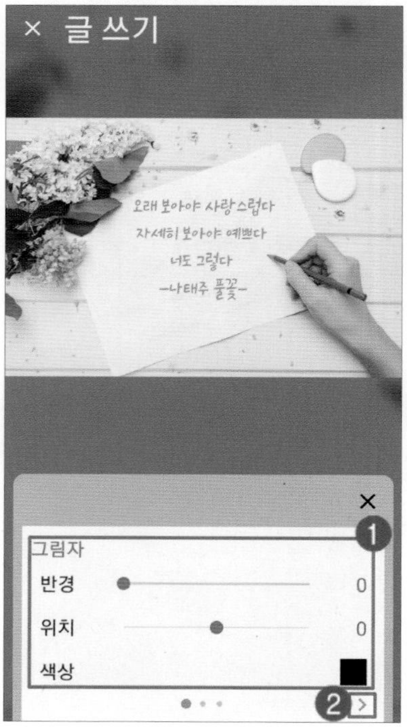

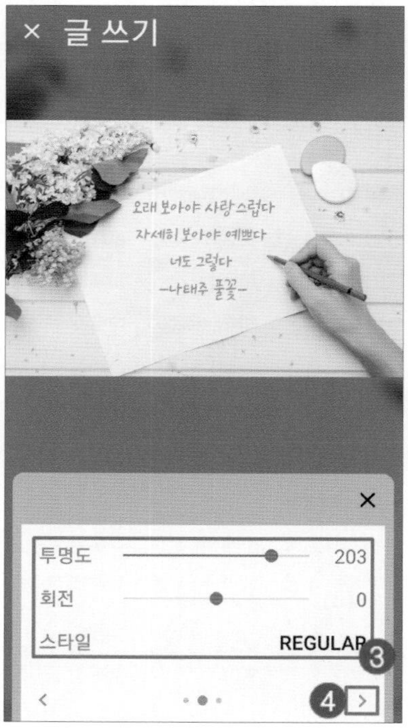

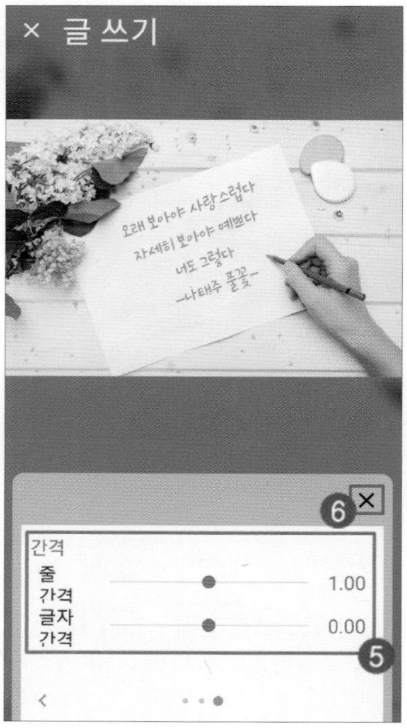

1 ①글에 그림자를 적용하기 위하여 [**반경, 위치, 색상**]을 적용합니다. 다음 효과를 적용하기 위하여 ②[**>**]을 터치합니다. 2 ③글의 투명도와 회전, 스타일을 설정하기 위하여 [**투명도, 회전, 스타일**] 메뉴의 조절점을 드래그하여 설정합니다. 다음 효과를 적용하기 위하여 ④[**>**]을 터치합니다.
3 ⑤[**줄간격, 글자간격**]의 조절점을 드래그하여 설정합니다. ⑥설정 완료 후[✕]를 터치합니다.

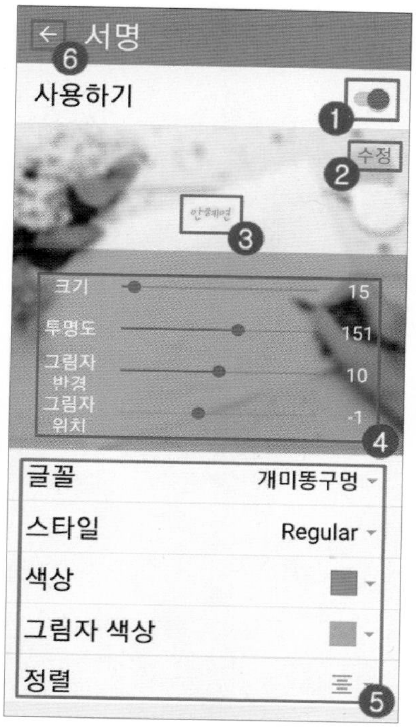

1 [**서명**]을 터치합니다. **2** ①[**사용하기**]오른쪽 버튼 선택하고 ②, ③을 터치하여 문구를 수정, 입력합니다. ④[**크기, 투명도, 그림자반경, 그림자위치**]를 설정하고 ⑤[**글꼴, 스타일, 색상, 그림자 색상, 정렬**]을 선택합니다. ⑥[**←**]를 터치합니다. **3** 글의 날짜를 적용하기 위하여 [**날짜**]를 터치합니다.

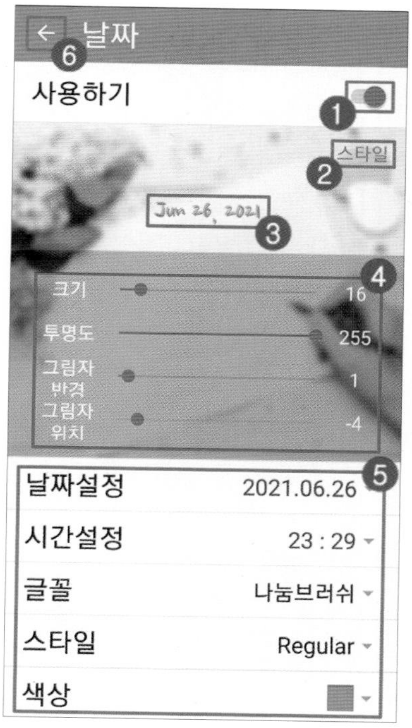

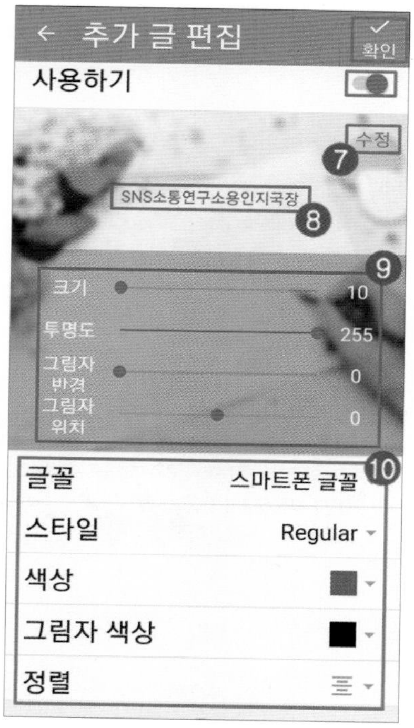

1 ①[**사용하기**]오른쪽 버튼을 선택하고 ②, ③를 터치하여 원하는 날짜 표시를 선택합니다.
④[**크기, 투명도, 그림자 반경, 그림자 위치**]와 ⑤[**날짜설정, 시간설정, 글꼴, 스타일, 색상**]을 설정합니다.
⑥[**←**]를 터치합니다. **2** 글을 추가하기 위하여 [**글 추가**]를 터치합니다.
3 ⑦, ⑧을 터치하여 문구를 수정, 입력합니다. ⑨[**크기, 투명도, 그림자반경, 그림자위치**]와
⑩[**글꼴, 스타일, 그림자 색상, 정렬**]을 설정합니다.

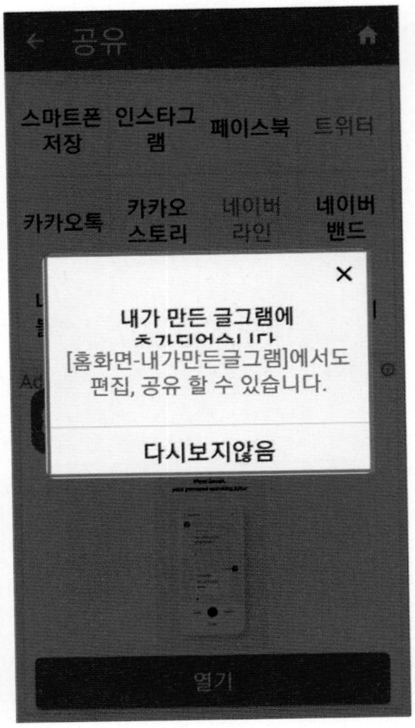

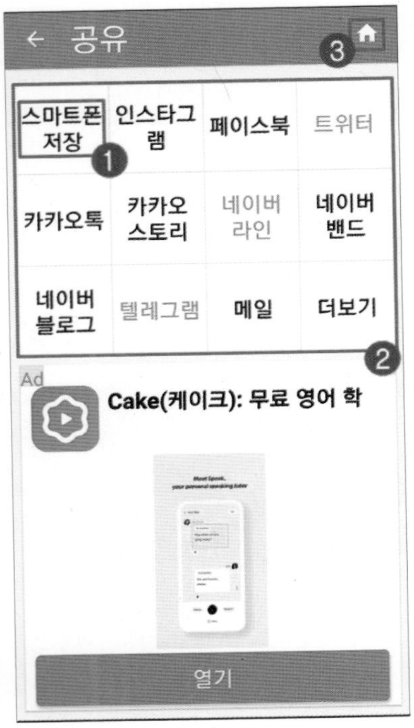

1 작성한 글을 완료하고자 할 때는 **[저장]**을 터치합니다. 2 **[다시보지 않음]**터치합니다.
3 ①**[스마트폰저장]**을 터치해야만 갤러리에 저장 됩니다. ②다른 채널로 **[공유]**하고자 할 때 해당채널을 터치해서 공유합니다. ③글그램 **[홈 화면]**으로 이동할 수 있습니다.

내가 만든 글그램에서
①삭제, ②편집, ③공유하고자 할 때 터치합니다.
④작성한 글을 **[썸네일]** 형식으로 보고자 할 때 터치합니다.

위 QR코드 스캔하시면 [글그램 이용 멋진 카드뉴스 만들기] 유튜브 영상을 보실 수 있습니다.
영상 보시면서 따라 하시면 더욱 쉽게 하실 수 있습니다.

글씨팡팡 - GIF를 이용한 카드뉴스 만들기 앱 활용하기

위 QR코드 스캔하시면
[글씨팡팡 움직이는 글씨영상 만들기]
유튜브 영상을 보실 수 있습니다.
영상 보시면서 따라 하시면 더욱
쉽게 하실 수 있습니다.

글씨팡팡 - 앱(App)은 자신의 마음을 담을 수 있는 다양한 카드뉴스를 만들 수 있습니다.

[글씨팡팡] 앱(App)의 장점

- **글쓰기에 적용 할 수 있는 재미있고 다양한 효과를 제공합니다.**
- **동영상에 글을 쓸 수 있는 기능을 제공합니다.**
- **다양한 폰트를 추가할 수가 있습니다.**

[글씨팡팡] 앱(App) 활용

- **비즈니스맨** : 회사소개, 행사 및 제품 관련 정보를 가독성이 높은 카드뉴스로 만들어 홍보 할 수 있습니다.
- **일반인** : 감성 글, 사랑 글, 안부 인사 등 다양한 사진 테마를 활용하여 GIF를 이용한 카드뉴스를 만들어 주변인들과 감성 소통을 할 수 있습니다.
- **감성과 사랑을 담아 마음을 전하거나, 마주 보며 하기 어려운 대화나 감정의 표현을 카드뉴스에 담아 표현 할 수 있어 상호 간의 소통이 원활해지고 친밀감이 돈독해집니다.**

▶ 글씨팡팡 설치하기

1 [Play 스토어]에서 ①[글씨팡팡]을 검색하여 ②[설치]를 터치합니다.
2 설치가 다 되면 ③[열기]를 터치합니다. **3** ④[메시지 만들기] ⑤[사진에 글쓰기]
⑥[영상에 글쓰기]를 할 수 있습니다. ⑤[사진에 글쓰기]를 터치합니다. **4** ⑥[허용]을 터치합니다.

1 글쓰기 위해서 ①[새 작업]를 터치합니다. ②저장 된[카드뉴스]는 편집 및 공유 할 수 있습니다.
2 ③[갤러리에서 불러오기, 목록에서 불러오기, 배경사진 다운받기, 배경색에 글쓰기, 비디오에서 추출]을 활용할 수 있습니다. [배경사진 다운받기]를 해보기 위해 터치합니다.
3 ④[랜덤, 크리스마스, 봄, 여름, 가을, 겨울]을 선택할 수도 있고, ⑤[검색]에 원하는 검색어를 영어로 입력 후 [돋보기]를 터치합니다. 마음에 드는 사진을 터치합니다.

1 ①사진에 글쓰기 위해 **[펜 아이콘]**을 터치합니다. ②**[여기에 글씨를 입력하세요.]**에 글씨를 입력합니다. 2 ③**[삭제]**, ④**[회전]**, ⑤**[글씨 편집]**, ⑥**[사이즈 조절]**을 할 수 있습니다. 글씨체 변경을 위해 ⑦**[글씨체]**를 터치하고 ⑧원하는 글씨체를 선택 후 저작권 터치하여 사용범위 확인합니다.

3 ⑨**[정렬]**을 터치하여 ⑩**[줄 간격]**, **[글자간격]**을 ⑪**[글씨크기]**를 조절합니다. 전단계로 이동하고자 할 때 ⑫**[되돌리기]**, **[앞으로 가기]** 버튼을 터치합니다.

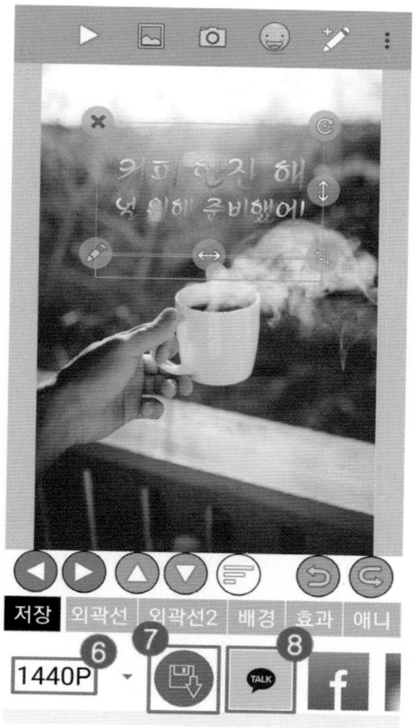

1 ①**[글씨색]**, **[외곽선]**을 터치하여 원하는 색으로 변경합니다. 2 애니메이션 효과를 사용하기 위해 ③**[애니]**를 터치하고 ④**[흔들흔들]** 효과를 선택합니다. 저장하기 위해 ⑤**[저장]**을 터치합니다.

3 ⑥**[사진 사이즈]**를 터치하고 갤러리 ⑦아이콘을 터치하면 **[CU Text]** 폴더에 저장됩니다. ⑧SNS 공유하고자하는 **[채널]**을 선택합니다.

스마트폰에서 음악 및 동영상 다운받기

▶ 4Shared

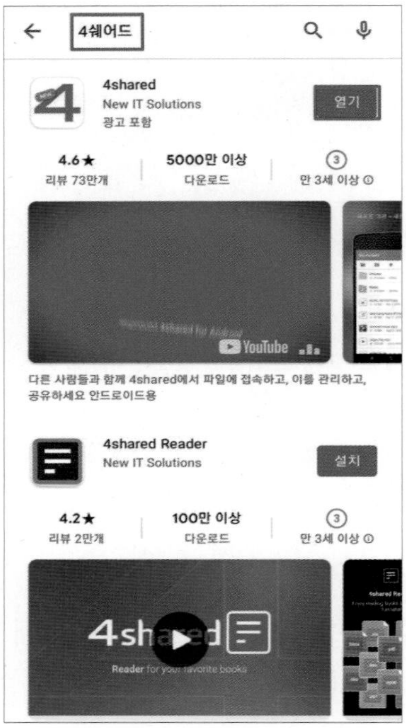

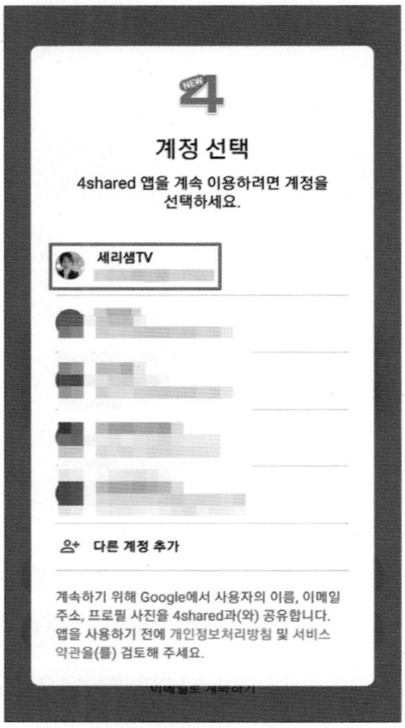

1 [**Play스토어**]에서 검색창에 [**4쉐어드**]를 검색하여 설치하고 [**열기**] 터치후 접근권한 허용과 개인정보 동의하고 [**계속**]터치 합니다.

2 로그인화면에 [**구글로 계속하기**] 터치합니다. **3** 원하는 [**구글계정 선택**] 합니다.

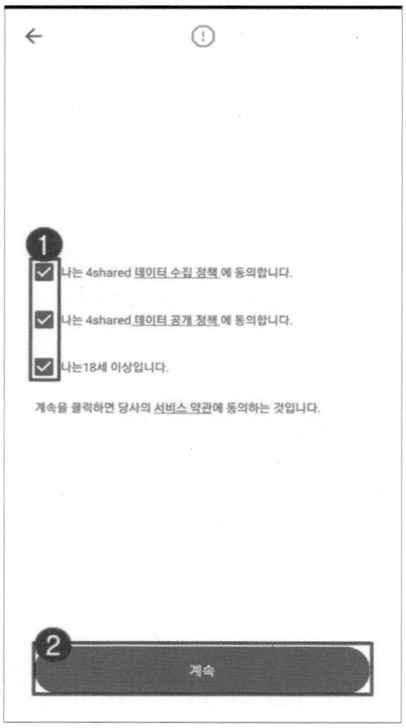

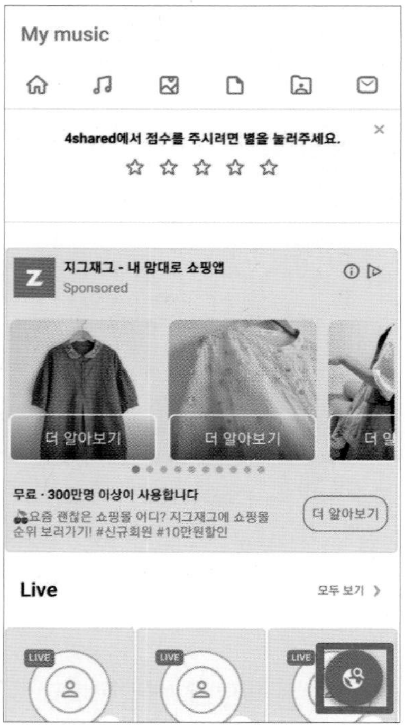

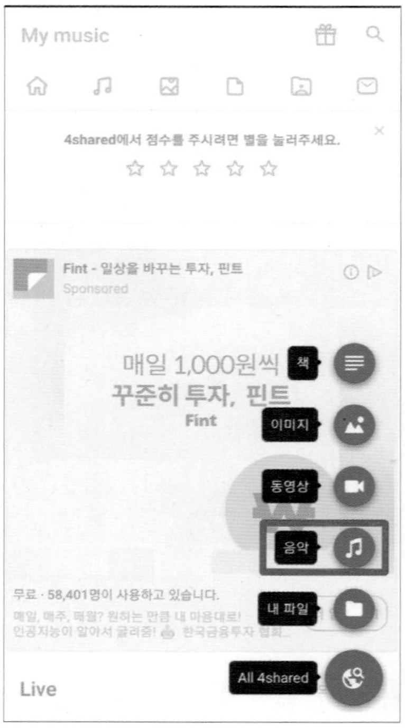

1 ①[**정보수집**]동의 체크 합니다. ②[**계속**]을 터치합니다.

2 원하는 음악을 듣기 위해 우측 하단에 [**돋보기**]를 터치 합니다. **3** [**음악**]을 터치합니다.

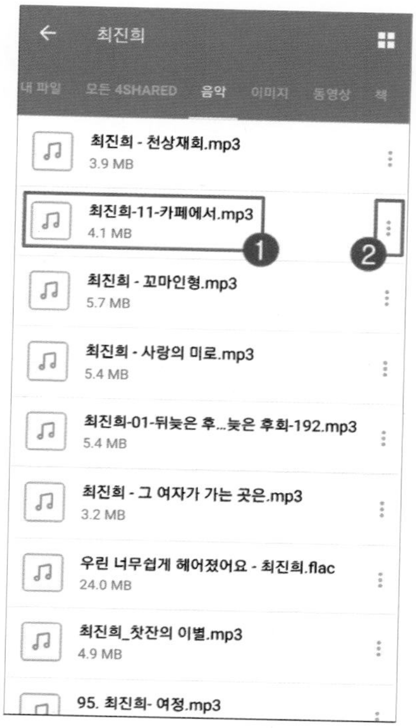

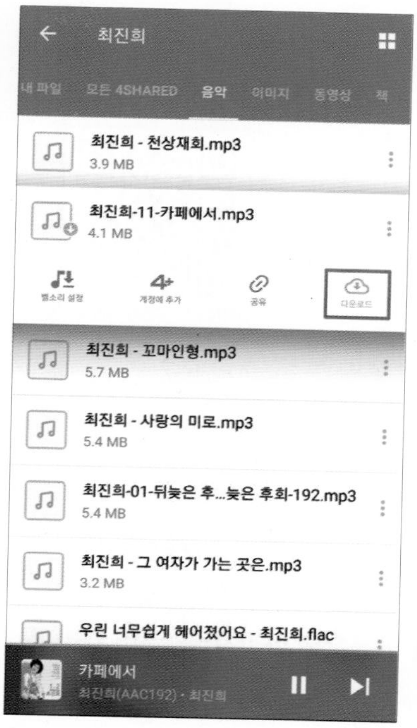

1 ①[**원하는 음악**]을 터치하여 노래를 들어볼 수 있습니다. ②[**우측 점3개**] 터치 합니다.
2 [**다운로드**]터치합니다. **3** 다운로드된 음악은 [**삼성뮤직**]에 저장됩니다.

※ 4shared 는 구글 안드로이드 와 애플 iOS 에서 다운받을 수 있습니다.

CHECK 리스트

▶ 스텔라 브라우저

[스텔라 브라우저앱 소개]

- 스텔라브우저는 **[원스토어]**에서 다운받을 수 있습니다.
- 스텔라브라우저는 다른추가설치 없이 한곳에서 **[유트브, 페이스북, 네이버, 데일리모션, 인스타그램, 텀블러, V라이브, 비메오]**에서 무료음악과 동영상을 다운받을 수 있습니다.
- 초고속 다운로드로 소중한 시간과 데이터 요금을 절약해드립니다.
- 스텔라브라우저는 어떠한 악성코드와 바이러스로부터 안전하며, 민감한 사용자 권한 과 정보를 요구하지 않습니다.

[스마트폰에 원스토어 앱이 보이지 않을 때 다운로드 방법]

- 스마트폰 **[설정]** → **[어플리케이션]** → **[원스토어]** → **[사용안함]**을 → **[설치됨]**으로 변경하세요.
- 네이버 검색창에 **[스텔라브라우저]** 검색후 설치 가능합니다.
- 구글에서 **[스텔라브라우저]** 검색 → [up to down]클릭 → **[최신버전]**클릭 → **[다운로드]** 하시면 설치가능 합니다.
- 위에 QR코드 스캔하시면 바로 **[스텔라브라우저]** 쉽게 다운로드 할 수 있습니다.

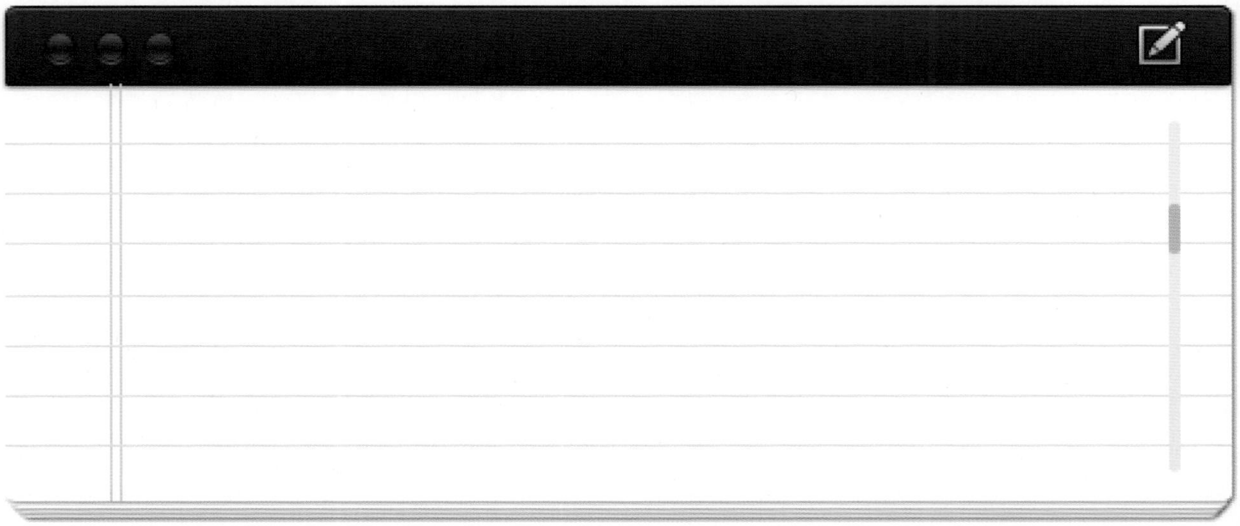

1 홈화면 또는 앱스화면에서 [**원스토어**]를 터치합니다.

2 [**원스토어**] 아래 하단에 [**돋보기**]를 터치하여 [**스텔라브라우저**]를 입력합니다.

3 노란색 별표모양 의 스텔라브라우저 [**다운로드**]를 합니다.

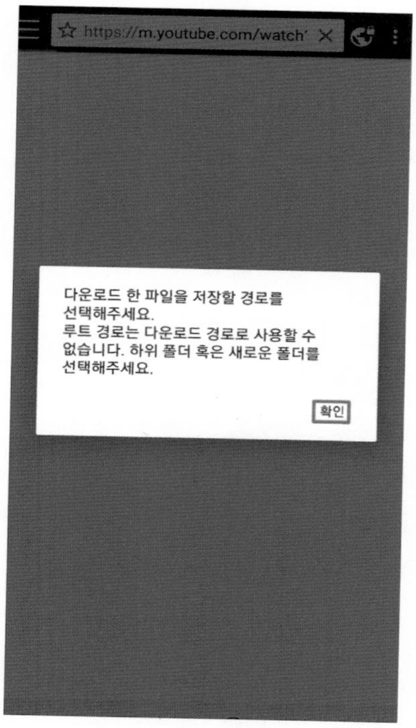

1 다운로드된 스텔라브라우저 [**실행**]을 터치합니다. 2 다운로드 한 파일을 저장할 폴더를 선택할 수 있는 [**확인**] 터치합니다. 원하는 폴더 선택후 [**이 폴더 사용**]터치합니다.

3 스텔라 다운로드 파일에 저장후 엑세스 하도록 [**허용**]을 터치합니다

※ **스마트폰 기종에 따라 화면이 다르게 보일 수 있습니다.**

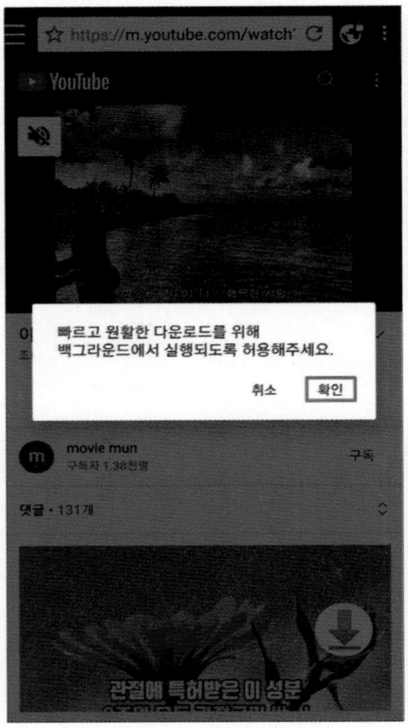

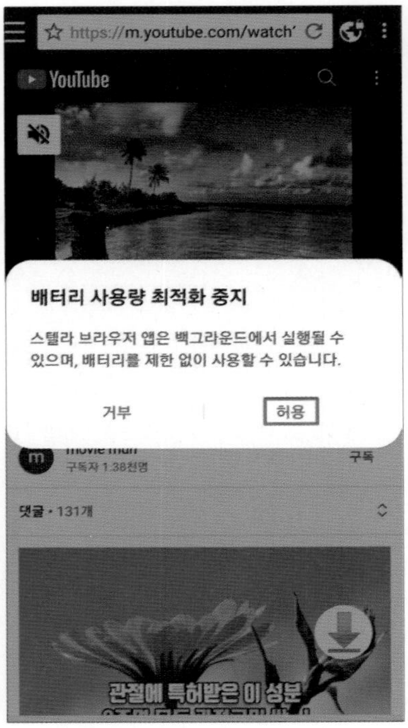

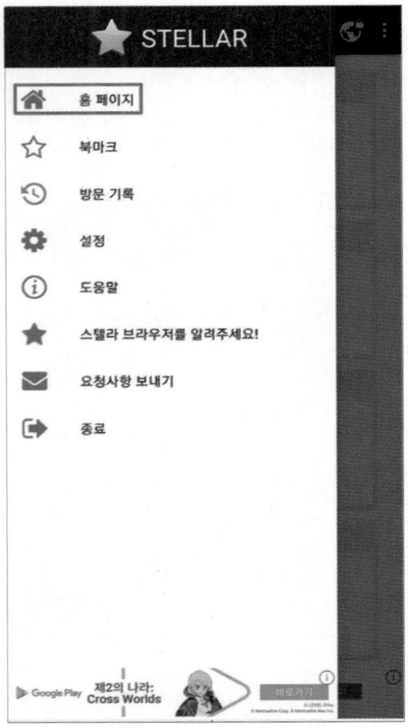

1 빠르고 원활한 다운로드를 위해 **[확인]**을 터치합니다.

2 배터리 사용량 최적화 중지를 위해 **[허용]**을 터치합니다.

3 스텔라브라우저 화면입니다. **[홈페이지]**를 터치합니다.

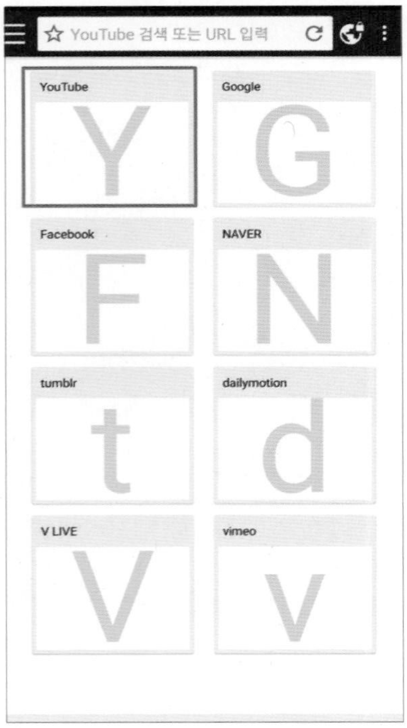

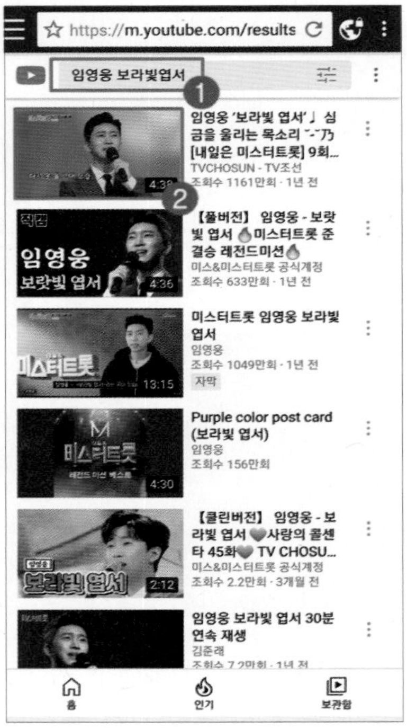

1 스텔라브라우저 화면에서 **[유트브 아이콘]**을 터치합니다.

2 검색창에 **[가수 또는 노래제목]**을 입력합니다. ②**[보라빛 엽서]**를 터치합니다.

3 검색된 노래를 다운로드 하기위해 아래 하단에 **[다운로드 아이콘]**을 터치합니다.

1 ①[**연필모양**]터치후 제목을 변경할 수 있습니다. ② 음원만 다운받으려면 뮤직에서 [**MP3**]를 터치합니다. ③동영상을 다운받으려면 비디오 에서 [**480P**]를 터치합니다. 2 다운로드된 음원 과 동영상은 스텔라브라우저 화면에서 [**좌측으로**] 드래그 하면 다운로드 된 리스트가 보입니다.

1 스텔라브라우저는 추가앱 설치 없이 편리하게 [**유트브**]에 바로 들어가서 다운로드 받는방법이 있습니다. 유트브 검색창에 [**좋아하는노래 제목 또는 가수**]를 입력합니다. 2 다운로드 원하는 화면에서 [**공유**]를 터치합니다. 3 다운로드 받고싶은 파일을 선택 [**스텔라브라우저**]을 터치합니다.

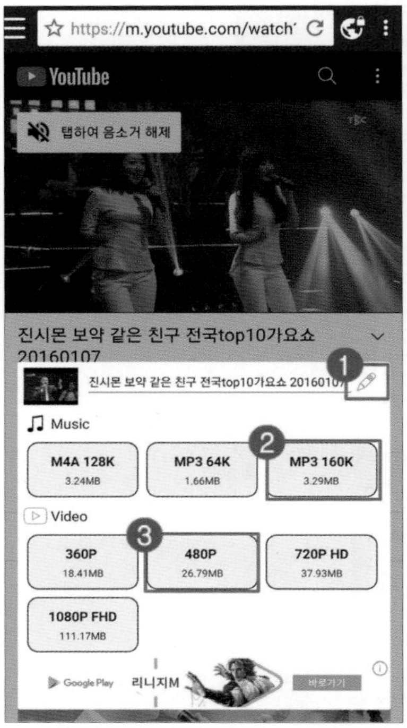

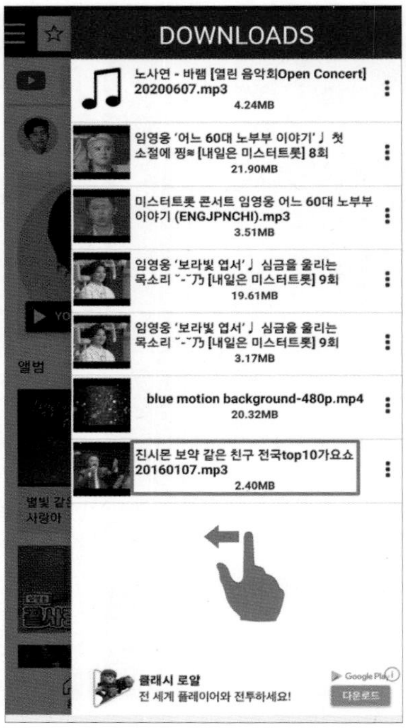

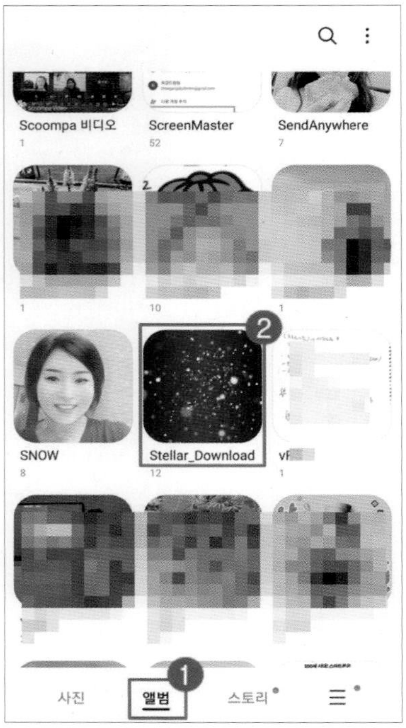

1 ①[연필모양]터치후 제목을 변경할 수 있습니다. ②음원만 다운받으려면 뮤직에서 [MP3]를 터치합니다. ③동영상을 다운받으려면 비디오 에서 [480P]를 터치합니다. 2 다운로드된 음원 과 동영상은 스텔라브라우저 화면에서 [좌측으로] 드래그 하면 다운로드된 리스트가 보입니다. 3 다운로드된 동영상은 ①갤러리 [앨범]을 터치합니다. ②[스텔라 다운로드]폴더에 저장됩니다.

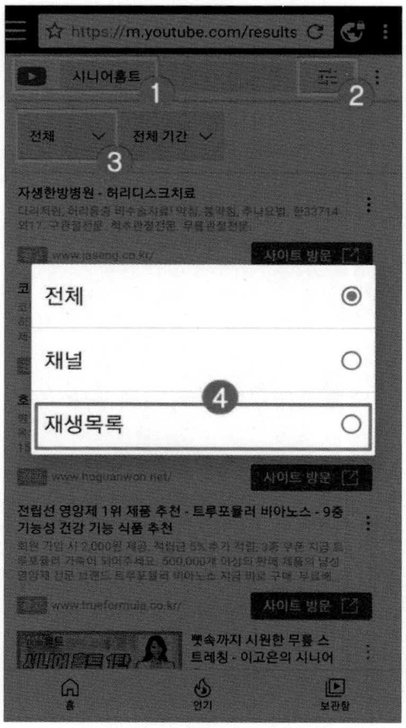

1 음악 또는 동영상을 한꺼번에 다운받는방법은 [유트브]검색창에 ①[시니어홈트]입력 ②[필터]를 터치합니다. ③[전체]를 터치합니다. ④[재생목록]에 체크합니다. 2 [원하는영상]을 터치합니다. 3 한꺼번에 모두 다운로드 하고싶을때는 하단에 [다운로드 아이콘]을 터치하시면 됩니다.

나만의 감동 영상 편지 만들기 - 슬라이드 메시지

1 Google [Play스토어] 검색창에 [**슬라이드메시지**]를 입력하여 설치한 후 [**열기**] 또는 설치된 [**앱**]을 터치하고 기기의 사진, 미디어, 파일에 엑세스하도록 허용합니다. 2 초기화면에 있는 동그라미안에 [✚]를 터치합니다. 3 상단에 [**모든사진들**]을 터치하여 스마트기기에 있는 [**앨범**]을 볼 수 있습니다.

1 앨범안에 있는 사진을 한 장 누르면 다른 사진도 선택할 수 있고 원하는 사진을 고른 후에 [✔]를 터치합니다. 2 [**영상제작**]화면에서 하단에 좌우로 드레그하면 총10개의 편집 아이콘이 있습니다. 3 ①번 아이콘 [**정렬**]을 터치하면 사진의 순서를 변경, 삭제 또는 추가할 수 있고 크기도 조정할 수 있습니다.

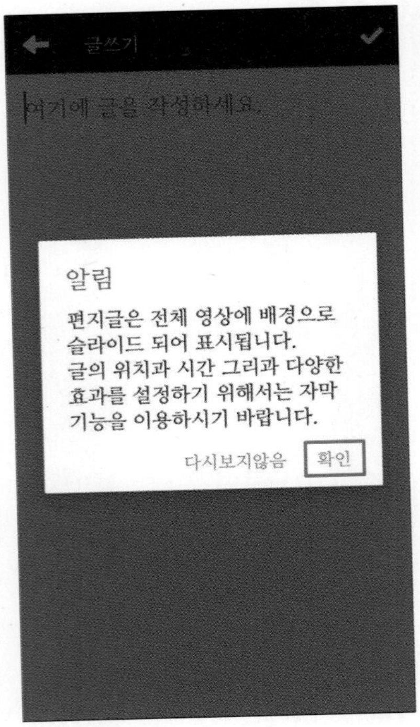

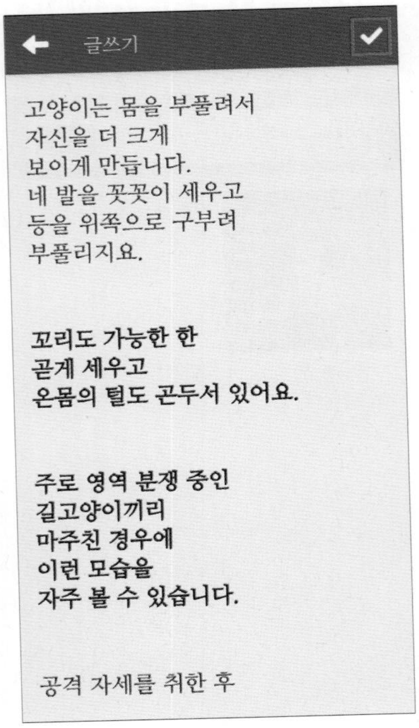

1 **[편지]**를 터치하면 알림이 뜨고 확인을 터치합니다.

2 **[글쓰기]** 화면에 원하는 글씨를 입력하고 **[✔]**를 터치합니다.

3 하단에 좌우로 드래그하면 총7개의 글 편집 아이콘이 있습니다.

①번**[삭제]**를 터치하면 글을 전체삭제 할 수 있고 ②번 **[편집]**을 터치하면 입력한 글을 수정할 수 있습니다.

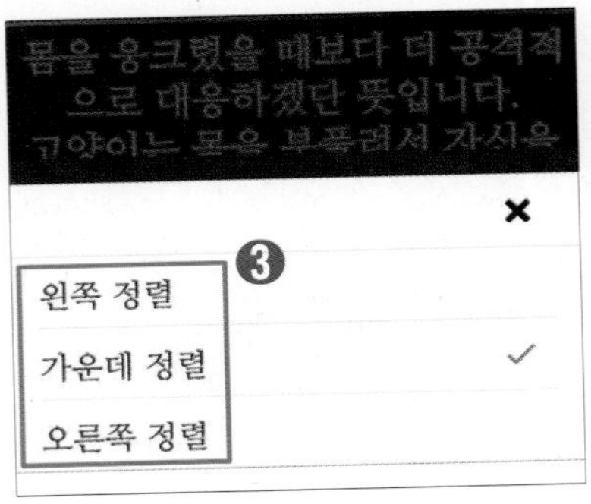

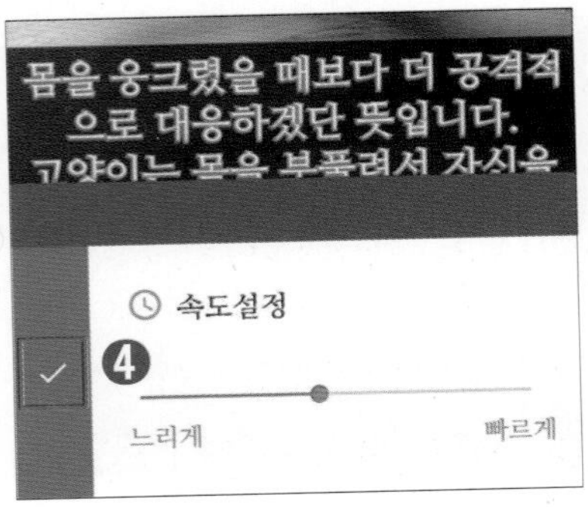

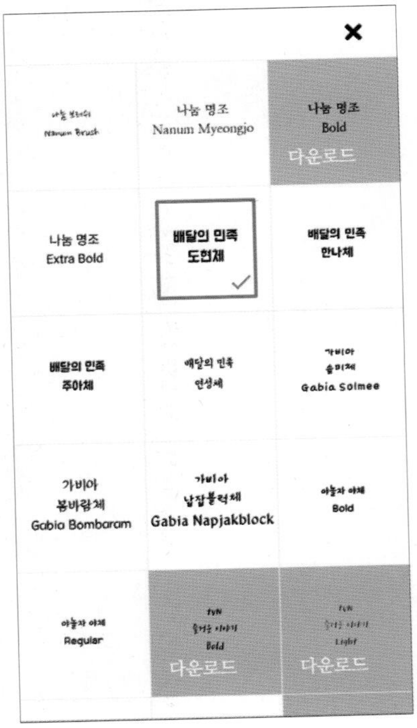

1 ③번 **[정렬]**은 글을 왼쪽, 가운데, 오른쪽 순으로 터치하여 정렬할 수 있습니다. ④번 **[속도설정]**은 좌우로 드래그하여 느리고 빠르게 설정할수 있습니다. **2** ⑤번, ⑥번, ⑦번은 **[폰트]**와 **[글자크기]**, **[글자색상]**을 변경할 수 있습니다. **3** ⑤번 **[폰트]**는 글자폰트를 다운로드하거나 변경할 수 있습니다.

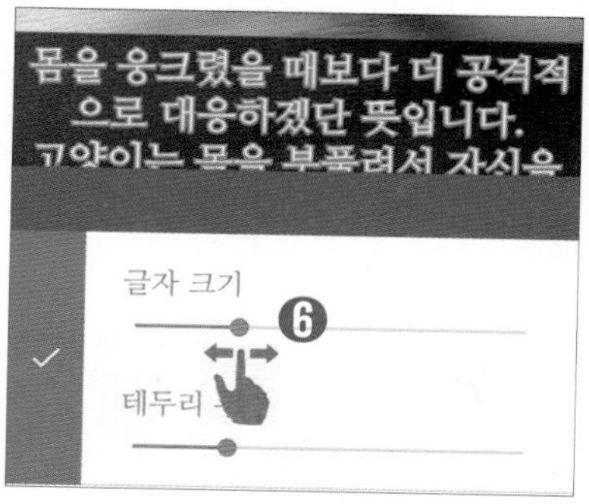

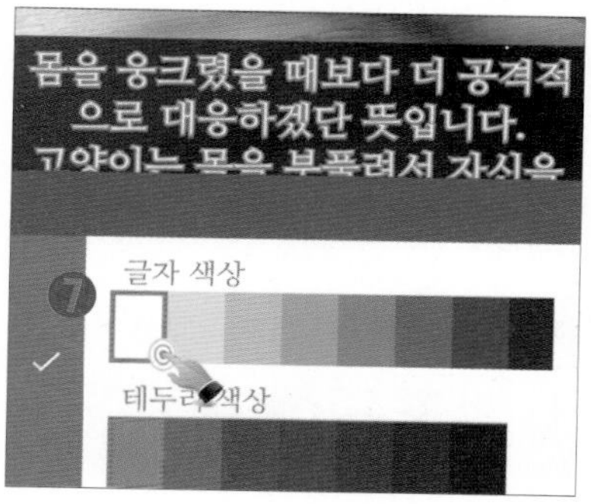

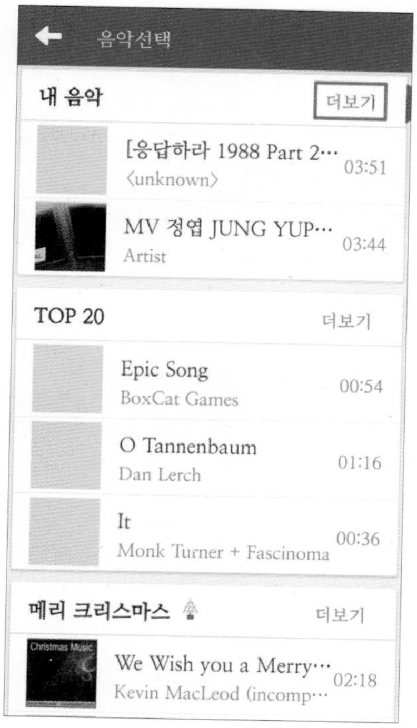

1 ⑥번 [**사이즈**]는 글자크기와 테두리를 변경할 수 있고 ⑦번 [**색상**]은 글자색 과 테두리색을 변경할 수 있습니다. 2 [**영상제작**]의 ③번 [**음악**]을 터치하면 음악을 추가할 수 있습니다. 내음악은 내 기기안에 있는 음악으로 더보기를 터치하여 선택할 수 있습니다. 3 곡을 선택하여 [**사용하기**]를 터치합니다.

1 [▶] 를 터치하여 미리보기 합니다. 2 [**영상제작**] ④번 [**시간**]을 터치하면 영상의 [**설정시간**]과 [**음악시간**]을 변경할 수 있습니다. 3 ⑤번 [**자막**]을 터치하여 자막을 입력하고 하단의 [**효과**]를 터치합니다.

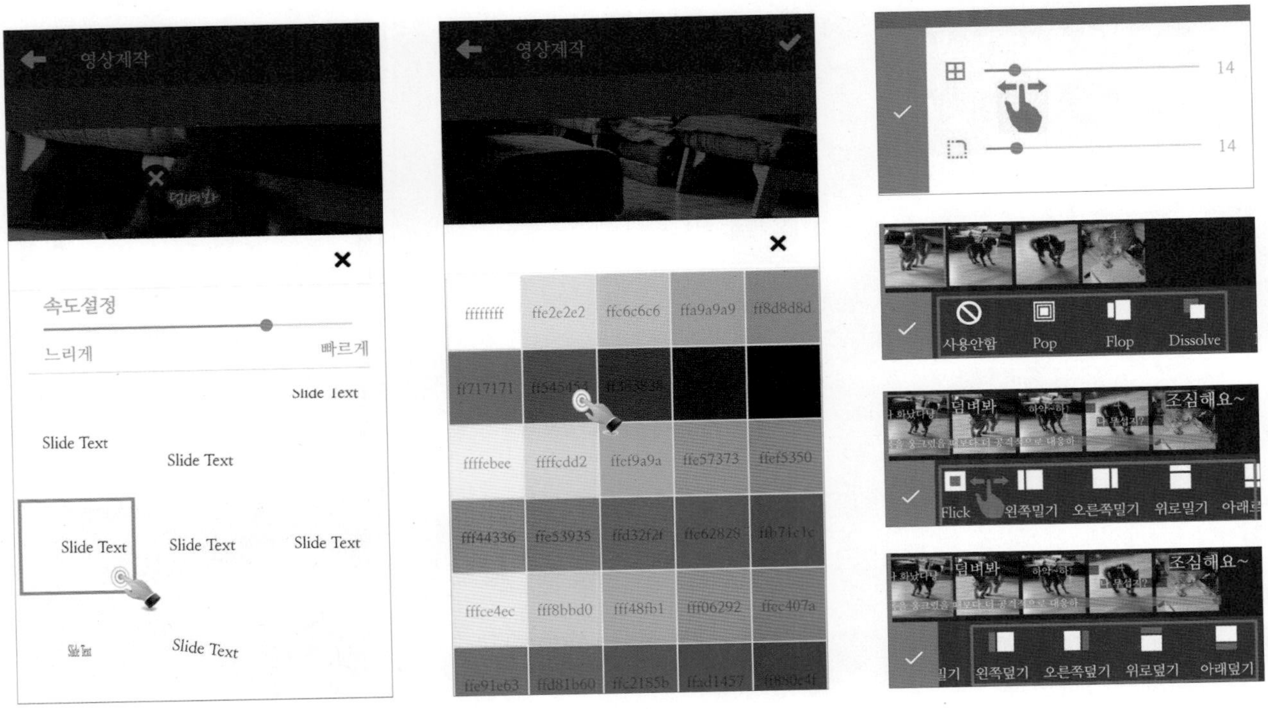

1 자막의 움직이는 효과를 줄 수 있고 좌우로 조절하여 속도를 조절할 수 있습니다. [**자막**]의 다른아이콘은 편지글사용법과 같습니다. 2 ⑥번 [**배경**]은 배경색을 변경할 수 있습니다. 3 ⑦번 [**테두리**]는 테두리크기와 모양을 수정합니다. ⑧번 [**화면전환**]은 총13개의 화면전환효과를 넣을 수 있습니다.

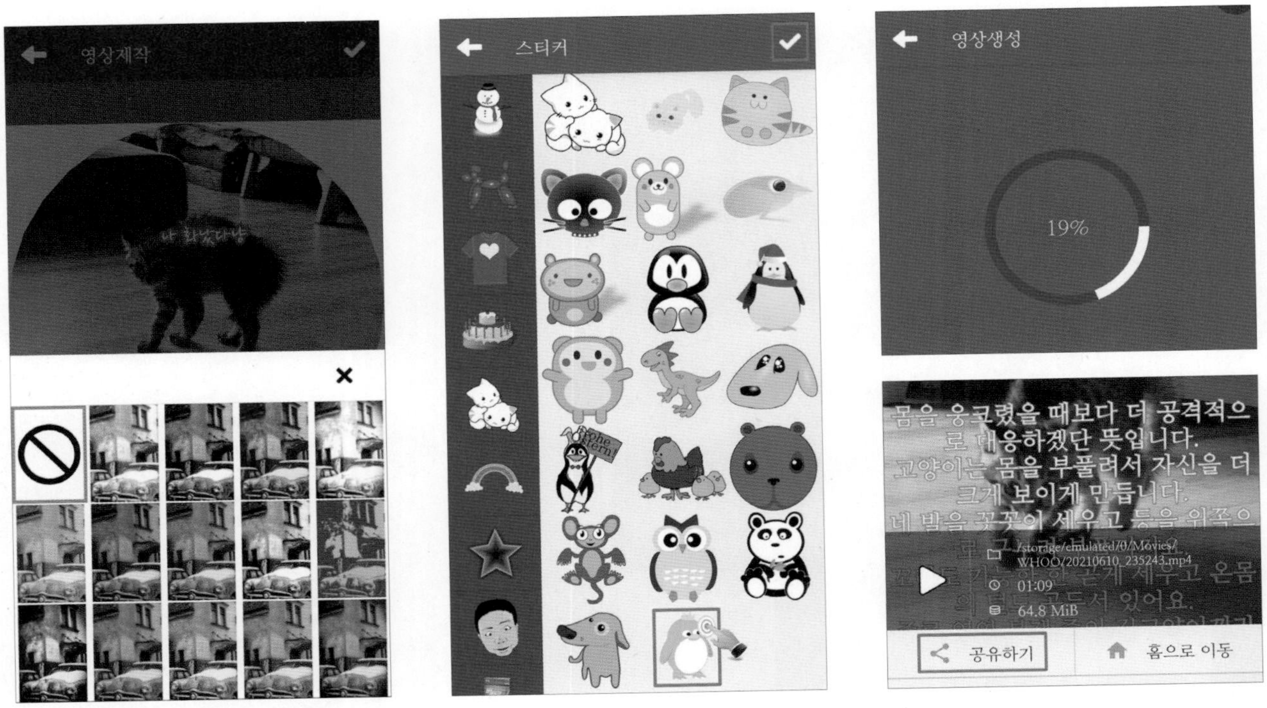

1 [**영상제작**] ⑨번 [**필터**]는 여러가지 필터효과를 넣을 수 있습니다. 2 ⑩번 [**스티커**]는 선택하여 총6개의 효과설정을 할 수 있습니다. 오른쪽 상단의 [✔]를 터치하고 화면에서 [▶]를 터치하여 미리보기를 한 후 마지막으로 [✔]를 터치하여 [**영상생성**]을 합니다. 3 [**공유하기**]를 터치하여 공유할 수 있습니다. 또한 갤러리의 [WHOO] 앨범으로 자동저장됩니다.

나만의 인생 영화 만들기 - 쉽게 따라 할 수 있는 영상편집 앱 VITA

▶ [비타(VITA)]앱의 특징

- 무료 영상편집 앱으로 워터마크 제거 가능
- 네이버의 자회사인 스노우(SNOW, Inc.)에서 2019년 12월에 출시한 앱
- 저작권 걱정 없는 1,500개 이상의 다양한 폰트와 자막
- 다양한 분위기의 배경음악과 상황별 효과음 제공
- 녹음 버튼으로 내 목소리 삽입 가능
- AI 보이스로 녹음 없이 텍스트로 목소리 삽입
- PIP로 영상 콜라주, 레이아웃 만들기 가능
- 템플릿으로 트렌디한 영상 인트로 제작 가능
- 세련된 썸네일 제작 기능
- 5,000개 이상의 분위기별 스티커 제공
- 4K, 60fps의 고해상도 동영상 내보내기 가능

▶ 설치 방법

비타 앱은 안드로이드폰과 아이폰에서 사용할 수 있는 앱으로 [구글 Play 스토어]와 [앱 스토어]에서 검색하여 설치하면 됩니다.

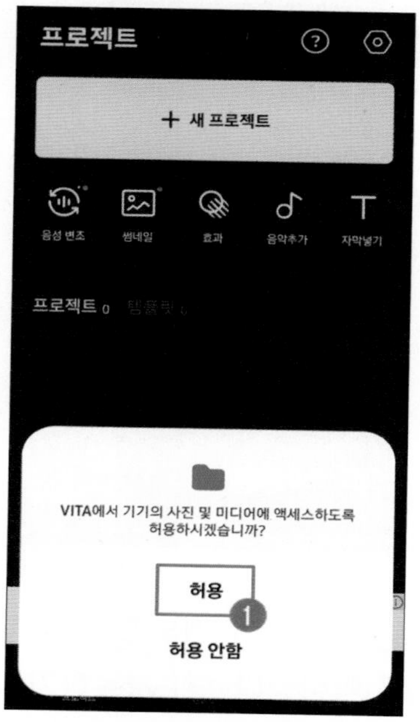

❶ ①[Play 스토어] 검색창에 [비타]를 [입력]하면 ②비타 앱이 [검색]됩니다. ③초록색 [설치]를 터치하여 [비타 앱]을 설치하면 됩니다. ❷ 설치가 끝난 후 [열기]하여 몇 가지 액세스를 [허용]하고 앱을 사용하면 됩니다.

▶ 비타앱 영상편집의 두 가지 방법

1) 템플릿 편집 : 이미 만들어진 영상 템플릿에 자신의 사진이나 동영상을 넣어 간편하게 영상을 만드는 편집 방법입니다.

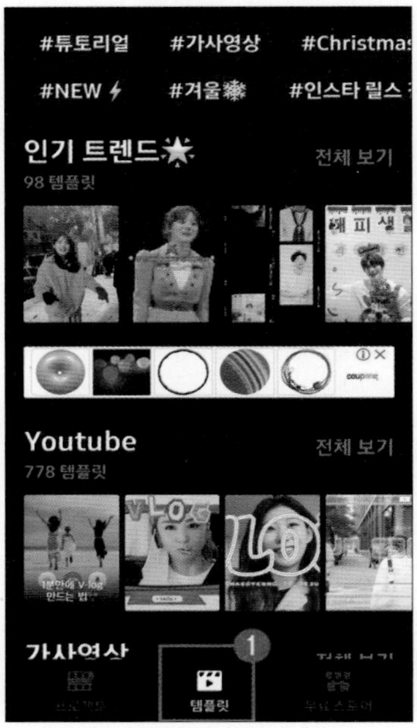

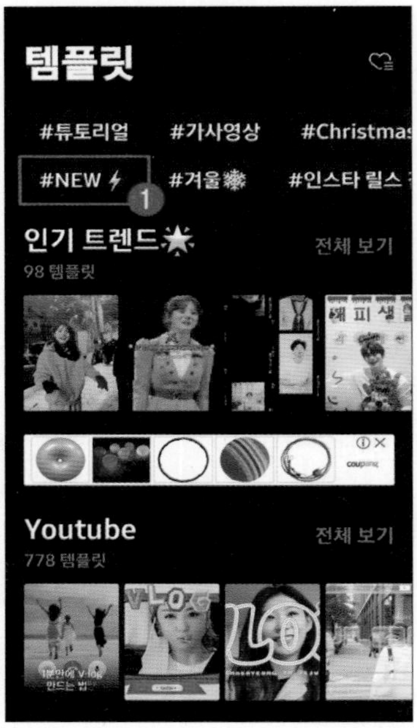

❶ ①[비타 앱]에 들어가서 아래쪽 [템플릿]을 터치하면 다양한 템플릿을 볼 수 있습니다.
❷ ①위쪽 다양한 카테고리 중 원하는 분야를 터치하여 선택하면 되는데 여기서는 [#NEW]를 살펴봅니다. ❸ ①다양한 템플릿 중 첫 번째 것을 [터치]하여 만들어 봅니다.

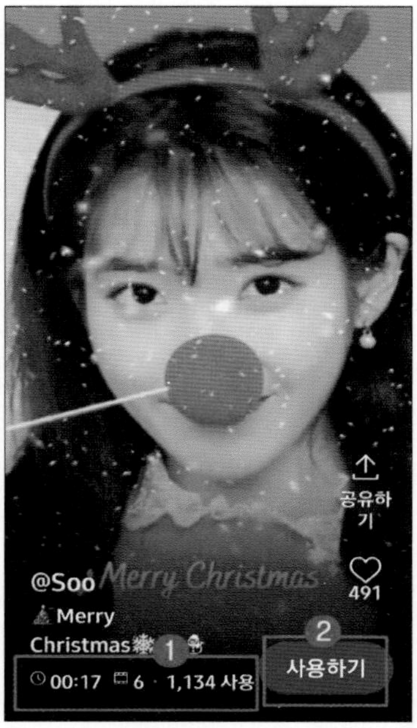

❶ ①[00:17]은 영상의 길이, 그 옆 [6]은 필요한 사진이나 영상 클립의 개수, [1,134]는 사용자 수를 말합니다. ②[사용하기]를 터치하면 내 갤러리로 이동합니다. ❷ ①내 갤러리에서 영상이 필요할 경우는 [비디오]를, 사진이 필요한 경우는 [이미지]를 선택하면 ②아래쪽에 배열됩니다. ③[화살표]를 터치합니다. ❸ 영상이 바로 만들어집니다. ①[플레이]로 영상이 만족스러운지 확인 후 바꾸고 싶은 장면이 있을 때 ②장면마다 [편집]을 터치하여 바꾼 후 화면 위 오른쪽 [내보내기]를 누르면 영상이 갤러리에 저장됩니다.

2) 프로젝트 편집 : 영상 제작자가 원하는 대로 모든 걸 선택하고 조절해서 영상을 만드는 방법입니다.

(1) 워터마크 없애기

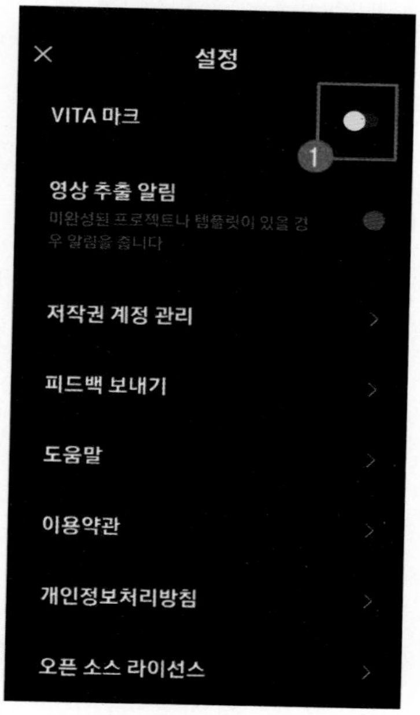

1 ①화면 하단 [프로젝트]를 터치하면 ②새 프로젝트 화면으로 바뀝니다. 2 ①비타 워터마크를 제거하기 위해 화면 오른쪽 상단 육각형의 [설정 버튼]을 터치합니다. 3 ①설정화면의 맨 위 [VITA 마크]를 터치하여 비활성화시키면 워터마크가 영상에 표시되지 않습니다. 이것은 한 번만 실행하면 계속 효과가 지속돼서 다음에 다시 설정할 필요가 없습니다.

CHECK 리스트

(2) 편집할 영상 클립 불러오기

❶ 새 프로젝트를 터치하면 바로 갤러리로 들어갑니다. ①상단의 [전체]를 터치하면 갤러리의 앨범별로 사진과 동영상이 분류되어 있습니다. 영상편집 전 편집에 사용할 영상을 모아 앨범으로 정리해두면 편집할 때 훨씬 수월하게 사진과 영상을 불러올 수 있습니다. ②[영상소스]는 영상을 만들 때 사용할 수 있는 다양한 영상자료가 있습니다. ③두 번째 줄의 [전체]에는 동영상과 사진이 함께 나열되어 있습니다. ④[비디오]에는 갤러리에 있는 동영상만 보여줍니다. ⑤[이미지]에서는 갤러리에 있는 사진을 보여줍니다. ❷ ①편집할 사진과 동영상을 순서대로 터치해서 선택합니다. ②선택된 사진과 동영상이 차례대로 배열됩니다. [화살표]를 터치하면 편집화면으로 이동합니다. ❸ 편집화면의 모습입니다. ①[미리보기] 화면입니다. ②영상을 만들 사진과 동영상이 배열되어있습니다. ③[재생 버튼]입니다. ④[편집기준선]입니다. 이 선이 있는 곳의 장면이 미리보기 화면에 나타나고 그 장면에서 편집작업이 이루어집니다. ⑤[편집메뉴바]입니다.

3) 프로젝트의 다양한 편집메뉴

비타의 편집메뉴는 13개의 기본메뉴와 각각의 하위메뉴로 구성되어 있습니다.

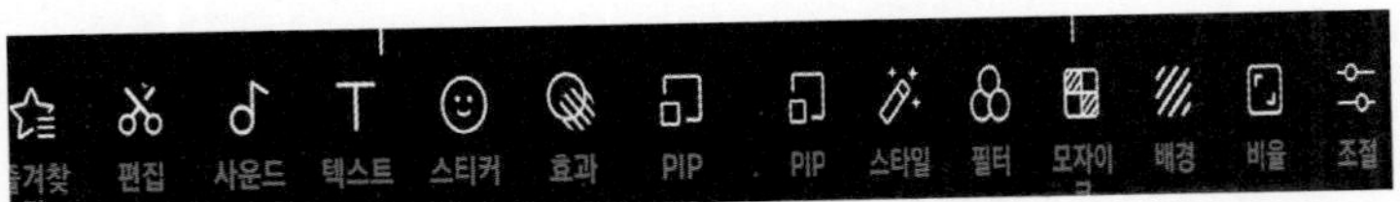

① [즐겨찾기]는 편집 작업 중 자주 사용하는 효과, 스티커, 텍스트, 음악, 필터, 영상소스 저장.
② [편집]은 영상을 자르거나 분할하고 삭제할 수 있는 메뉴입니다.
③ [사운드]는 배경음악과 효과음 삽입, 목소리를 녹음하여 편집할 수 있습니다.
④ [텍스트]는 타이틀과 자막을 편집할 수 있고, 자동자막 만들기, AI 목소리 삽입 기능이 있습니다.
⑤ [스티커]화면에 재미있고 다양한 스티커를 넣을 수 있습니다.
⑥ [효과]는 화면에 역동적인 효과를 줄 수 있습니다.
⑦ [PIP]는 화면 위에 다른 화면을 넣을 수 있는 기능입니다.
⑧ [스타일]은 템플릿처럼 영상에 음악과 자막 등 다양한 효과를 쉽게 넣어 편집할 수 있는 기능.
⑨ [필터]는 화면에 각종 효과를 주고 조절하는 기능입니다.
⑩ [모자이크]는 화면에서 가려야 할 것을 모자이크로 가릴 수 있는 기능입니다.
⑪ [배경]은 이미지나 동영상에 컬러 배경이나 블러 배경을 넣을 수 있습니다.
⑫ [비율]은 편집할 사진과 동영상의 크기를 설정합니다.
⑬ [조절]은 사진과 동영상 클립의 밝기, 대비, 채도 등의 색상과 선명도, 색온도 등을 조절하는 메뉴입니다.

▶ 프로젝트 편집 방법

1) 편집화면과 영상 클립

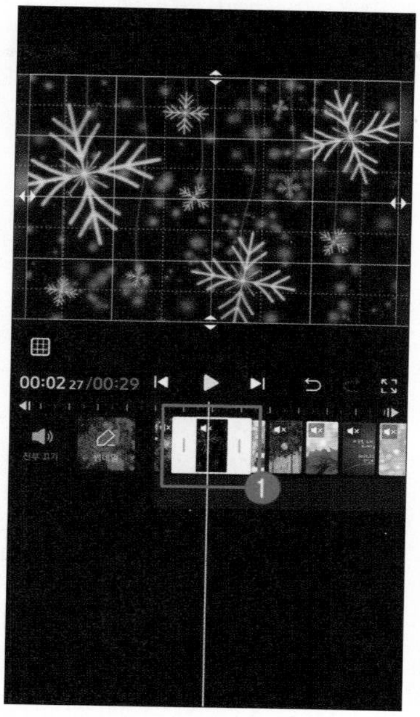

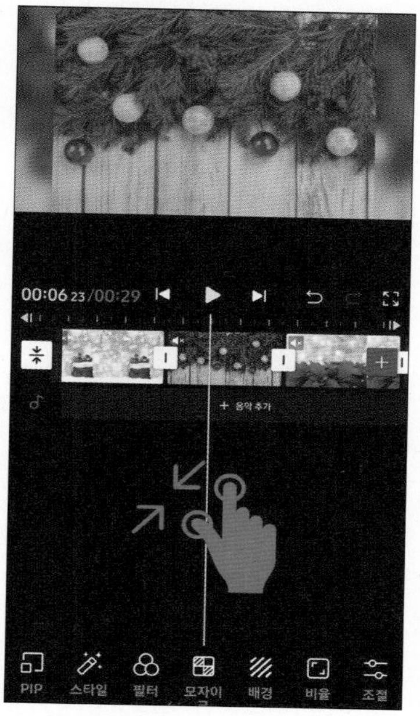

❶ ①사진이나 동영상 하나를 [영상 클립]이라고 부릅니다. ②영상 클립과 클립의 구분은 사이에 있는 하얀 작은 박스입니다. ❷ ①편집할 영상 클립은 기준선을 이동해서 선택하거나 손끝으로 터치하여 선택하며 선택된 영상 클립은 양옆으로 [하얀선]이 생깁니다. ❸ 사진 클립은 기본적으로 2초로 설정되는데 클립 사이의 간격이 좁아 편집하기가 어려울 땐 하단 까만 부분에 두 손가락을 대고 벌리면 간격이 넓어져 편집하기가 편리합니다.

2) 영상 클립의 삽입과 삭제, 이동

❶ ① 편집하는 중에 영상 클립을 더 가져와야 할 때 클립이 들어갈 자리 앞에 [편집기준선]을 가져다 놓고 ②[플러스 버튼]을 터치 ❷ ①갤러리로 이동되면 삽입할 클립을 [선택], ②[화살표] 터치
❸ ①영상 클립 삭제는 선택 후 ②하단 [삭제 버튼] 터치, [클립 이동]은 이동할 클립을 지그시 눌러 선택되면 손가락을 떼지 않고 원하는 위치로 이동 후 손가락을 떼면 됩니다.

3) 영상의 비율 설정

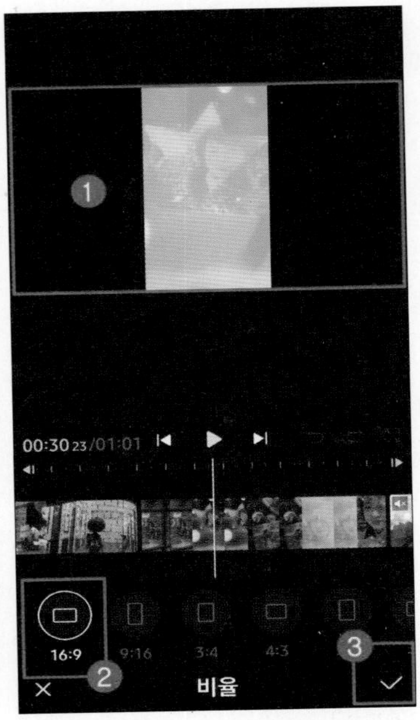

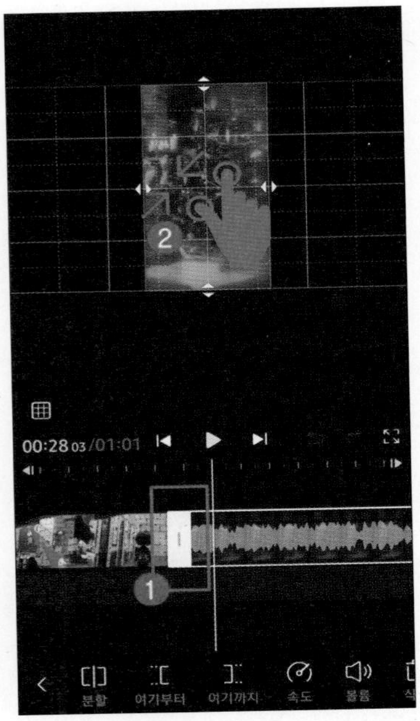

❶ ①편집하기 위해 불러온 영상 클립의 [비율]은 다른 편집작업에 앞서 설정하고 맞춰주어야 합니다. ❷ ①영상 크기가 맞지 않으면 화면에 검은 부분이 생깁니다. ②유튜브 동영상은 가로가 넓은 16:9가 기본이지만, 숏츠영상은 9:16의 영상을 사용합니다. ③비율을 선택한 후 [∨]를 터치하여 설정 ❸ ①비율을 설정한 후 크기가 맞지 않는 영상 클립은 ②두 손가락을 이용해 화면의 크기에 맞추어 줍니다. 이때 장면을 확인하여 위치를 조정합니다. 화면을 너무 확대하면 화질이 떨어질 수 있습니다.

4) 영상 클립의 길이와 속도 조절하기

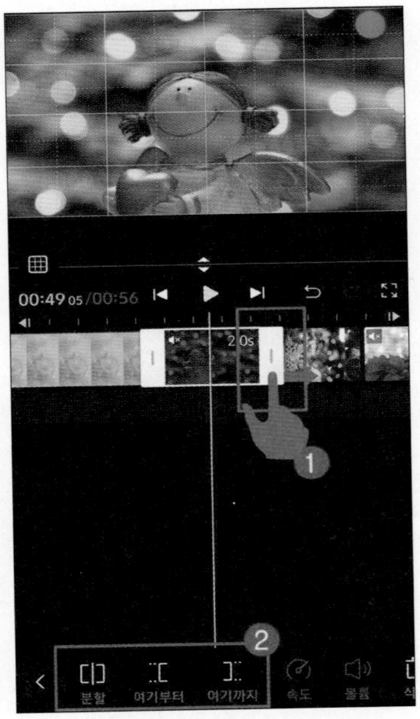

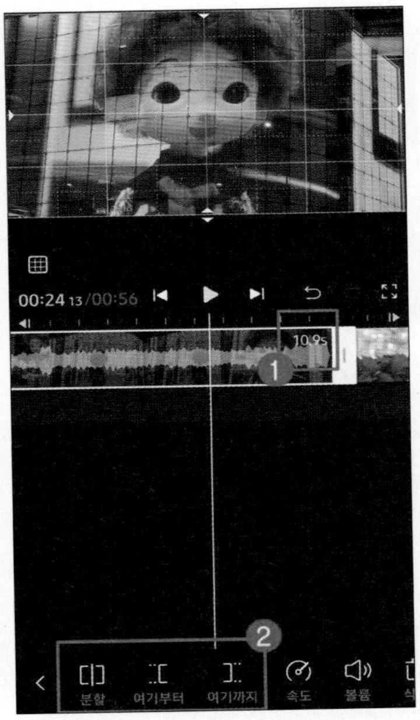

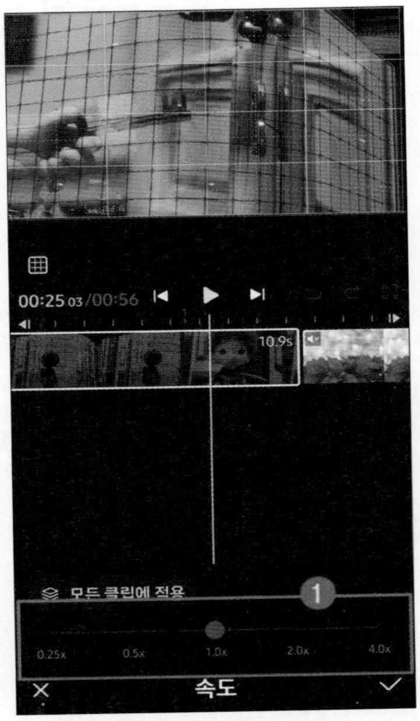

❶ ①사진 클립의 길이를 늘이려고 할 때는 선택된 사진의 하얀 부분을 손끝으로 누르고 떼지 않은 채 오른쪽으로 끌면 됩니다. ②분할하거나 자르고 싶을 땐 클립을 선택하면 하단에 메뉴가 바뀌어 있는데 편집기준선을 자르고 싶은 부분에 놓고 [분할], [여기부터], [여기까지] 등을 선택하면 됩니다. ❷ 동영상 분할과 자르기로 같은 방법으로 하면 됩니다. ❸ ①동영상 속도 조절은 [속도]를 터치해서 0.25배속부터 4배속까지 선택할 수 있습니다.

▶ 동영상 타이틀과 자막 만들기

1) 타이틀 만들기

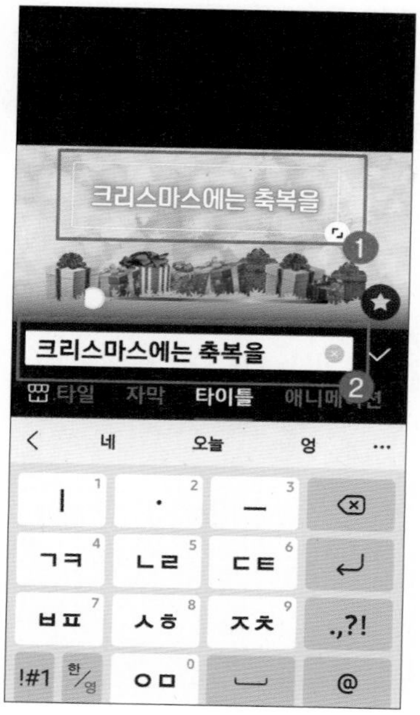

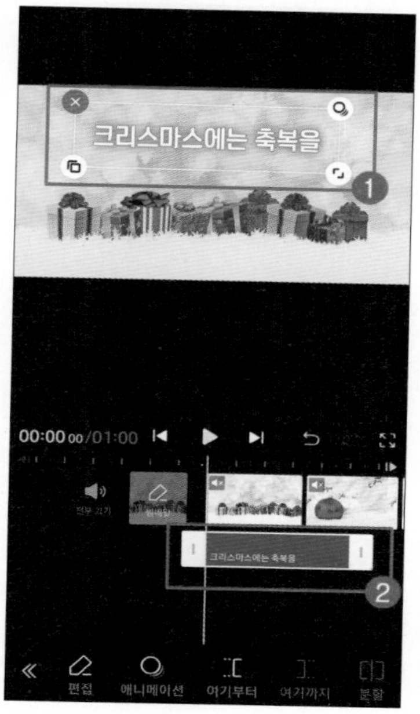

1 기본메뉴에서 [T]를 터치한 다음 하위 메뉴 중 첫 번째 [T+(텍스트)]를 터치합니다. 제목을 직접 입력하여 편집하거나 템플릿을 이용할 수 있습니다. ①화면 중간에 있는 [**타이틀**]을 터치하면 ②다양한 타이틀 템플릿이 나옵니다. 그중 하나를 [선택] **2** ①[**탭 하여 입력**]하라는 창을 터치하면 키보드가 나타납니다. ②제목을 타이핑하고 [∨] **3** ①영상 클립 위에 제목이 보입니다. 손끝으로 움직여 위치를 잡고 크기를 조절합니다. 오른쪽 위 동그라미를 누르면 타이틀에 프레임 인, 프레임 아웃 등의 애니메이션 효과를 넣을 수 있습니다. ②편집화면에 타이틀 항목이 표시됩니다. 타이틀이 나타나는 길이는 하얀 부분을 누르고 늘이거나 줄이면 됩니다.

2) 자막 만들기

1 자막 만들기 과정도 직접 입력해서 편집하거나, 템플릿을 이용할 수 있습니다. ①[**자막**]을 선택하고 템플릿 중 하나를 터치합니다. **2** ①[**탭 하여 입력**]을 터치하여 나타난 ②자판으로 글을 쓰고 [∨] **3** ①손끝으로 위치와 크기를 조절합니다. ②자막 위치는 손끝으로 눌러 옮길 수 있습니다.

3) 자동자막 만들기

동영상 클립에 들어있는 음성을 자동으로 자막을 만들어주는 기능입니다.

❶ 기본메뉴 중 [T]를 터치하면 첫 번째 화면으로 바뀝니다. ①편집기준선을 자동자막을 만들 동영상 위에 놓습니다. ②아래 메뉴 중 [자동자막]을 터치합니다. ❷ 녹색으로 된 [CLOVA 자동 자막 생성]을 터치합니다. ❸ ①이미지 위에 자동으로 자막이 생성되었습니다. ②아래쪽에 녹색의 자막바가 생겼습니다.

4) AI 보이스 만들기

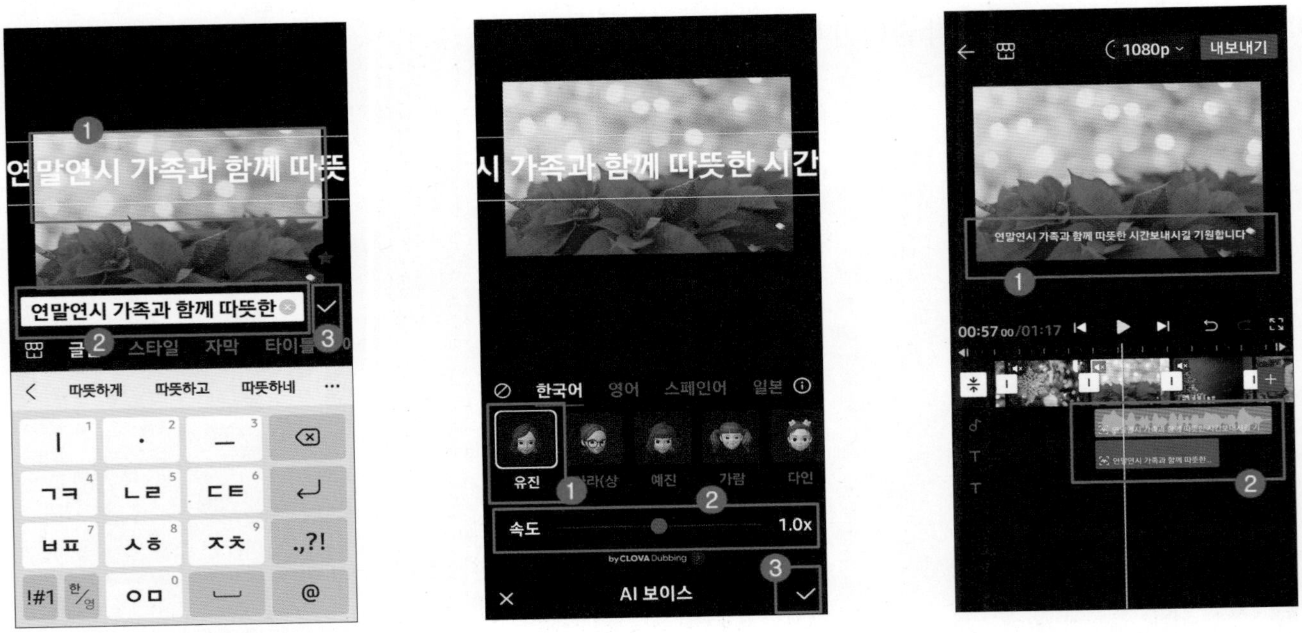

❶ 기본메뉴 중 [T]를 터치하고 [AI 보이스]를 선택한 다음 ①글씨 입력창을 터치하면 자판이 나타납니다. ②내용을 쓰고 ③[∨]하면 ❷ ①AI 보이스를 선택할 수 있는 화면이 나옵니다. 여성, 남성, 여자 어린이, 남자 어린이 등 다양한 종류의 보이스가 있습니다. 영상에 적합한 [목소리를 선택] 후 ②목소리의 [속도]를 결정하고 ③[∨]하면 ❸ 영상에 자막이 생기고 영상 클립 아래에 ②[보이스바] 와 [자막바]가 생깁니다. 이때 생긴 자막은 자막바를 삭제해도 보이스는 유지됩니다.

▶ 영상의 분위기를 좌우하는 음악과 효과음 넣기

1) 배경음악 넣기

❶ ①기본메뉴에서 [사운드]를 터치하고 ❷ ①하위메뉴인 [음악]을 터치합니다.

❶ ①비타의 음악리스트가 나옵니다. 위쪽엔 장르별로, 아래쪽엔 [새로운 음악], [이번 주 TOP 20], 최근 사용한 음악 등이 있습니다. 곡명 아래에 작곡가와 음악의 길이가 표시되어 있습니다. ❷ ①음악을 삽입하려면 [곡명]을 터치하고 ②오른쪽 빨간색 [+]를 터치합니다. ❸ ①편집화면에 빨간색 [음악바]가 생기고 ②아래쪽에 하위메뉴가 나타납니다. [볼륨]은 배경음악의 소리를 조절합니다. [페이드]는 음악이 시작할 때와 끝날 때 소리를 점점 크게 또는 작게 만들어줍니다. [분할]은 음악의 원치 않는 부분을 잘라버릴 때 활용합니다. [속도]로 음악의 빠르기를 조절할 수 있습니다. 선택한 음악이 맘에 들지 않으면 [삭제] 후 다시 음악을 선택하여 삽입하면 됩니다.

2) 효과음 넣기

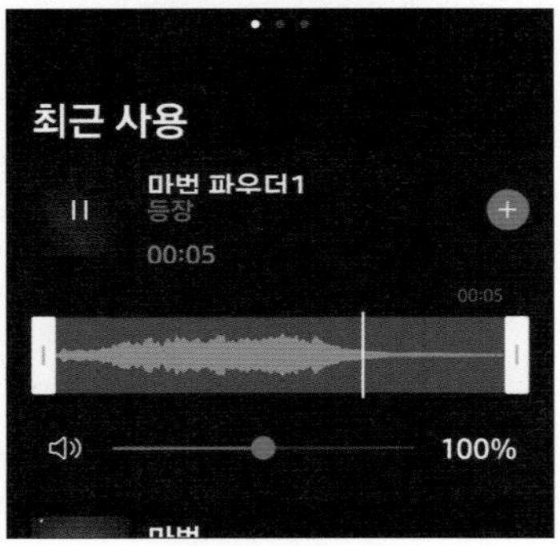

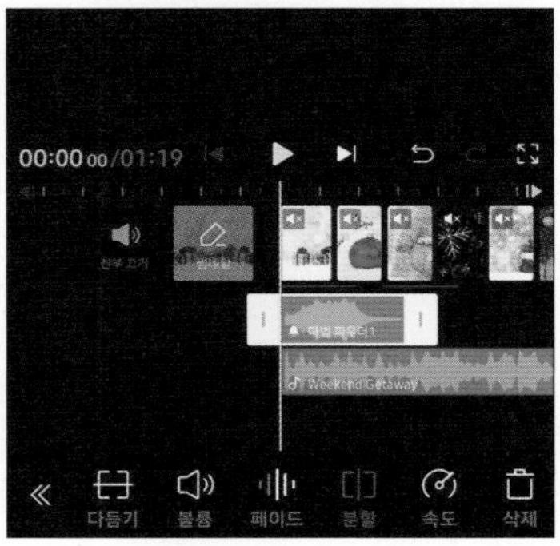

❶ 비타에는 다양한 효과음이 있습니다. 카테고리별로 구분되어있는 [효과음] 중 필요한 영역에 들어가 여러 가지 효과음을 들어 봅니다. ❷ 적절한 효과음을 찾았으면 [+]를 터치합니다. ❸ 편집기준선이 위치한 곳에 효과음이 들어갑니다. 편집화면에 주황색의 효과음바가 나타납니다. 하위메뉴를 이용해 볼륨과 속도를 조절할 수 있습니다. 적절하지 않으면 삭제하고 다시 선택하면 됩니다.

3) 내 기기에 있는 음악 또는 다른 영상에 있는 음악 추출하여 넣기

스마트폰에 개인적으로 갖고 있는 음악이나 다른 영상에 있는 음악을 추출해서 영상에 음악을 넣을 수 있습니다. 이 경우 저작권에 유의할 필요가 있습니다.

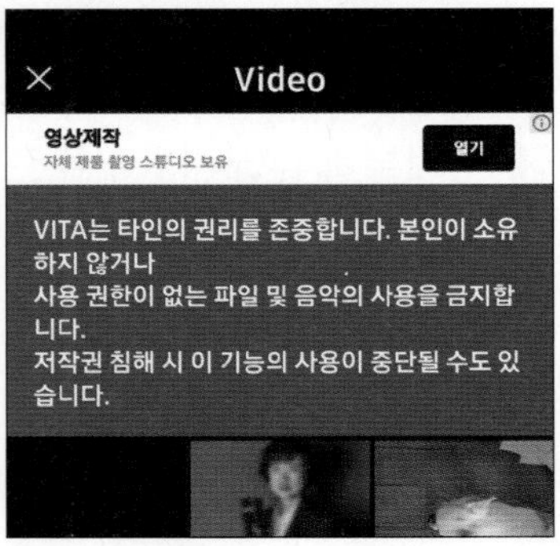

❶ 기본메뉴 중 [사운드]를 터치하고 [음악]을 선택한 다음 나타나는 메뉴에서 ①[**내 기기**]를 터치하면 내 오디오 파일이 나타납니다. 거기서 사용할 음악을 선택하면 내 기기에 있는 음악을 삽입할 수 있습니다. ❷ ②다른 영상에 있는 음악을 추출하기 위해서는 [**비디오**]를 터치합니다. 아래쪽에 [**앨범에서 가져오기**]라는 빨간 박스가 나타나는 데 그것을 터치하면 내 동영상파일로 이동합니다. 여기서 사용할 비디오를 터치해서 음악을 추출하여 사용하면 됩니다. ❸ 비타에서는 저작권에 대한 규정을 강조하고 있습니다.

▶ 영상에 나레이션(목소리) 삽입하기

1) 스마트폰의 녹음기능을 이용하여 사전에 녹음을 해서 불러옴.
이것은 위에서 설명한 내기기 음악사용 방법과 같습니다. 내 오디오 파일에 저장해놓은 목소리를 선택해서 영상에 넣으면 됩니다.

2) 영상을 편집할 때 편집화면에서 녹음하기

❶ 기본메뉴 중 [사운드]를 터치한 후 ①[녹음]을 선택합니다. ❷ ②목소리가 들어가야 할 영상에 편집기준선을 위치시키고 [녹음]을 터치하고 녹음을 합니다. ❸ ①녹음기록이 편집화면에 나타납니다. 녹음이 끝나면 [중지]를 터치하면 됩니다. 다시 녹음하고 싶을 땐 ②[녹음]을 누르고 다시 녹음하면 되고 완성 시에는 ③을 터치하면 됩니다.

▶ 영상을 역동적으로 만드는 몇 가지 방법

1) 장면전환 효과

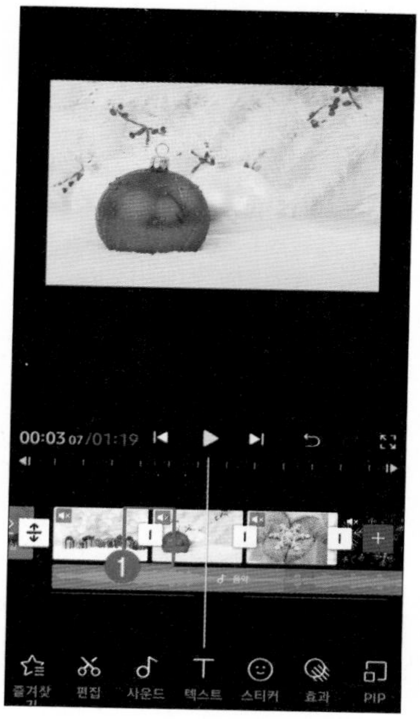

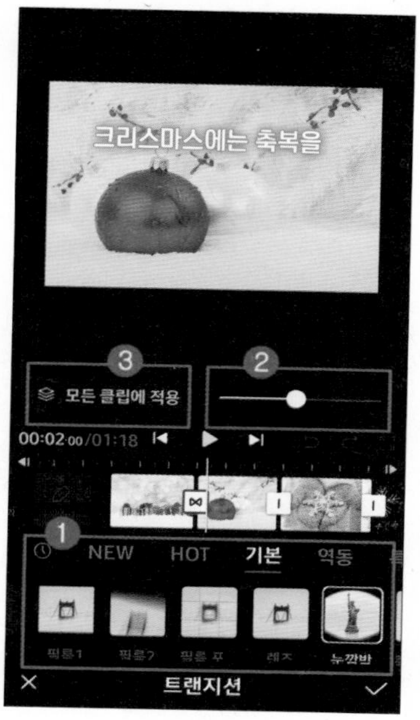

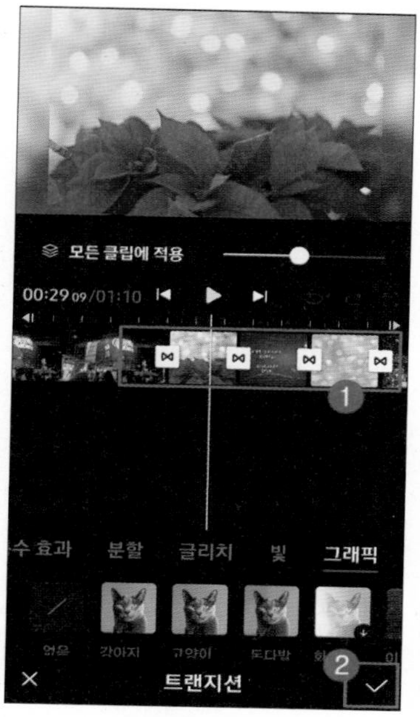

❶ ①클립과 클립 사이에 있는 작은 [하얀 박스]를 터치합니다. ❷ ①아래쪽에 장면효과 메뉴가 나타납니다. 카테고리별로 다양한 장면효과가 있습니다. ②장면효과의 길이를 조절합니다. ③같은 장면효과를 모든 클립에 적용할 때 체크합니다. ❸ ①장면효과가 설정되면 하얀 박스 안의 모양이 바뀝니다. ②[∨] 체크하면 장면전환 효과가 완성됩니다.

2) 스티커, GIPHY, 효과 넣기

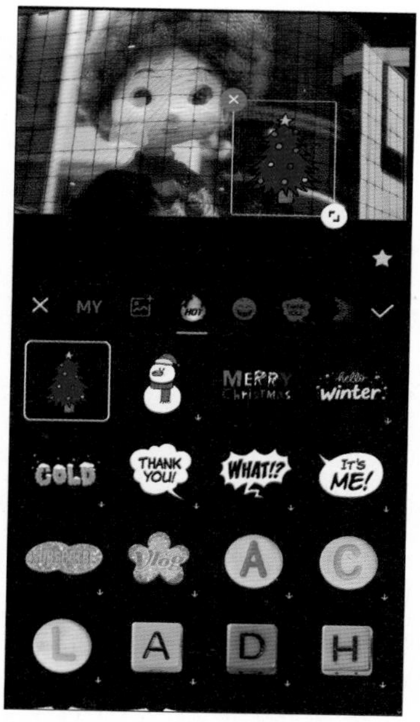

<스티커>

<GIPHY>

<효과>

❶, ❷, ❸ 기본메뉴 중 [스티커]와 [효과]에는 영상에 재미를 줄 수 있는 다양한 아이템들이 있습니다. 적절한 곳에 사용하면 영상의 분위기를 높여줄 수 있습니다.

3) 문자에 효과 넣기

문자를 다이나믹하게 나타나게 하는 방법입니다.

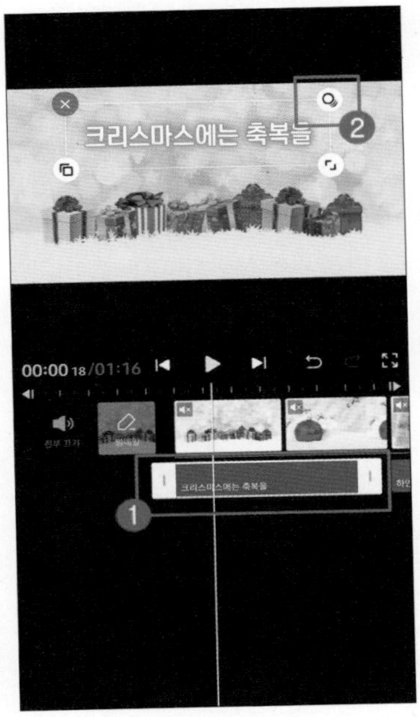

1 ①효과를 주려는 문자를 선택합니다. ②편집화면 문자창의 오른쪽 위 동그라미를 터치합니다. **2** ①문자효과 선택창이 나타납니다. **3** ①효과를 선택한 후 ②효과의 지속시간을 설정하고 ③[∨]체크하면 문자에 효과가 반영됩니다.

4) PIP와 크로마키

PIP는 영상 위에 다른 영상을 넣는 것입니다. 영상에 넣을 로고가 있다면 이 기능을 이용해서 화면 상단에 로고를 넣으면 됩니다. 여기서는 PIP의 크로마키 활용법을 살펴봅니다.

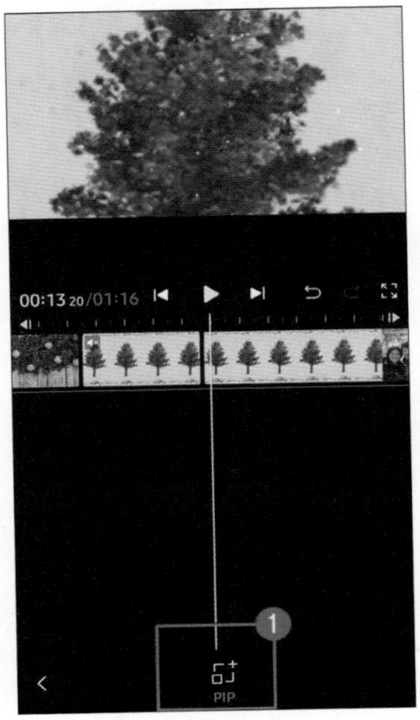

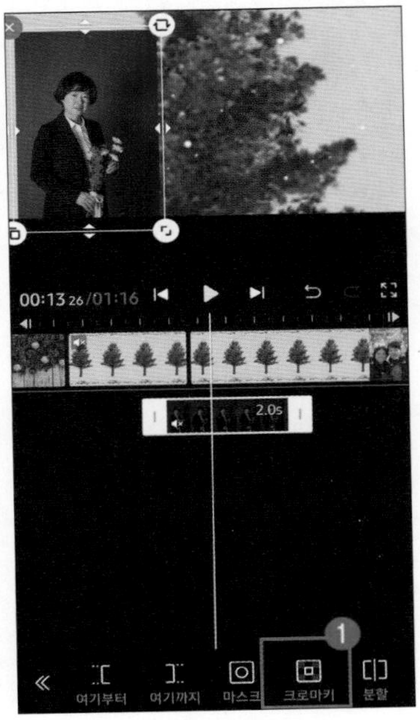

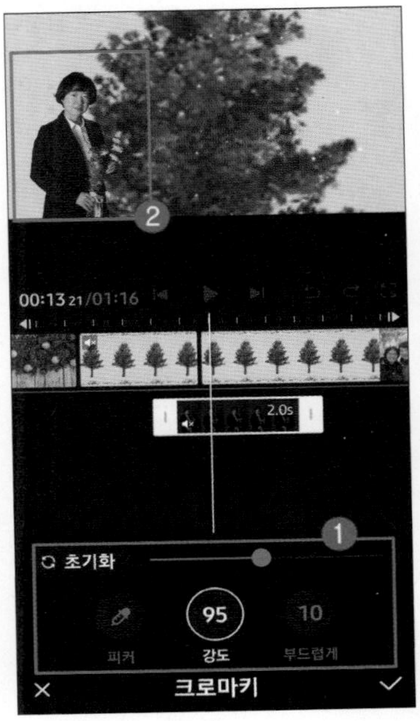

1 원하는 위치에 편집기준선을 놓고 ①[PIP]를 터치하면 내 갤러리가 나타납니다. **2** ①내 갤러리에서 사진이나 동영상을 하나 선택하여 터치하면 미리보기 창에 나타납니다. ②하단의 [**크로마키**]를 터치합니다. **3** ①[**피커**]로 사진에서 [**색상**]을 선택하고 [**강도**]를 적절하게 조절하면 ②선택한 색상이 사라지고 인물만 나타납니다. 두 개의 영상이 결합된 것입니다.

5) 무료스토어 이용하기

비타 무료스토어에는 효과, 스티커, 텍스트, 음악, 필터, 영상소스의 다양한 편집 아이템들이 있습니다. 시즌별 스티커나 음악을 활용해서 영상의 분위기를 높일 수 있습니다.

1 ①무료스토어는 화면 아래쪽에 있거나 2 ①편집화면 위쪽에 있습니다. 이것을 터치하면 스토어 화면이 나타납니다. 3 ①아이템을 선택한 후 바로 사용하거나 별표를 터치하여 즐겨찾기에 저장해 놓으면 다음 사용할 때 편리합니다.

◆ 비타 타임라인의 이해

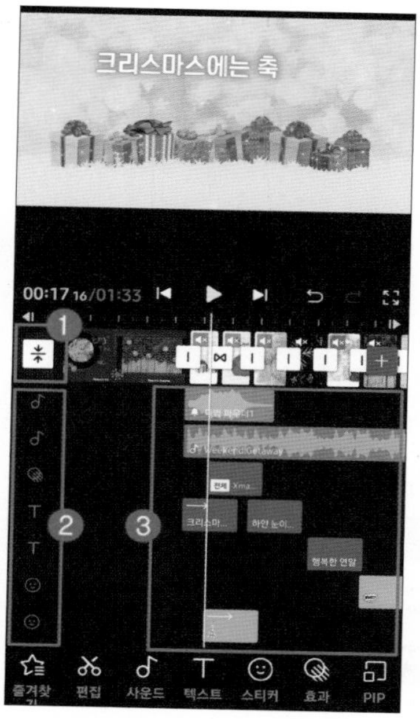

영상편집의 타임라인은 영상 클립 아래에 층층이 쌓이는 레이어로 구성됩니다. 각각의 레이어는 색깔로 구분됩니다.
빨간색은 음악, 파란색은 텍스트, 노란색은 스티커, 주황색은 효과음, 보라색은 효과를 나타냅니다.

1 타임라인은 레이어로 구성되어 있는데 ①[펼침]을 터치하면 전체의 레이어가 다 나타납니다. ②는 각 레이어가 어떤 레이어인지 알려줍니다. ③은 색깔별로 구분되는 레이어입니다. 2 ①을 터치하면 레이어가 접힙니다. ②각각의 레이어는 색상별 선으로 나타납니다.

▶ 썸네일을 만드는 방법

썸네일은 영상의 간판 또는 표지라고 보면 됩니다. 구독자는 썸네일을 보고 영상에 대한 흥미를 느끼고 볼지 아니면 지나칠지를 결정하게 되므로 매력적인 썸네일을 만드는 것이 중요합니다.
비타에서는 영상을 편집할 때 함께 썸네일을 만들 수 있어 편리합니다.

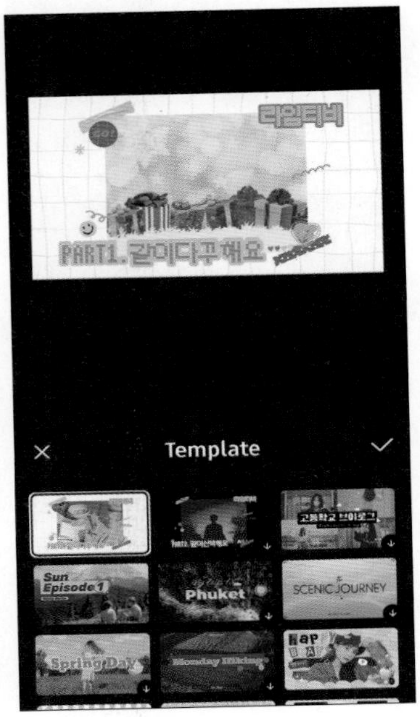

1 ①편집하는 영상 앞쪽에 [**썸네일**] 표시가 있습니다. 이것을 터치합니다. **2** ①썸네일 편집화면입니다. 현재 만들고 있는 영상에서 사진을 선택할 건지, 다른 사진으로 할 것인지를 결정합니다. ②현재 편집하는 영상에서 사진을 선택한다면 화면을 [**스크롤**]해서 원하는 장면에서 터치합니다. 영상에 없는 장면을 사용하려면 [**불러오기**]를 터치하여 갤러리에서 가져오면 됩니다. ③불러온 영상을 편집합니다. 텍스트를 쓰고, 스티커로 장식하거나, 프레임을 선택하여 꾸미면 됩니다. **3** [**템플릿**]을 이용하면 간단하게 썸네일을 만들 수 있습니다. 썸네일을 완성하면 오른쪽 위 [**저장**]을 터치하여 저장합니다. 이때 편집하는 영상에도 썸네일을 넣을지 아니면 내 기기에만 저장할지 선택합니다.

스마트폰 영상편집 꿀팁

영상편집은 섬세한 작업이 필요합니다.
손끝으로 작업하다 보면 원치 않는
부분이 터치되어 작업을 몇 번씩 하는 경우가
있습니다.
이때 갤럭시 노트폰은 S펜을 사용하면 좋습니다.
이 펜이 없을 때는 볼펜 끝에 고무가 달린
터치펜을 사용하면 편집이 훨씬 편해집니다.

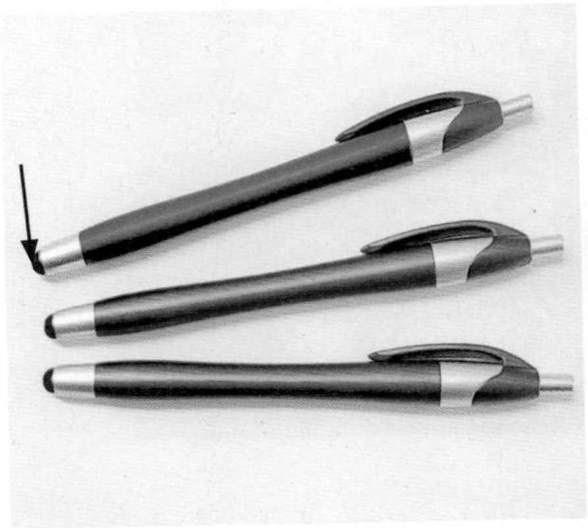

▶ 유튜브 인트로/아웃트로 만들기

영상의 시작 부분과 끝나는 부분이 흥미로워야 구독자에게 강한 인상을 줄 수 있습니다.
비타 앱의 템플릿에는 784개의 역동적인 유튜브 영상 템플릿이 있습니다. 이것을 활용하면 손쉽게 유튜브 영상의 인트로/아웃트로 영상을 만들 수 있습니다.

❶ ①아래쪽 [템플릿]을 터치합니다. ②[유튜브]를 터치합니다. 다양한 유튜브 인트로, 아웃트로 템플릿이 나타납니다. ❷ 템플릿을 살펴보고 적절한 것을 선택합니다. ❸ ①템플릿 명과 길이, 필요한 영상 개수가 보입니다. ②[사용하기]를 터치합니다.

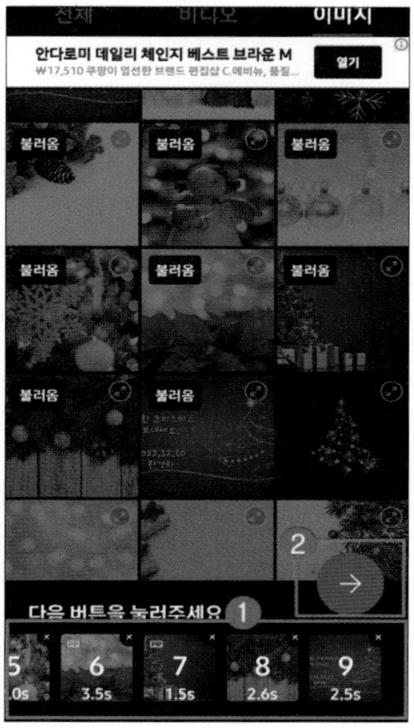

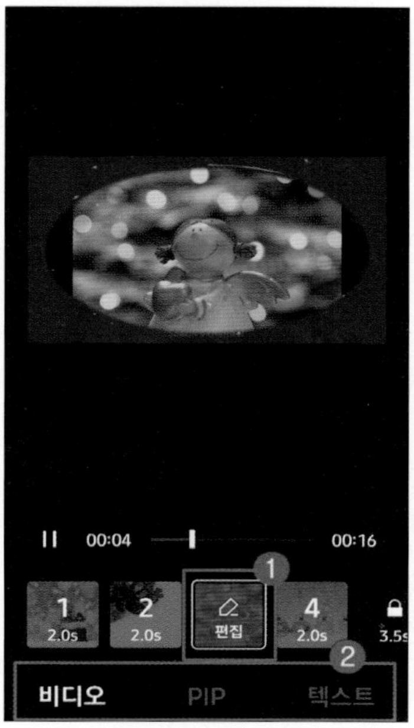

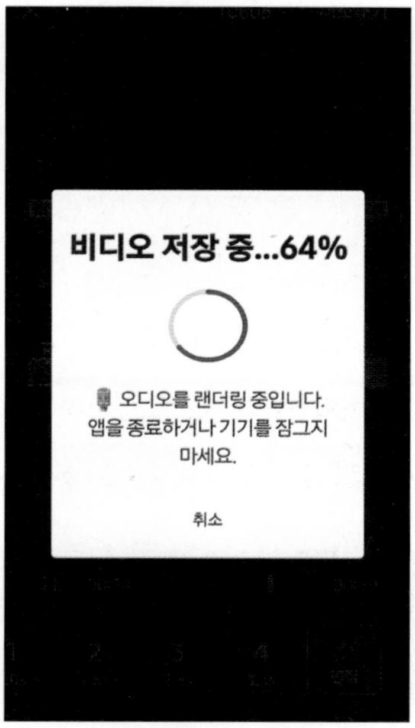

❶ ①갤러리에서 필요한 영상 개수만큼 선택합니다. ②[화살표]를 터치하여 편집화면으로 이동합니다. ❷ ①영상 클립을 선택한 후 ②[비디오, PIP, 텍스트]를 편집합니다. ❸ 화면 위쪽 [저장하기]를 터치해 저장하면 됩니다. 저장된 인트로/아웃트로 화면은 프로젝트 영상편집에서 원하는 위치에 삽입해서 사용하면 됩니다.

▶ 영상 저장하기와 비타 저작권

영상이 완성되면 내보내기를 통해 영상을 갤러리에 저장합니다.

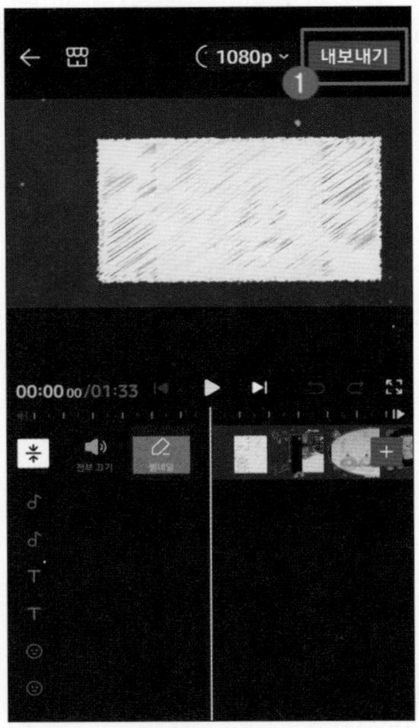

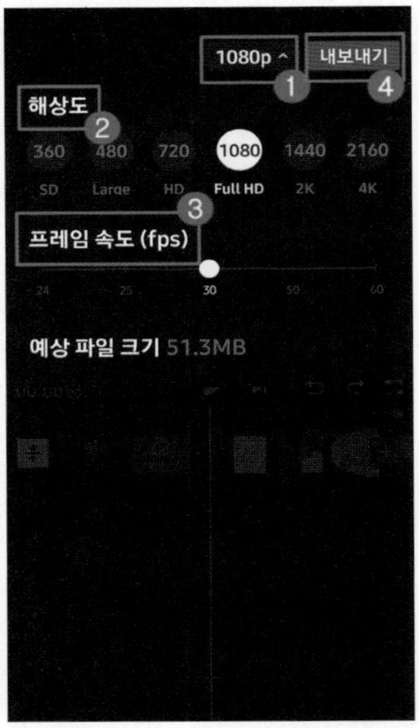

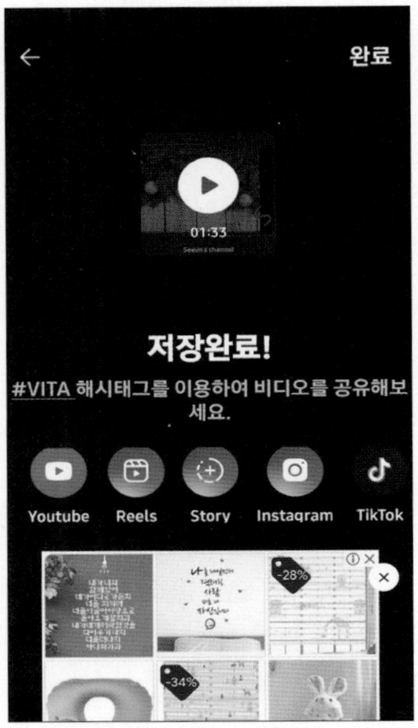

1 ①영상을 저장하기 위해서는 화면 오른쪽 위의 [내보내기]를 터치합니다. 2 ①[1080p]를 터치해 ②해상도와 ③프레임 속도를 설정합니다. 보통은 기본값인 [1080p]과 [30fps]를 사용합니다. ④마지막으로 [내보내기] 버튼을 터치하면 3 영상이 저장됩니다.

▶ 저작권 걱정 없이 비타앱 음악 사용하는 법

비타앱에 자신의 SNS 채널을 등록하고, 비타에서 편집한 영상에 비타가 제공한 음악을 사용한 경우 상업적 용도로 사용 가능합니다.
저작권 계정관리는 다음과 같이 등록하면 됩니다.

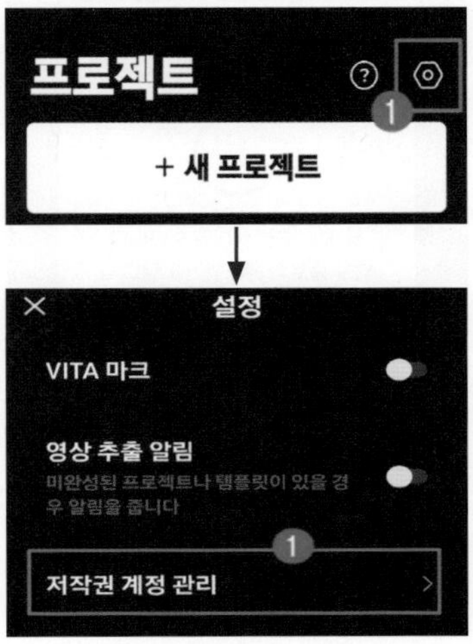

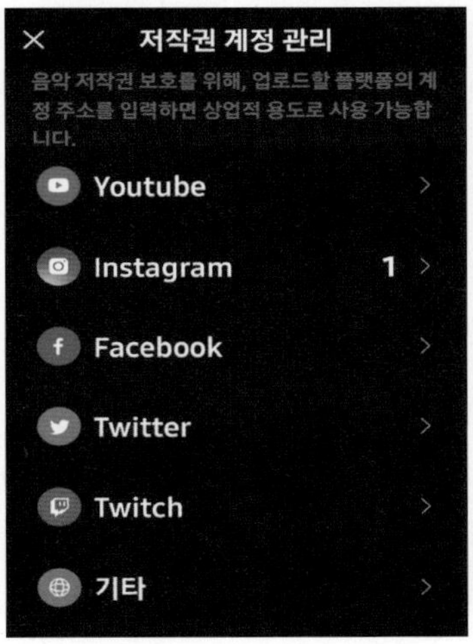

1 ①오른쪽 위 육각형을 터치하여 [설정]으로 이동합니다. ①[저작권 계정 관리]를 터치합니다.
2 해당되는 [SNS]를 터치합니다. [블로그]는 [기타]를 선택합니다. 3 ①자신의 [계정 주소]를 복사해서 입력하면 됩니다.

이미지 합성 어플 활용하기 - 포토퍼니아

위 QR코드 스캔하시면
[포토퍼니아 이미지 합성사진 만들기]
유튜브 영상을 보실 수 있습니다.
영상 보시면서 따라 하시면 더욱 쉽게
하실 수 있습니다.

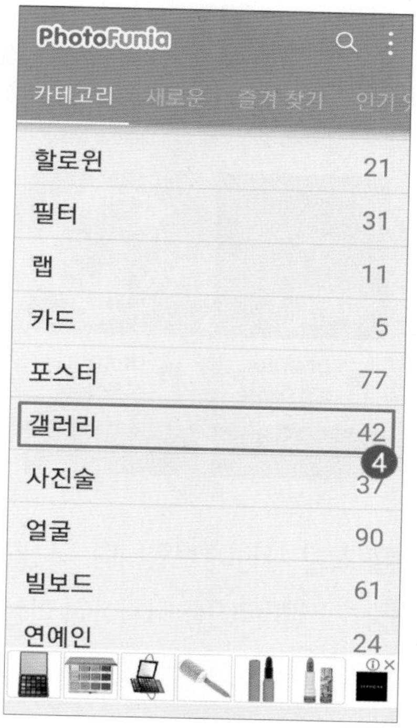

1 [Play스토어]에서 ①[**포토퍼니아**]를 검색합니다. 설치 완료 후 ②[**열기**]를 터치하여 실행합니다.

2 포토퍼니아 첫 화면에서 좌측 상단에 위치한 가이드 메뉴 중 ③[**카테고리**]를 터치합니다.

3 카테고리 화면을 위로 드래그 하여 ④[**갤러리**]를 터치합니다.

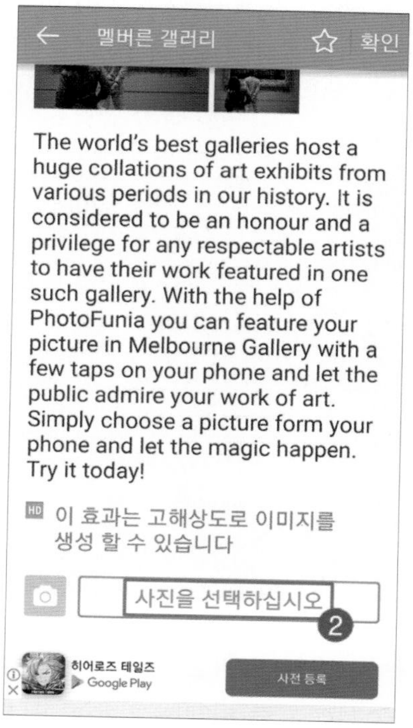

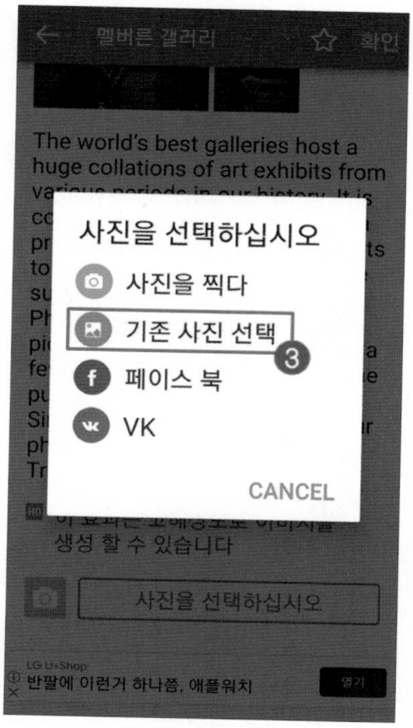

1 갤러리 효과 중 ①[**멜버른 갤러리**]를 터치합니다 2 멜버른 갤러리 화면이 나오면 ②[**사진을 선택하십시오**]를 터치합니다. 3 ③[**기존 사진 선택**]을 클릭하여 갤러리에서 합성하고 싶은 이미지를 불러옵니다.

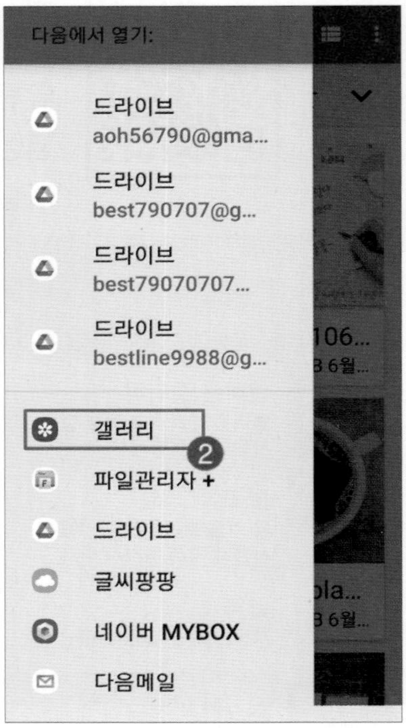

1 최근 사진이 보입니다. 더 많은 사진을 보기 위해 좌측 상단에 ①[**삼선**]아이콘을 터치합니다.

2 ②[**갤러리**]를 터치하여 합성에 필요한 사진을 가져옵니다.

3 ③[**확인**]을 터치하여 다음으로 진행합니다.

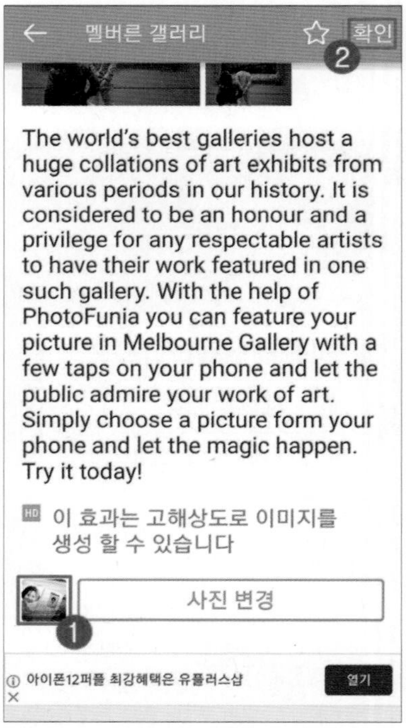

1 합성하고자 하는 사진이 ①에 첨부되었는지 확인 후 ②[**확인**]을 터치합니다. 2 ③이미지 합성을 하기 위해서 다운로드 중입니다. 3 ④사이즈를 선택하고 ⑤를 터치하면 갤러리에 저장이 됩니다. ⑥을 터치하면 다른 곳으로 공유할 수 있습니다.

사진작가들이 가장 많이 사용하는 카메라 필터 어플 - 피크닉(풍경 사진에 최적화 된 앱)

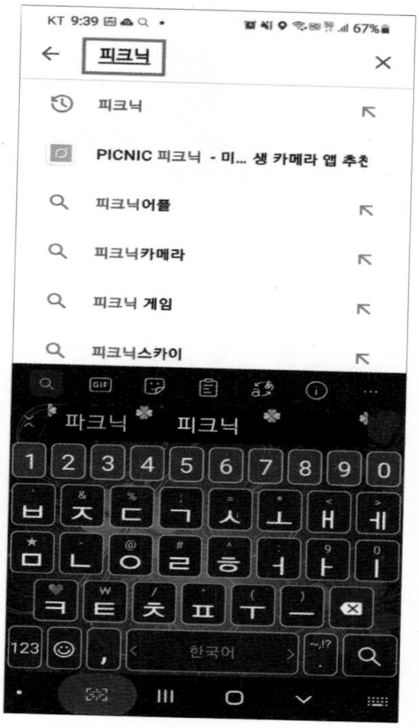

1 [피크닉] 앱을 다운받기 위해 [Play 스토어]를 터치합니다. 2 상단 검색창을 터치합니다.
3 검색창에 [피크닉]이라고 입력합니다.

1 [피크닉] 앱 설치가 완료되면 [**열기**]를 터치합니다.
2 [피크닉] 앱 화면 하단 왼쪽에 [**갤러리**]를 터치합니다. 3 액세스 [**허용**]을 터치합니다.

1 상단 [**전체 사진**]을 터치하면 자신의 스마트폰 갤러리에 있는 [**앨범**]들이 보이고 원하는 사진을 가져올 수 있습니다.

2 [**전체 사진**] 밑에 있는 사진들은 최근 사진들이 보여집니다. 하늘이 있는 사진을 한 장 선택합니다.

3 선택된 사진 밑에 카메라 필터 앱들이 보여지는데 맨 왼쪽에 [Original]로부터 오른쪽으로 5칸을 이동하면 [Alps]필터를 터치하면 흐린 하늘에 구름이 생성되는 것을 볼 수 있습니다.

CHECK 리스트

1 가져온 사진 우측 하단에 ①**[구름 아이콘]**을 터치하면 **[구름]**을 없앨 수 도 있고 만들 수 도 있습니다. ②**[아래로 화살표 아이콘]**을 터치하면 **[갤러리]**에 저장됩니다. **2** ①**[구름 아이콘]**을 터치하면 **[원형 점]**이 100에 위치하고 있는데 손가락으로 좌우로 드래그하면 구름을 없앨 수도 만들 수도 있습니다. ②**[톱니바퀴]** 아이콘을 터치하면 채도나 명도를 조절할 수 있습니다. **3** **[Night]** 필터를 선택하면 하늘에 수많은 별들이 나타납니다. 이처럼 **[피크닉]** 앱은 하늘 이미지에 다양한 필터를 적용할 수 있습니다.

CHECK 리스트

키오스크 활용하기 - 버거킹

[버거킹] 앱(App)의 활용

[특징]

- 버거킹의 다양한 메뉴를 스마트폰으로 편리하게 주문할 수 있습니다.
- 버거킹 회원이라면 별도의 가입절차 없이 바로 주문 가능합니다.
- 회원가입을 하지 않아도 비회원으로 햄버거를 주문할 수 있습니다.

(공식) 버거킹 BURGER KING®KOREA
주식회사 비케이알
설치
앱 평가하기
다른 사용자에게 의견을 들려주세요.
리뷰 작성하기
개발자 연락처
앱 정보
맛있는 버거킹을 손안에 들고 다닌다! 이제 버거킹의 다양한 메뉴를 스마트폰으로 편리하게 주문해 보세요.

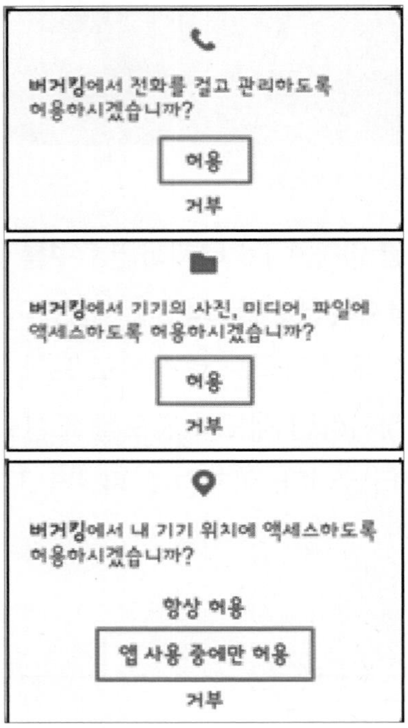
버거킹에서 전화를 걸고 관리하도록 허용하시겠습니까?
허용
거부
버거킹에서 기기의 사진, 미디어, 파일에 액세스하도록 허용하시겠습니까?
허용
거부
버거킹에서 내 기기 위치에 액세스하도록 허용하시겠습니까?
항상 허용
앱 사용 중에만 허용
거부

BURGER KING
광고성 푸시알림 동의
버거킹의 쿠폰, 할인 이벤트, 신상품 출시등의 소식을 푸시알림으로 안내해 드립니다.
광고성 푸시알림 수신에 동의 합니다.
동의함
동의하지않음

1 구글 [Play 스토어]에서 버거킹 앱을 설치한 후 [**열기**] 해줍니다. 2 접근권한을 [**허용**]해 줍니다. 3 광고 알림이 오는 광고성 푸시알림은 [**동의하지않음**]으로 터치하셔도 무관합니다.

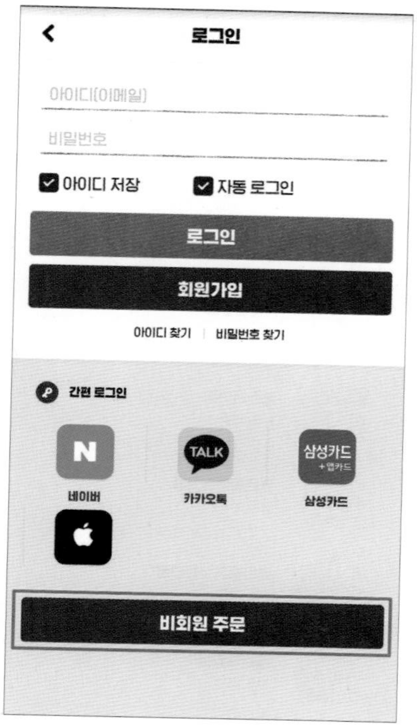

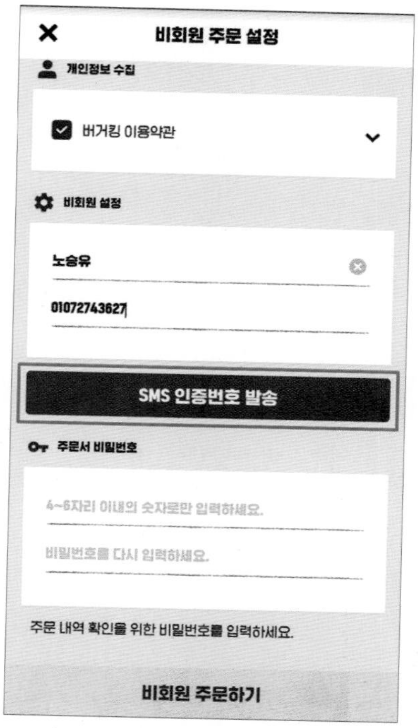

1 스마트폰으로 주문하고 매장에서 픽업하는 킹오더를 주문해 보겠습니다. [**킹오더**]를 터치합니다.

2 하단의 [**비회원 주문**]을 터치합니다.

3 버거킹 이용약관에 체크하고 이름과 전화번호 입력 후 [**SMS 인증번호 발송**]을 터치합니다.

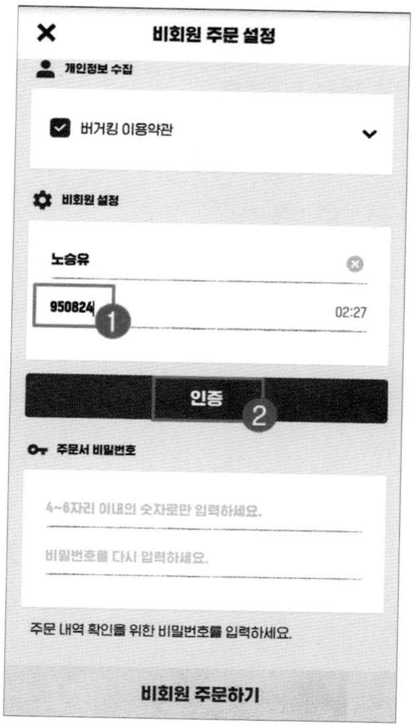

1 ①메시지로 인증번호가 발송되면 휴대번호 입력했던 자리에 인증번호를 입력합니다. ②[**인증**]을 터치합니다. 2 ①임의의 비밀번호 4자리 이상을 입력합니다. ②[**비회원 주문하기**]를 터치합니다. 3 킹오더를 다시 한번 터치하고 킹오더 주문 후 버거를 찾아갈 매장을 터치합니다.

1 [**매장 선택하기**]를 터치합니다.

2 [**킹오더**] 메뉴에서 [**프리미엄**] 카테고리에서 [**통새우와퍼**]를 선택해 보겠습니다.

3 통새우와퍼 라지세트, 세트, 단품 중에 통새우와퍼 단품을 구매해 보도록 하겠습니다. [**통새우와퍼 단품**]을 터치합니다.

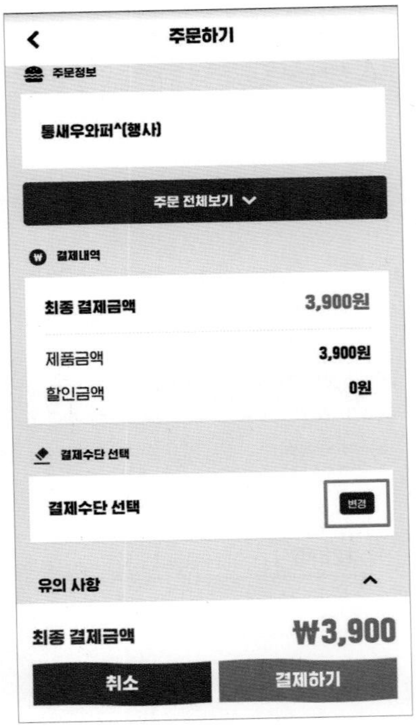

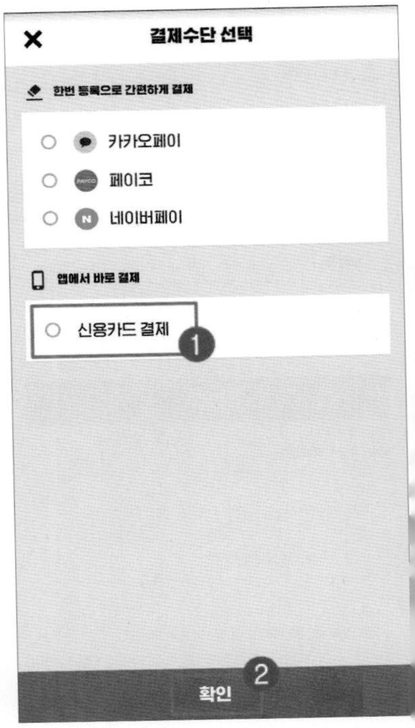

1 [**킹오더 카트**]에 버거가 담기고 [**메뉴 추가 ✚**]를 터치하면 메뉴를 더 추가할 수 있습니다. 추가할 메뉴가 없다면 [**주문하기**]를 터치합니다. 2 결제수단 변경을 위해 결제수단 선택에서 [**변경**]을 터치합니다. 3 ①[**신용카드 결제**]를 선택하고 ②[**확인**]을 터치합니다.

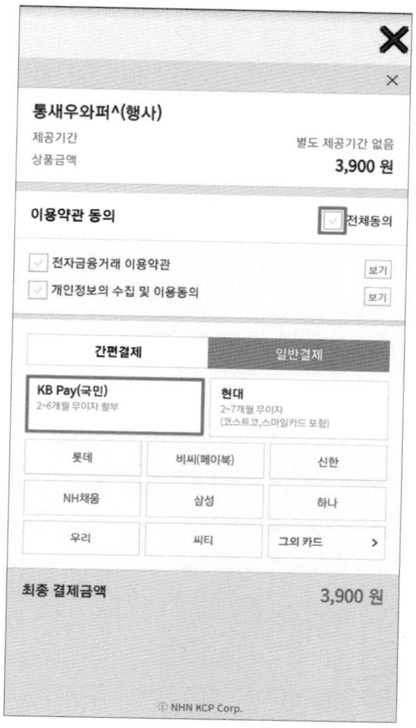

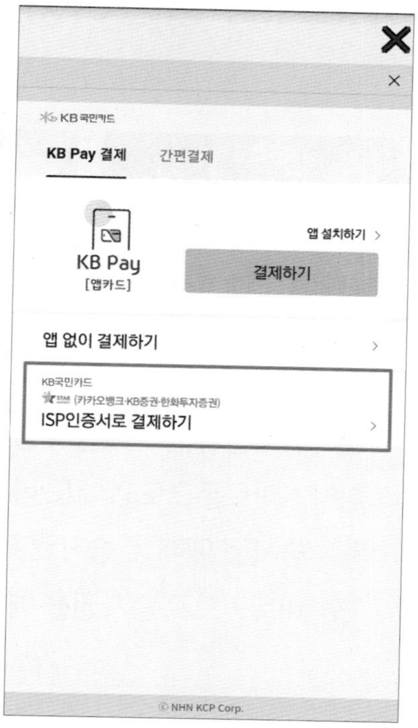

1 이용약관 전체동의를 체크하고 일반결제에서 국민카드를 선택해 보겠습니다.

2 할부를 선택하고 하단의 [**다음**]을 터치합니다.

3 [**ISP인증서로 결제하기**]를 진행해 보도록 하겠습니다.

* kb 국민카드 간편결제에서 카드번호를 입력하고 ARS 결제를 진행할 수도 있습니다.

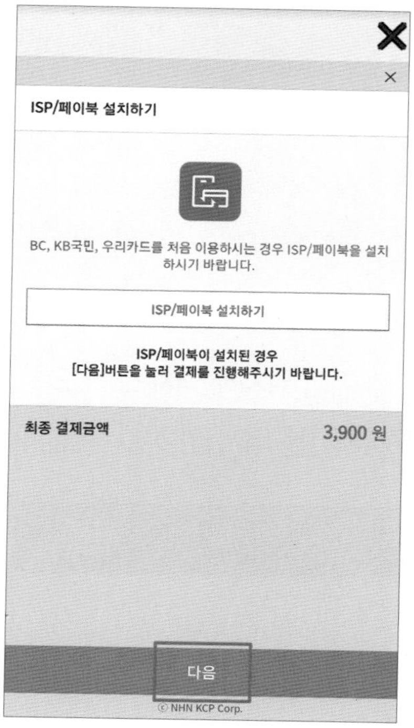

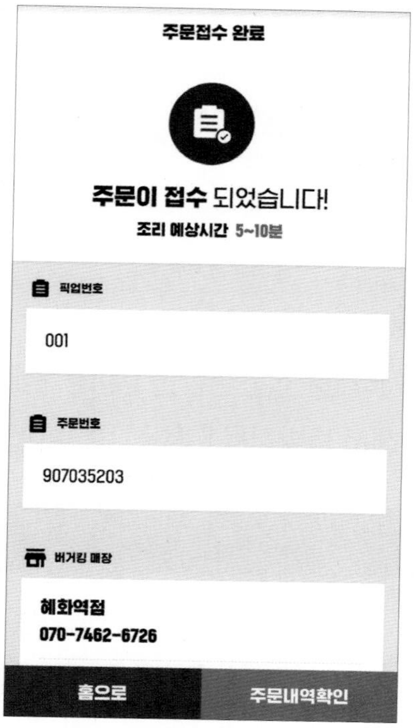

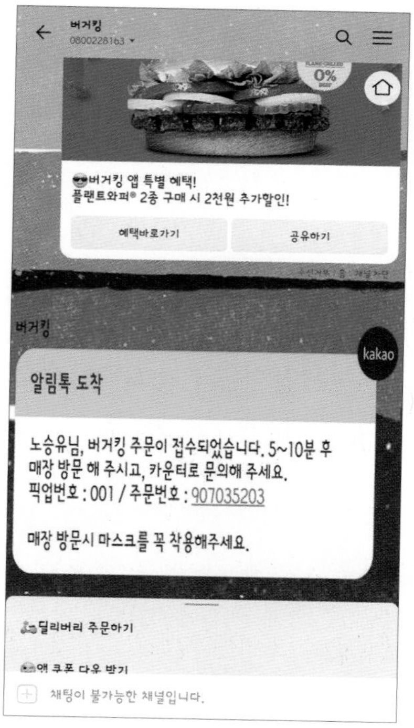

1 ISP/페이북이 설치되어있다면 [**다음**]을 터치합니다. 2 결제가 진행되고 주문이 완료되었습니다.

3 카카오톡으로 주문접수 완료 메시지가 오고 픽업번호와 주문번호가 발송된 것을 확인할 수 있습니다.

키오스크 활용하기 - 코레일톡

다운로드하기 Google Play

Download on the App Store

[코레일톡] 앱(App)의 활용

[특징]

- 코레일톡은 코레일의 승차권 예약 앱 입니다.
- 스마트폰으로 예매도 바로 하고 확인도 빠르게 할 수 있습니다.
- 승차권 예매 및 승차권 확인이 가능합니다.
- 비회원으로 승차권을 예매할 수 있습니다

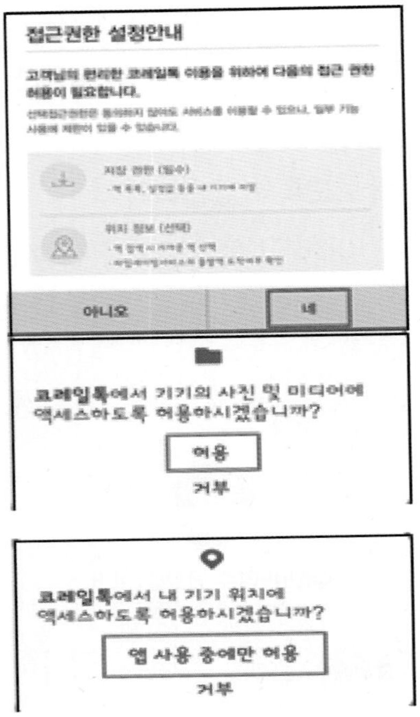

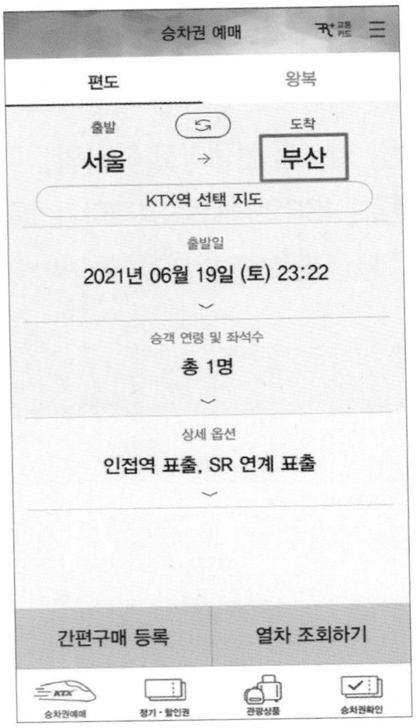

❶ 코레일 앱을 [**설치**]하고 열어줍니다. ❷ 접근권한을 [**허용**]해 주고 내 기기 위치에 엑세스 하도록 [**허용**]해 줍니다. ❸ 출발지를 터치해서 출발지를 [**서울**]로 정하고 [**도착지**]를 터치합니다.

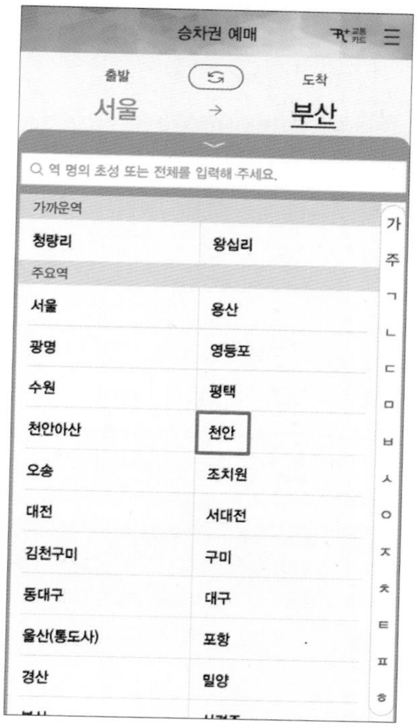

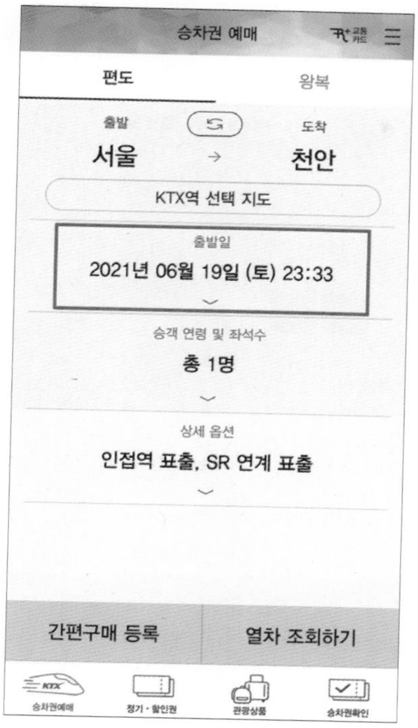

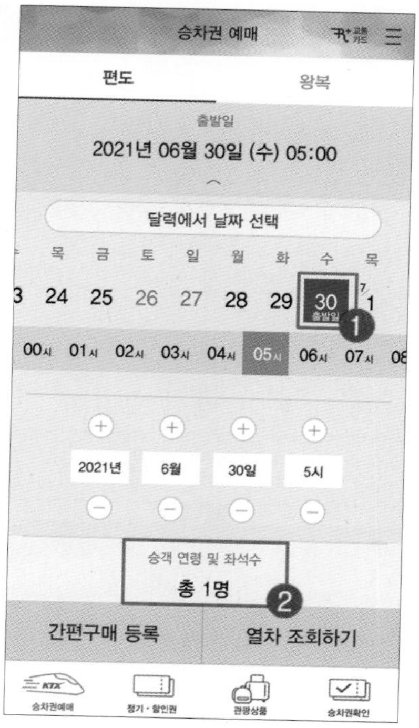

1 도착지를 [**천안**]으로 선택해서 상단에 도착지가 바뀌었는지 확인합니다.

2 [**출발일**]을 터치합니다.

3 출발할 날짜를 터치하고 [**승객 연령 및 좌석수**]를 터치해서 탑승할 인원수를 선택합니다.

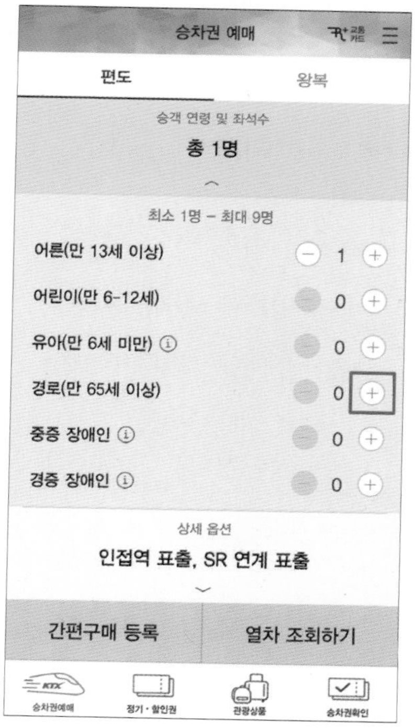

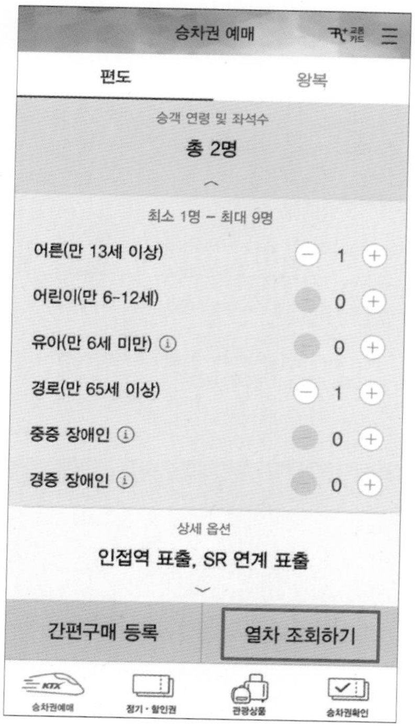

1 어른 1명과 경로우대 [✚]를 터치해서 경로우대 1명을 추가합니다.

2 [**열차 조회하기**]를 터치합니다.

3 ITX-새마을 06시 16분 열차 일반실을 선택하겠습니다. [**일반실**]의 운임요금을 터치합니다.

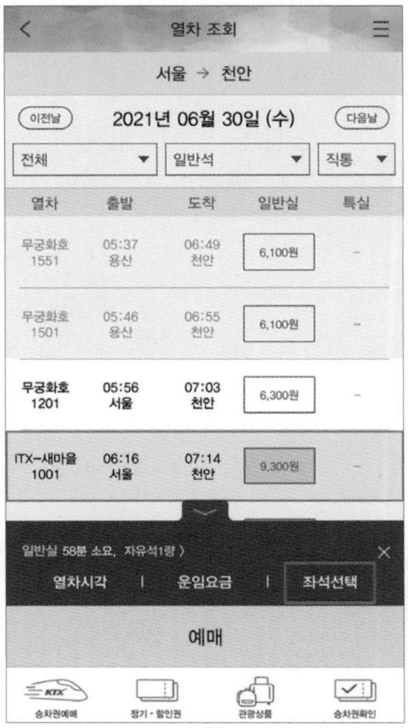

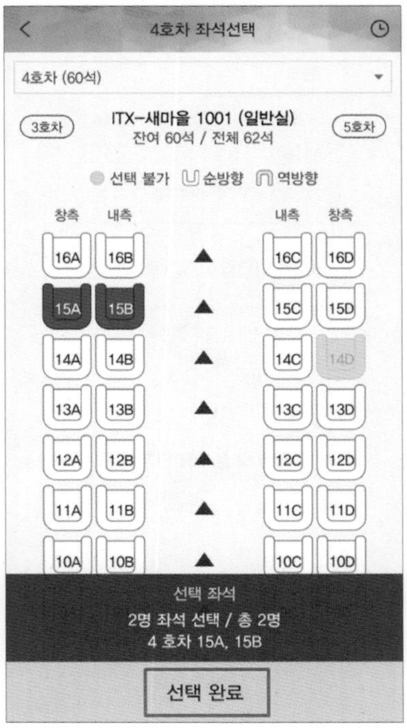

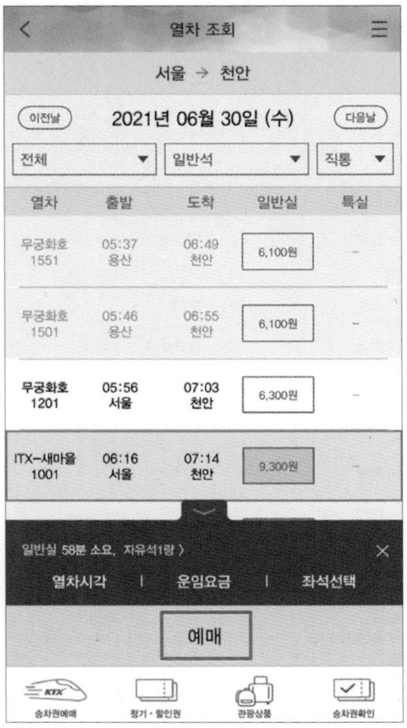

1 [**좌석선택**]을 터치합니다. 2 15A, 15B 두 좌석을 선택하고 [**선택 완료**]를 터치합니다.
3 [**예매**]를 터치합니다.

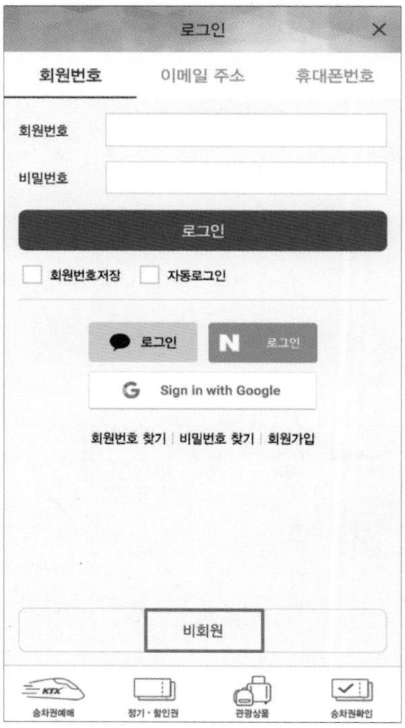

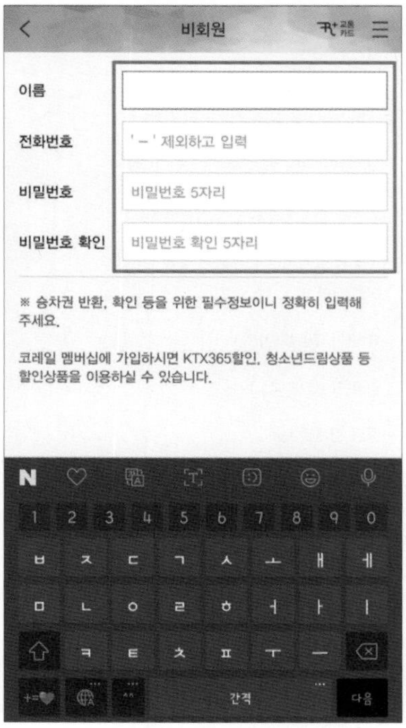

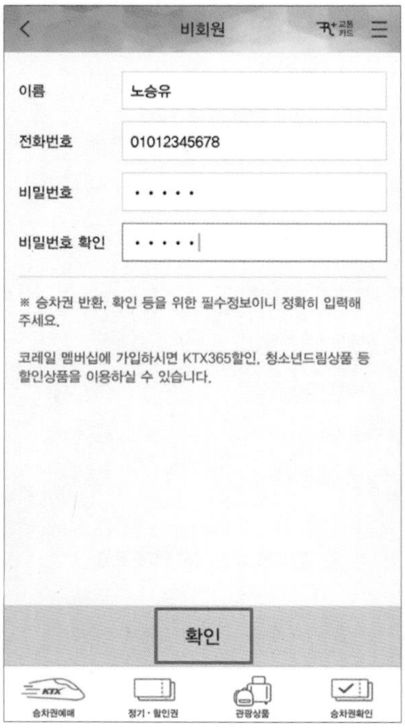

1 회원가입이 되어있지 않으면 비회원으로 열차표를 예매할 수 있습니다. [**비회원**]을 터치합니다.
2 이름, 전화번호, 임이의 비밀번호 5자리를 입력하고 똑같은 비밀번호 5자리를 입력합니다.
3 입력이 완료 되었으면 [**확인**]을 터치합니다.

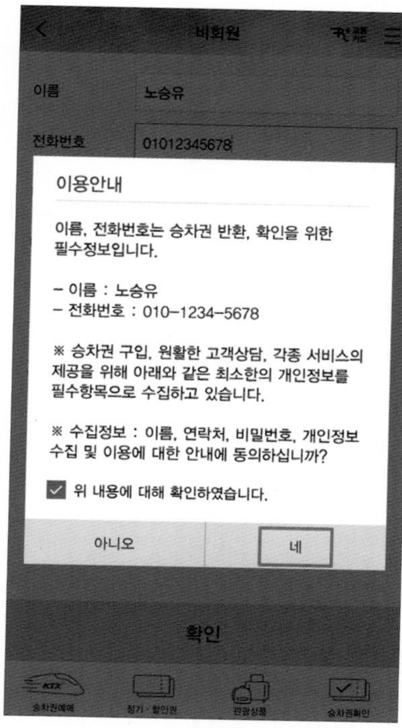

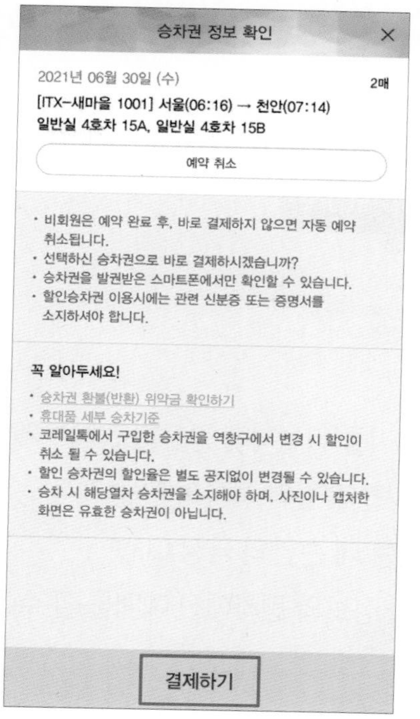

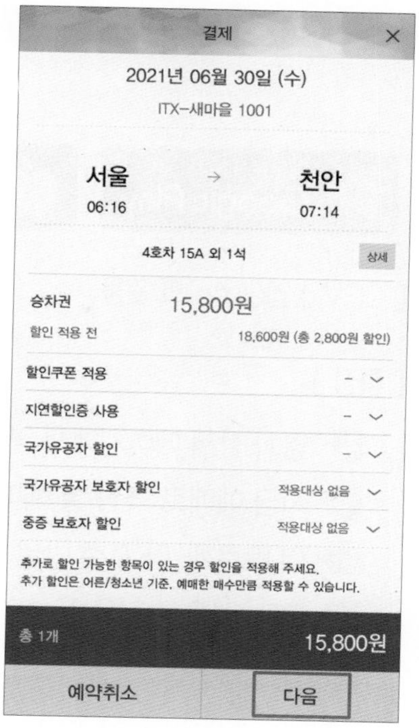

1 승차권 반환이나 확인을 위한 필수정보를 다시 확인하고 [**네**]를 터치합니다.

2 예매 승차권을 확인하고 [**결제하기**]를 터치합니다.

3 승차권 요금을 확인하고 [**다음**]을 터치합니다.

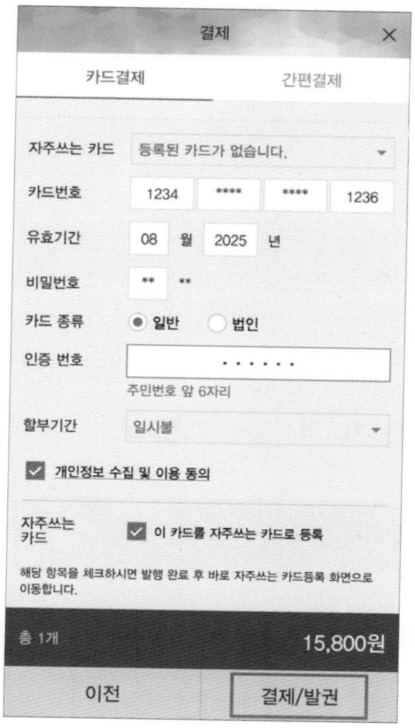

1 카드결제 화면에서 카드번호, 유효기간, 비밀번호, 주민번호 앞6자리를 입력하고 개인정보 수집 및 이용 동의를 해주고 [**결제/발권**]을 터치합니다. 2 캡처한 승차권은 사용할 수 없고 부가운임이 발생될 수도 있습니다. 3 운임영수증 [**QR코드**]를 터치하면 영수증을 확인 할 수 있습니다.

키오스크 활용하기 - 영화티켓 예매하기

[CGV] 앱(App)의 활용

[특징]

- 영화 상세 페이지에서 영화 후기를 생생하게 공유하고 빠르게 예매 할 수 있습니다.
- 지금 예매로 극장 별 예매와 시간대 필터 적용이 한 번에 가능합니다.
- 더 빠르게, 더 자주 만날 수 있는 내 손안의 극장 CGV
- CGV 앱으로 더욱 풍부한 영화 정보와 편리해진 예매를 할 수 있습니다.

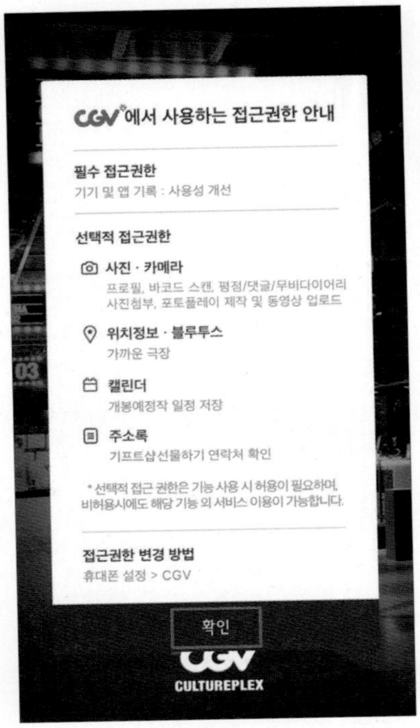

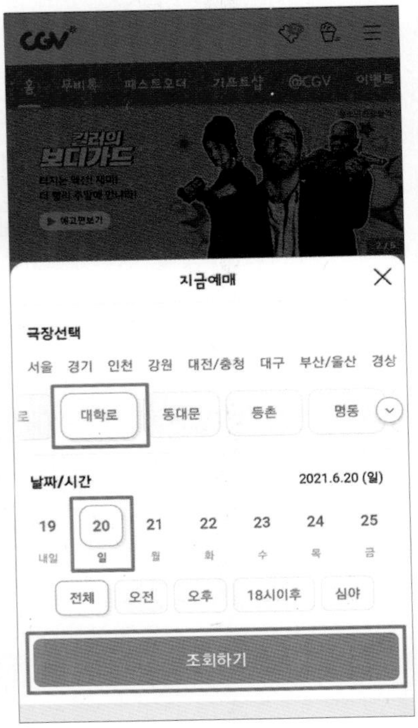

1 CGV 앱을 설치하고 열어줍니다. 필수 접근권한의 **[확인]**을 터치합니다. **2** 우측하단의 **[지금예매]**를 터치합니다. **3** 자주가는 극장을 선택하고 영화를 볼 날짜를 선택한 후 **[조회하기]**를 터치합니다.

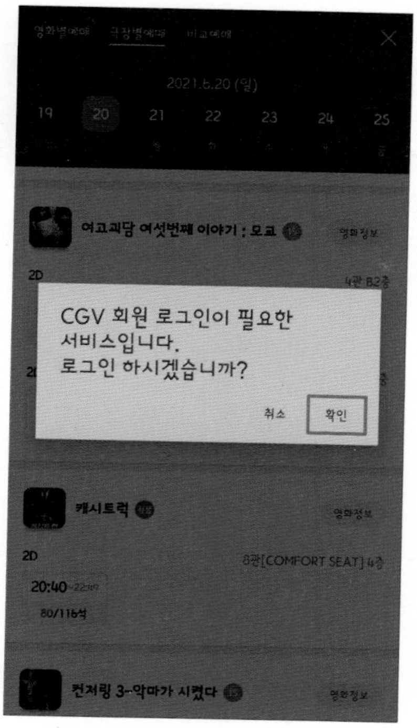

1 상영되는 영화시간을 확인하고 상영시간을 터치합니다. 상영시간 아래쪽에 좌석수도 표시되어 있습니다.

2 CGV 회원 로그인이 필요한 서비스입니다. [**확인**]을 터치합니다.

3 회원가입을 했다면 ID와 비밀번호를 입력하고 아니라면 [**비회원 예매하기**]를 터치합니다.

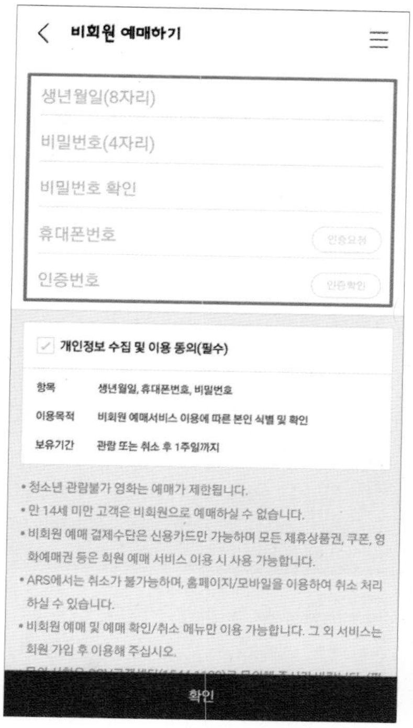

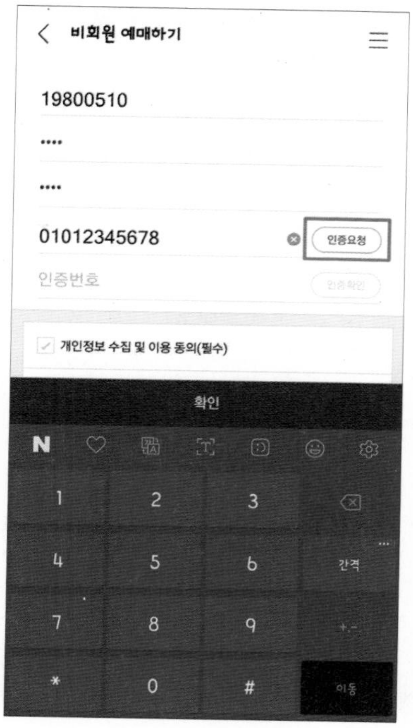

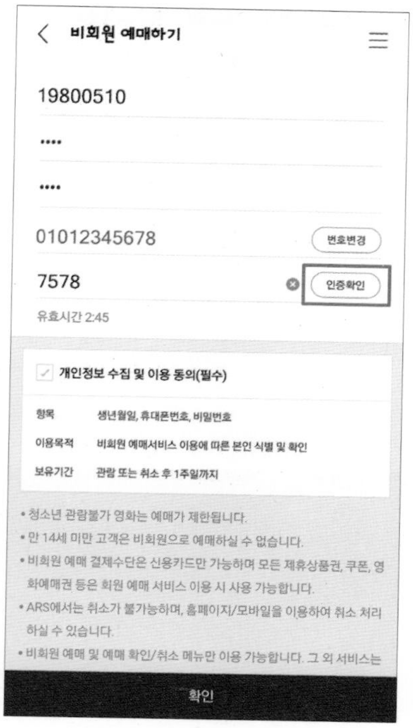

1 생년월일 8자리, 임의의 비밀번호 4자리, 같은 비밀번호로 한 번 더 입력합니다.

2 휴대폰번호를 입력하고 [**인증요청**]을 터치합니다.

3 인증번호를 입력하고 [**인증확인**]을 터치합니다.

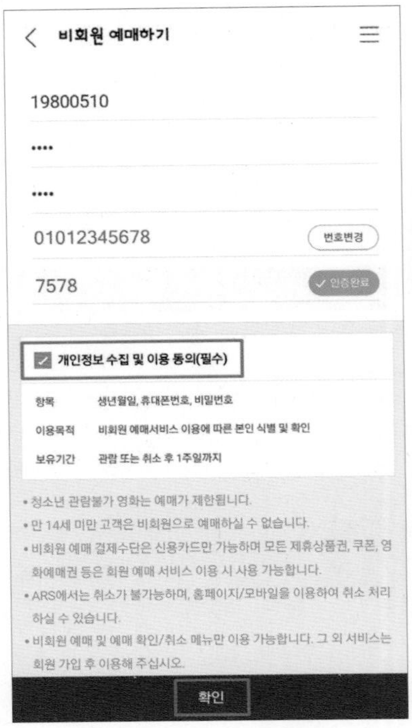

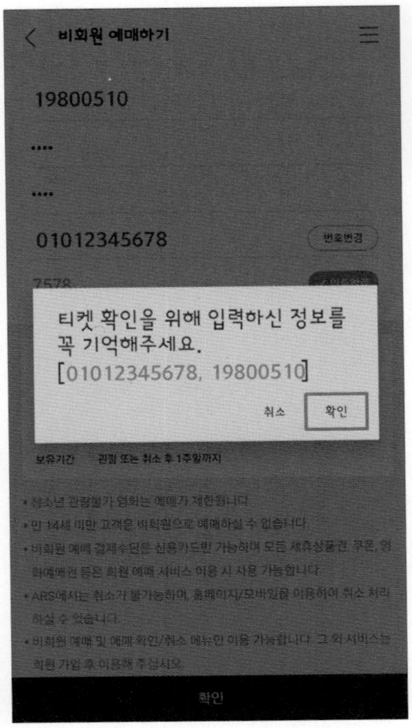

1 개인정보 수집 및 이용동의에 체크를 하고 [**확인**]을 터치합니다.

2 티켓 확인을 위한 정보를 다시한번 확인하고 [**확인**]을 터치합니다.

3 인증절차가 끝난 후 화면 하단에 [**인원선택**]을 터치합니다.

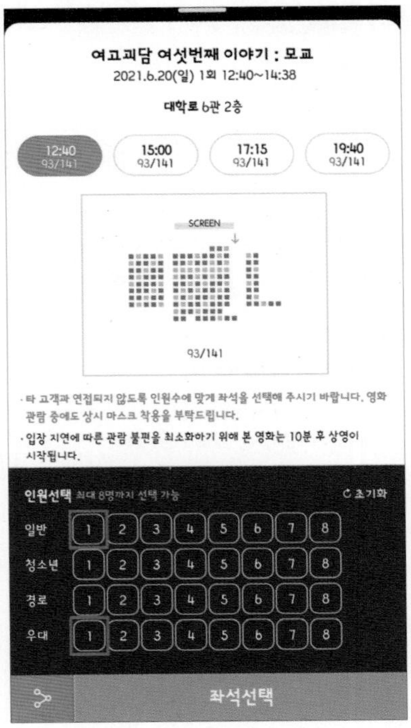

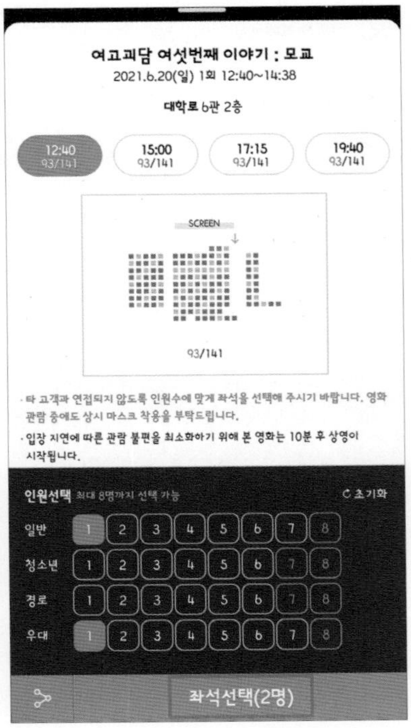

1 영화를 볼 인원수를 터치합니다.

2 하단의 [**좌석선택**]을 터치합니다.

3 H12, H13 좌석을 선택하고 [**결제하기**]를 터치합니다.

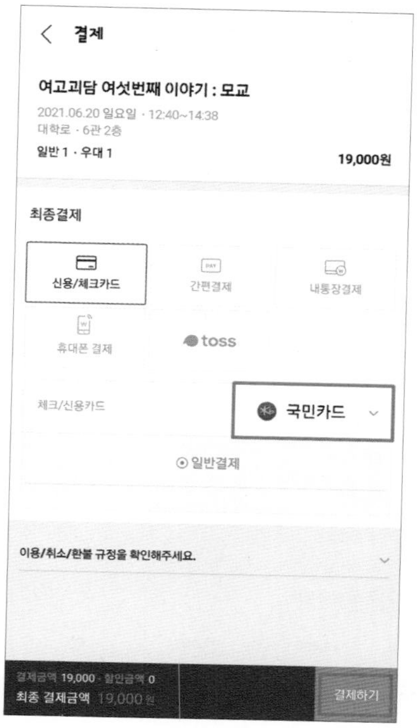

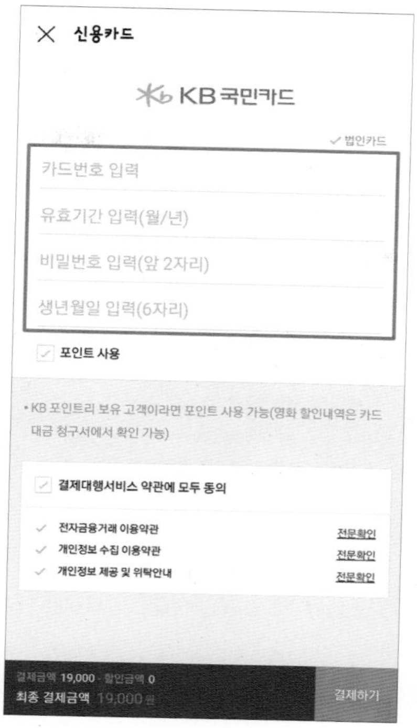

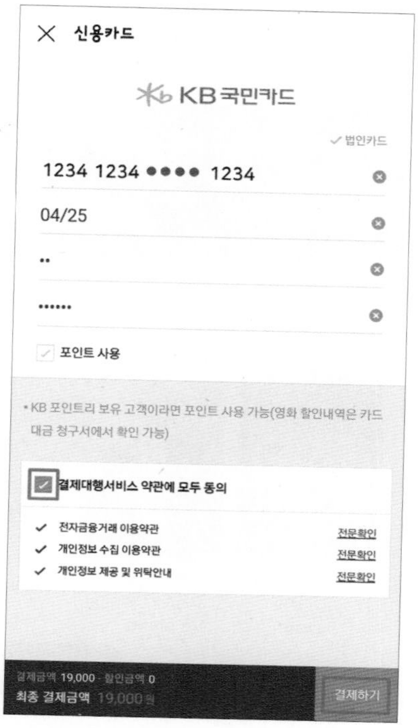

1 신용/체크카드에서 **[카드]**를 선택합니다. 국민카드를 선택해 보겠습니다.

2 카드번호와 유효기간, 비밀번호 앞 2자리, 생년월일 6자리를 입력합니다.

3 약관에 동의를 하고 하단의 **[결제하기]**를 터치합니다.

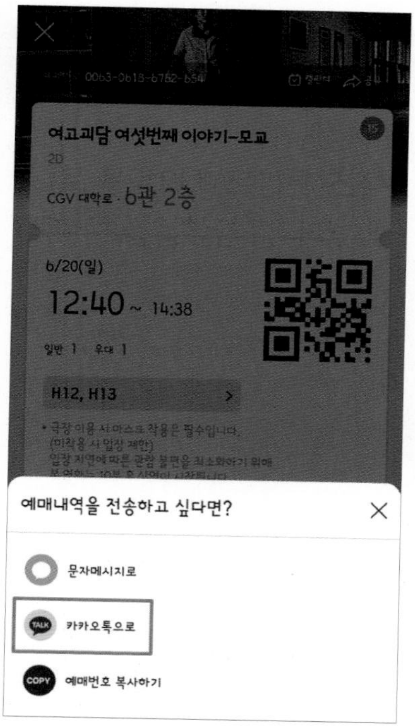

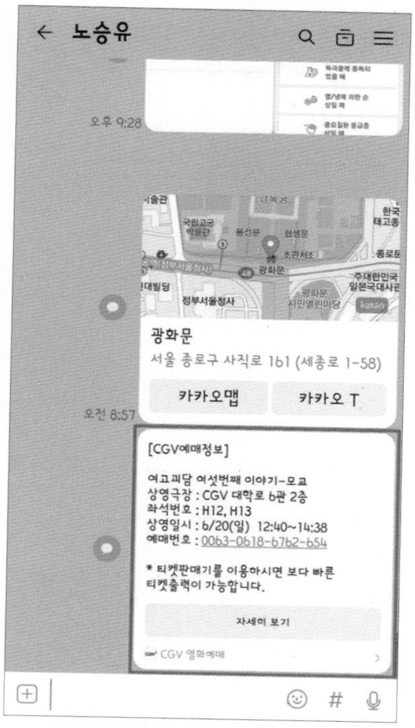

1 영화티켓 예매가 완료되고 예매티켓을 확인할 수 있습니다. 우측상단의 **[공유]**를 터치하면 티켓을 공유할 수 있습니다. 2 카카오톡으로 공유해 보겠습니다. 3 카카오톡에 예매번호가 공유된 걸 확인할 수 있습니다.

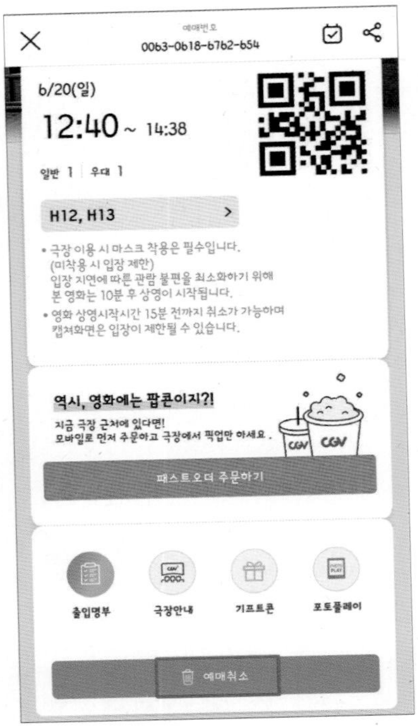

1 영화티켓을 예매한 후 CGV 앱 첫화면 상단에 예매티켓이 표시되어 있는 것을 확인할 수 있습니다. 스마트폰을 흔들어서 확인할 수도 있습니다.

2 예매티켓 취소를 원하시면 티켓 제일 하단에서 [**예매취소**]가 가능합니다. [**예매취소**]를 터치합니다.

3 예매티켓이 취소되고 카드취소가 되며 환불처리 된 것을 확인할 수 있습니다.

CHECK 리스트

키오스크 활용하기 - 응급의료정보제공

다운로드하기 Google Play | Download on the App Store | E-GEN

[응급의료정보제공] 앱(App)의 활용

[특징]

- 병원안내, 약국안내, 진료병원, 명절(설, 추석) 병원/약국, 연휴병원/약국, 응급처치, 자동심장충격기 등 정보를 제공합니다.
- 보건복지부는 응급의료 수요증가 및 급변하는 IT(정보기술) 환경에 부응하기 위하여 스마트폰을 이용한 응급의료 관련 정보제공을 시작합니다.

[장점]

- 지도를 중심으로 실시간 진료 가능한 병원을 찾을 수 있습니다.
- 즐겨찾기로 자주 가는 병의원 및 약국을 모아볼 수 있습니다.
- 야간/주말 진료 가능한 병의원 및 약국을 찾을 수 있습니다.
- 명절 응급의료기관(휴일지킴이 약국) 찾기를 할 수 있습니다.

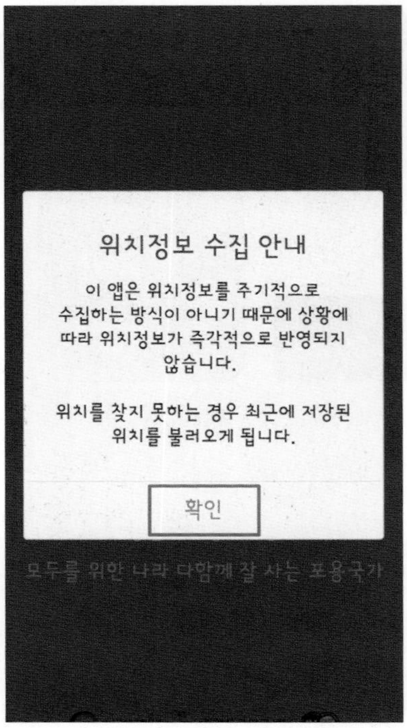

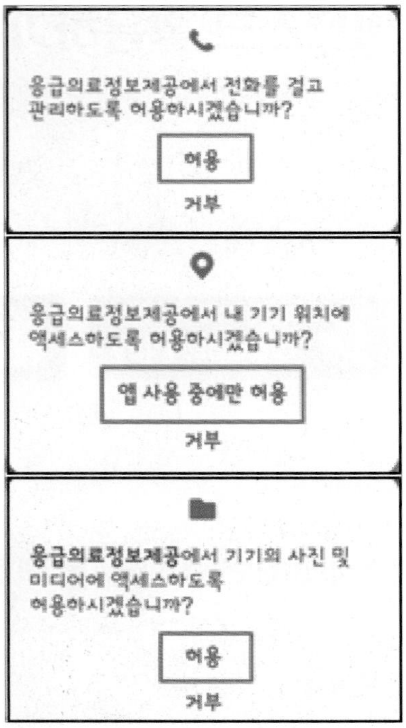

1 구글 [Play 스토어]에서 [**응급의료정보제공**]을 설치한 후 열기 해주시고 3G/LTE 알림 [**확인**]을 터치합니다. 2 위치정보 수집 안내 [**확인**]을 터치합니다.

3 응급의료정보제공 앱 사용을 위한 권한을 [**허용**] 해줍니다.

1 하단 옵션 메뉴에서 [**병의원**]을 터치합니다.

2 상단의 검색창에서 병의원을 검색할 수도 있습니다.

3 진료중인 병의원 터치하면 더 상세한 정보를 볼 수 있습니다. [**혜화가정의원**]을 터치합니다.

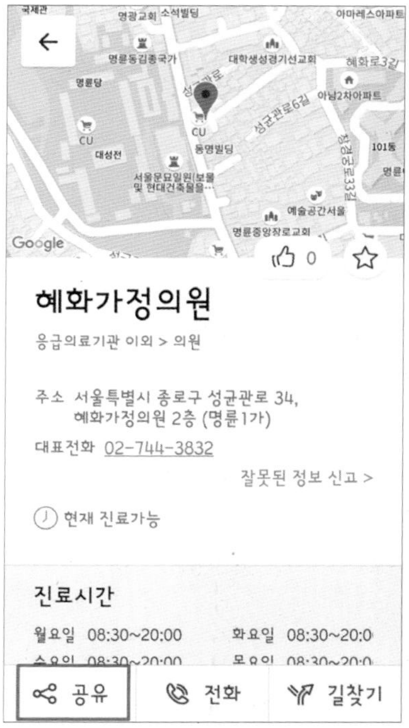

1 좌측 하단의 [**공유**] 메뉴를 터치합니다.

2 카카오톡이나 페이스북으로 공유할 수 있습니다.

3 하단 중앙에 있는 [**전화**] 메뉴를 터치합니다.

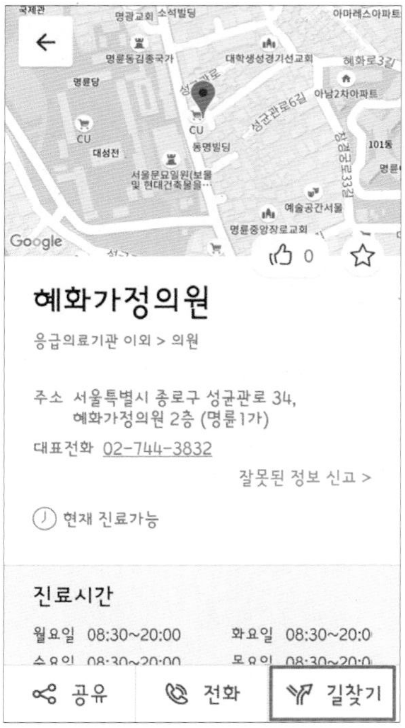

1 병원으로 바로 전화를 걸 수 있습니다.

2 우측 하단의 [**길찾기**] 메뉴를 터치합니다.

3 카카오맵으로 연결이 되고 병원까지 찾아가는 경로를 보여줍니다.

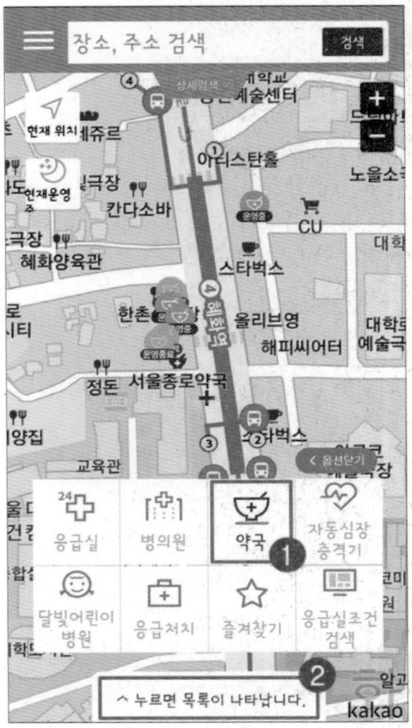

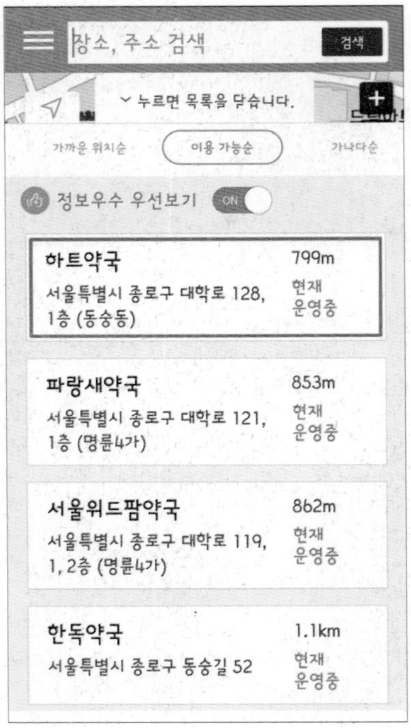

❶ ①하단 옵션 메뉴에서 **[약국]**을 터치합니다. ②**[누르면 목록이 나타납니다]**를 터치하면 약국목록을 볼 수 있습니다. ❷ 운영중인 약국을 터치합니다.

❸ 약국에 대한 정보가 뜨고 하단메뉴를 사용해서 **[공유]**, **[전화]**, **[길찾기]** 정보를 이용할 수 있습니다.

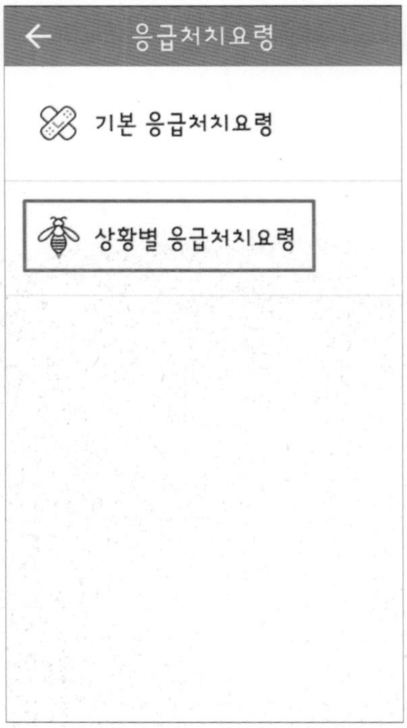

❶ 하단 옵션메뉴에서 **[응급처치]**를 터치합니다.

❷ **[상황별 응급처치요령]**을 터치합니다.

❸ 상황별 응급처치에 대한 정보를 열람할 수 있습니다.

키오스크 활용하기 - 카카오택시

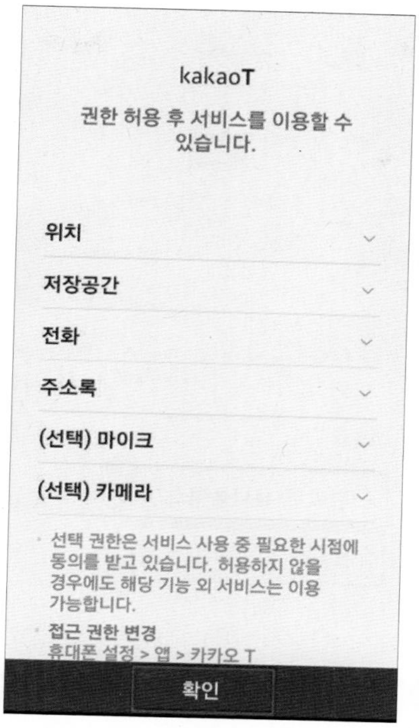

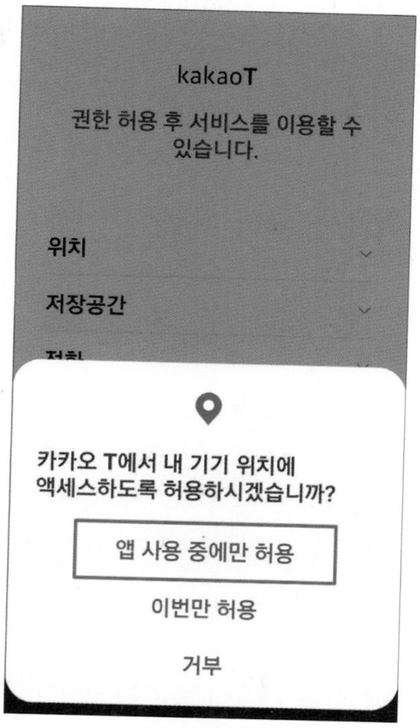

1 ①Play스토어 검색창에 [**카카오 T**]를 검색합니다. ②설치 후 [**열기**]를 터치합니다.

2 서비스 이용 권한 허용에 [**확인**]을 터치하여 진행합니다.

3 서비스 이용 권한 설정을 위해 3번의 [**허용**]을 터치하여 진행합니다.

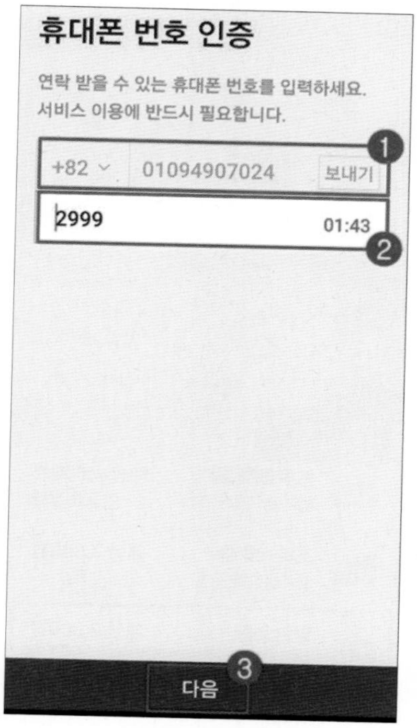

1 [**카카오계정으로 시작하기**]를 터치합니다. 2 [**확인**]을 터치합니다.

3 ①휴대폰 인증을 위해 전화번호를 입력 후 [**보내기**]를 터치합니다. ②문자로 전송된 [**인증번호**]를 입력합니다. ③[**다음**]을 터치합니다.

1 인증 절차가 끝났습니다. 카카오 T 첫 화면입니다. [**택시**]를 터치합니다. 2 ①위치 정보에 허용하였기에 [**현재 위치**]가 보입니다. ②[**어디로 갈까요?**]를 터치합니다. 3 ①[**도착지 주소**]를 입력합니다. ②정확한 주소를 확인 후 [**도착**]을 터치합니다

1 [**일반호출**]을 터치합니다. 2 ①중형 차와 대형 차를 선택할 수 있습니다. ②택시비 지불할 카드를 등록할 수 있습니다. ③본인 승차가 아닐 경우 연락처를 선택할 수 있습니다. ④[**호출하기**]를 터치합니다. 3 가장 가까운 거리에 있는 기사에게 요청이 되고 호출이 정상적으로 접수되면 기사님의 현재 위치, 도착 시간, 차량번호까지 확인할 수 있습니다.

키오스크 활용하기 - 배달(배민 등)

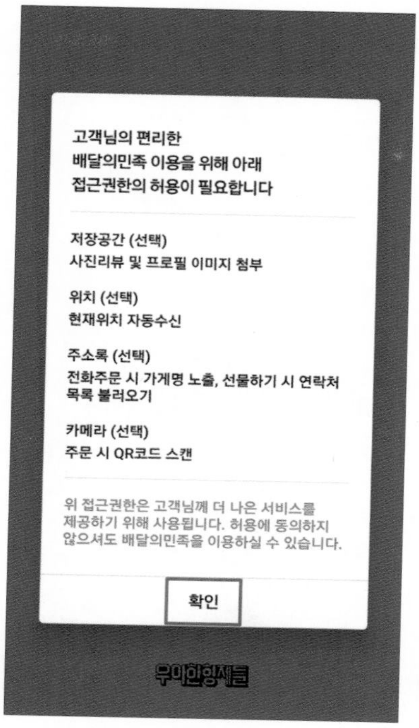

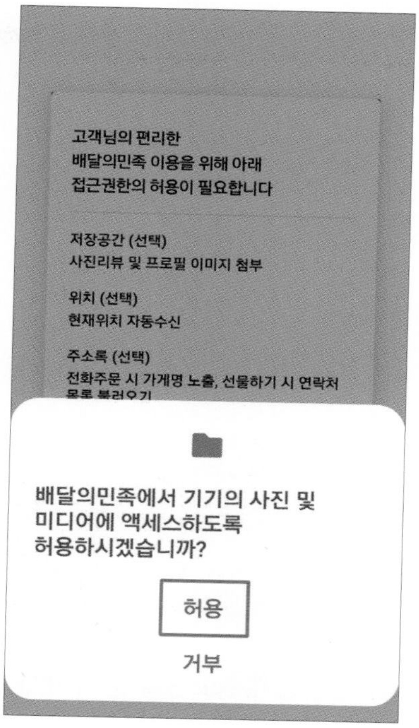

1 ①Play 스토어에서 **[배달의민족]**을 검색하여 설치 후 ②**[열기]**를 터치합니다.

2 권한 허용에 대한 안내가 보이고 **[확인]**을 터치합니다.

3 **[허용]**을 터치하여 진행합니다.

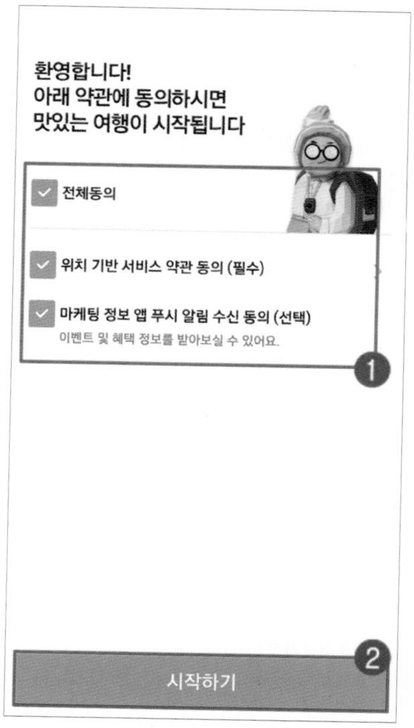

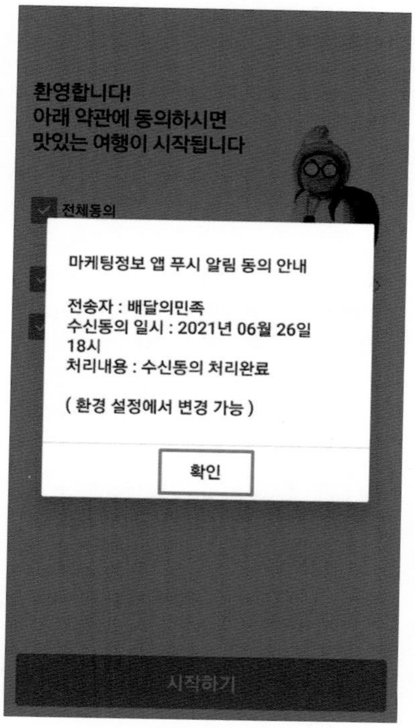

1 ①약관에 **[전체동의]**를 체크합니다. ②**[시작하기]**를 터치합니다.

2 **[확인]**을 터치하여 진행합니다.

3 ①주소를 검색합니다. ②배달 받을 주소를 선택합니다.

1 ①[**상세주소**]를 정확하게 입력 후 ②[**완료**]를 터치합니다.

2 메인화면에서 [**배달**]을 터치합니다.

3 ①음식 카테고리에서 ②원하는 메뉴를 선택합니다.

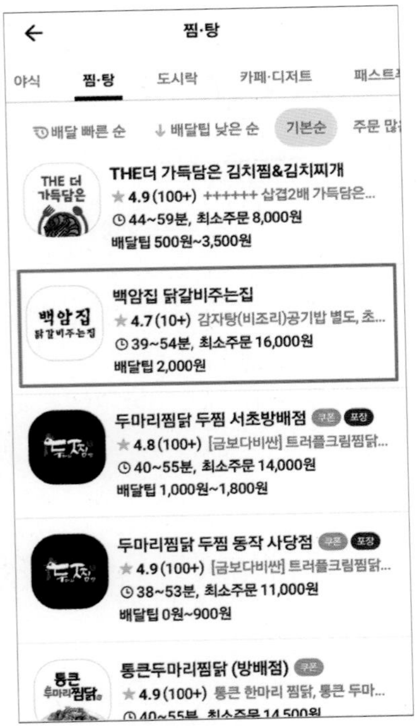

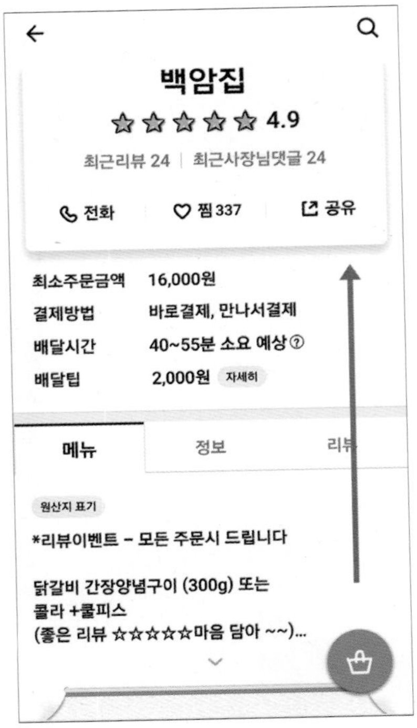

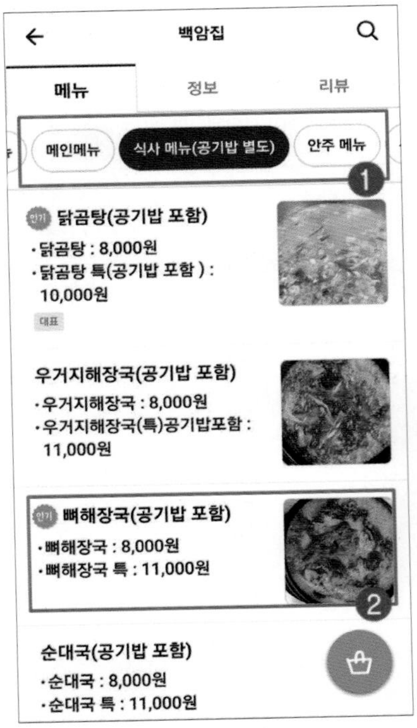

1 화면에 노출되는 배달 음식점은 입력한 주소에 맞춰 갱신됩니다. 음식점을 선택합니다.

2 음식점을 터치하여 화면을 드래그해서 메뉴를 확인합니다.

3 ①선택한 배달 음식점의 메뉴를 분류하여 빠르게 검색할 수 있습니다. ②원하는 음식을 선택합니다.

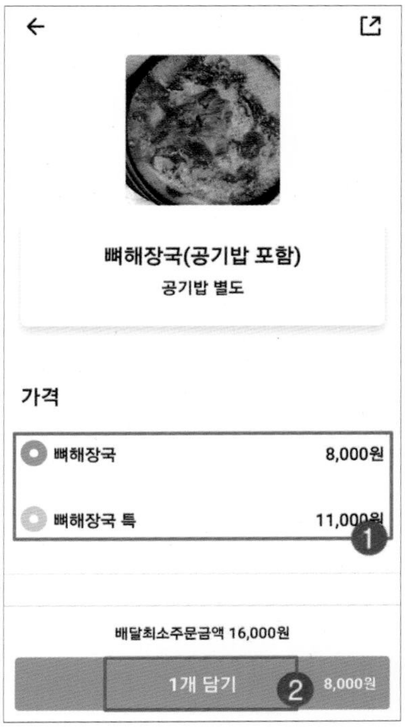

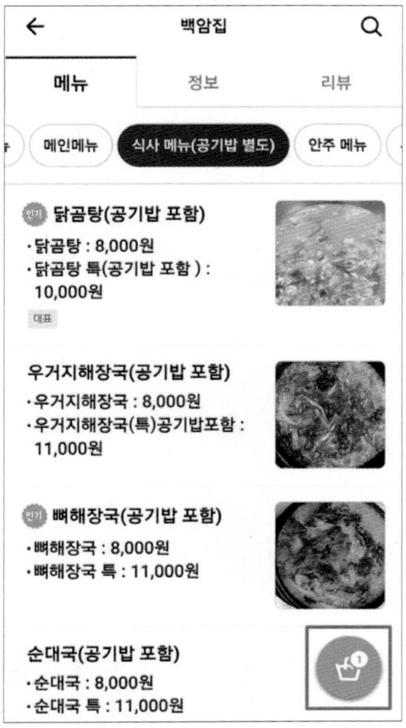

1 ①선택한 음식에 따라 조금씩은 다르지만 음식의 양이나 기호를 선택할 수 있는 화면입니다. ②1개 담기를 선택하여 음식을 장바구니에 담아주세요. 2 선택한 음식이 장바구니에 담겨 1 표시가 생긴 걸 확인할 수 있습니다. 3 추가 음식을 장바구니에 담을 수 있습니다.

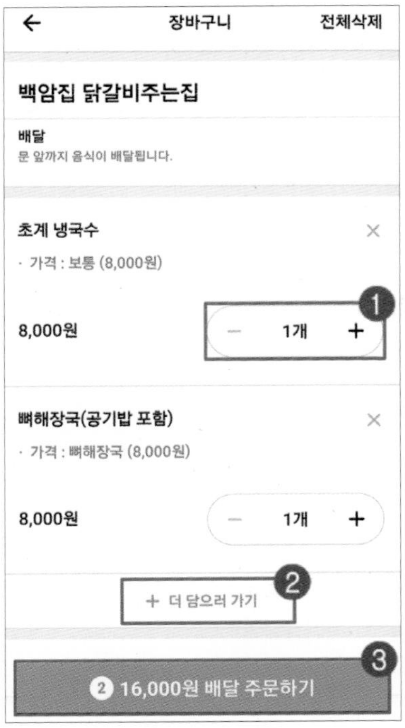

1 장바구니 아이콘을 터치합니다. 2 ①선택한 음식의 개수를 바꿀 수 있습니다. ②추가할 음식이 있다면 [✚ 더 담으러 가기]를 선택하여 진행합니다. ③음식 담기가 끝났다면 주문 금액을 확인 후 [**배달 주문하기**]를 터치합니다.

3 [**비회원으로 주문하기**]를 기준으로 예시를 진행합니다.

1 ①비회원으로 진행하였기 때문에 배달 중 생기는 문제 해결을 위해 본인의 휴대폰 번호를 인증하여야 합니다. ②요청사항을 통해 배달에 필요한 정보를 추가적으로 음식점에 전달할 수 있습니다. ③**[위 내용에 모두 동의합니다]**를 체크합니다. 2 **[결제하기]**를 터치하여 결재를 진행하시면 됩니다.

CHECK 리스트

키오스크 활용하기 - 쇼핑(이마트,네이버 앱 쇼핑)

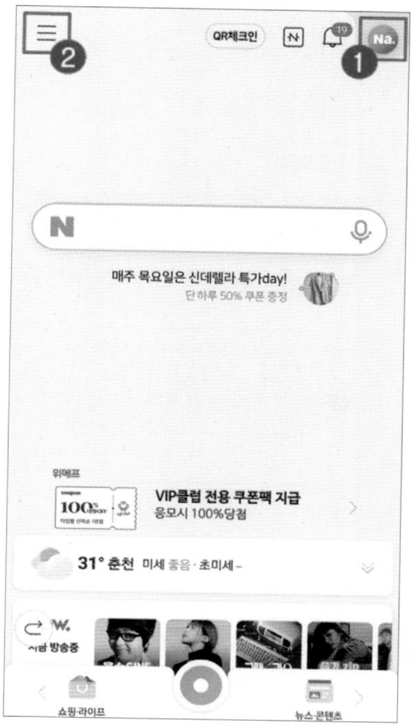

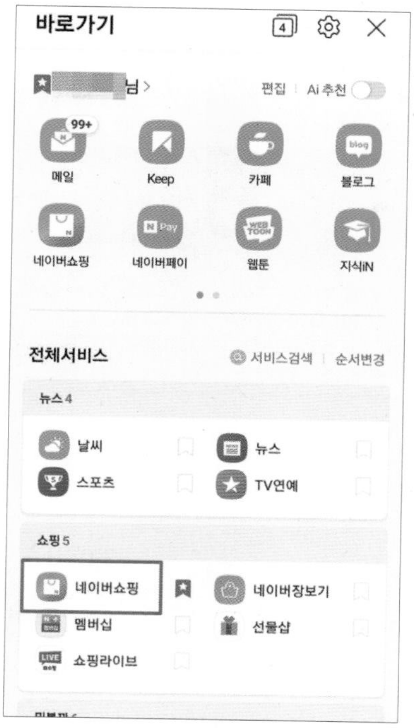

1 네이버 앱 첫 화면입니다. ①네이버 아이디로 로그인합니다. ②[**삼선**] 메뉴 버튼을 터치합니다.
2 네이버에서 지원하는 많은 기능들의 바로 가기를 확인할 수 있습니다.
전체서비스에서 [**네이버 쇼핑**]을 터치합니다. **3** ①원하는 상품을 검색할 수 있습니다.
②[**삼선**]을 터치하면 배송현황 및 장바구니를 확인할 수 있는 [**쇼핑 MY**]에 진입할 수 있습니다.

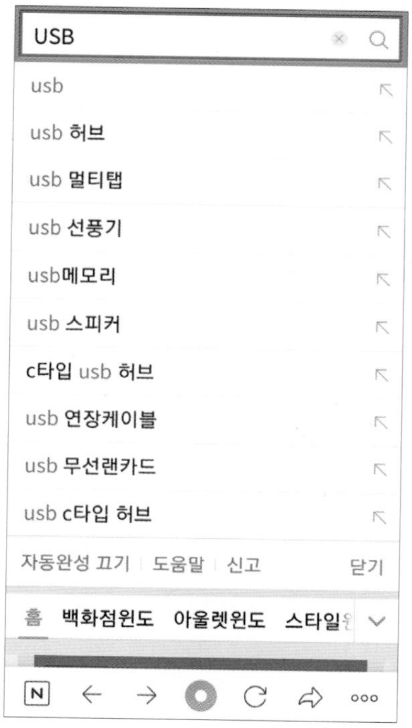

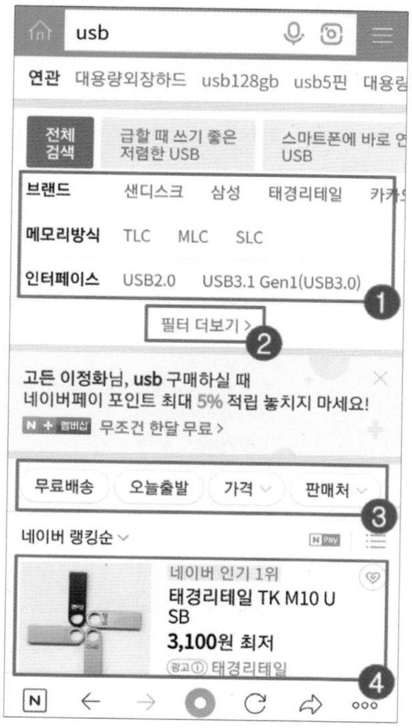

1 검색창에 원하는 상품을 입력 후 돋보기 아이콘 검색을 터치합니다. **2** ①검색한 상품 형식에 맞춰 고를 수 있는 필터가 나옵니다. ②[**필터 더보기**]를 터치하여 상세한 필터 설정을 통해 원하는 제품을 찾을 수 있습니다. ③판매자 필터를 통해 원하는 조건의 제품을 찾을 수 있습니다. ④조건에 맞는 상품을 터치합니다. **3** [**최저가 사러가기**]를 터치합니다.

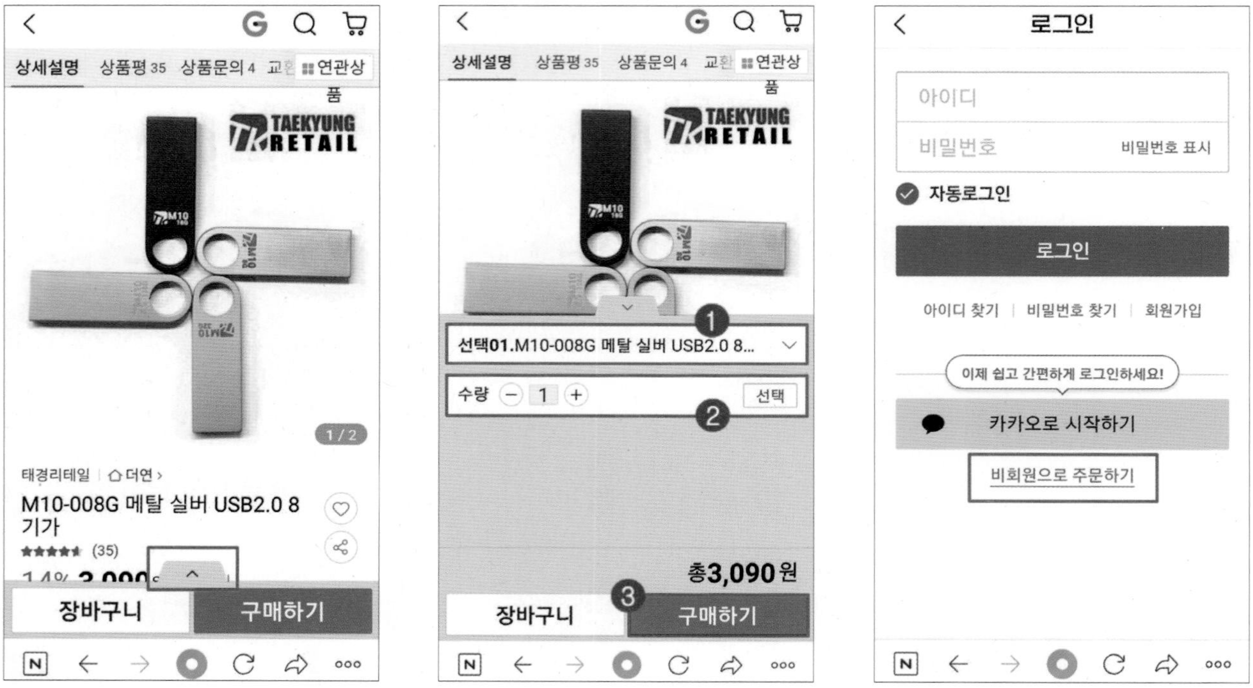

❶ 제품 옵션 더보기를 터치합니다. ❷ ①제품의 색상을 선택할 수 있습니다. ②제품 수량을 선택합니다. ③[**구매하기**]를 터치합니다. ❸ 로그인하지 않아도 비회원으로 주문할 수 있습니다. [**비회원으로 주문하기**]를 터치하여 진행합니다.

❶ ①주문자 이름, 연락처, 이메일, 비회원 주문서이기 때문에 주문한 제품에 대한 정보를 열람하는데 필요한 임시 비밀번호를 입력합니다. ②배송지를 입력합니다. ❷ ①주소를 검색하여 입력합니다. ②배송 요청사항을 선택할 수 있습니다. ❸ 결재할 카드사를 선택 후 하단 화면에 전체 동의에 체크합니다. [**결제하기**]를 터치하여 결재를 진행합니다.

키오스크 활용하기 - 이마트몰

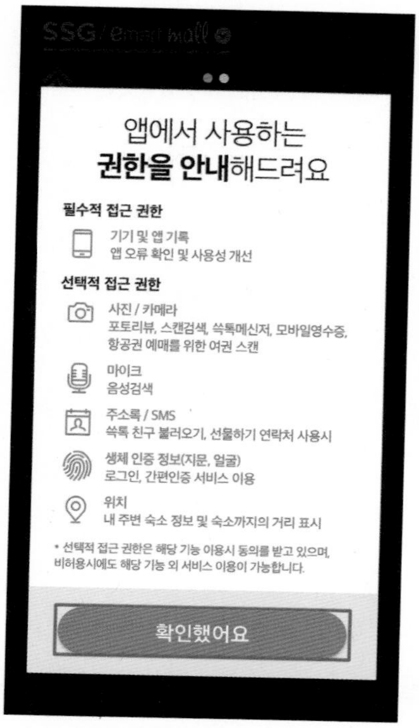

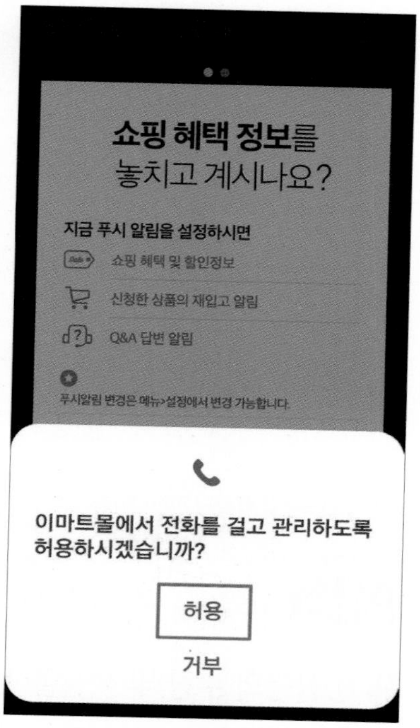

1 ①Play 스토어에서 [**이마트몰**]을 검색하여 설치 후 ②[**열기**]를 터치합니다.

2 권한 안내 확인 후 [**확인했어요**]를 터치합니다. **3** [**허용**]을 터치하여 진행합니다.

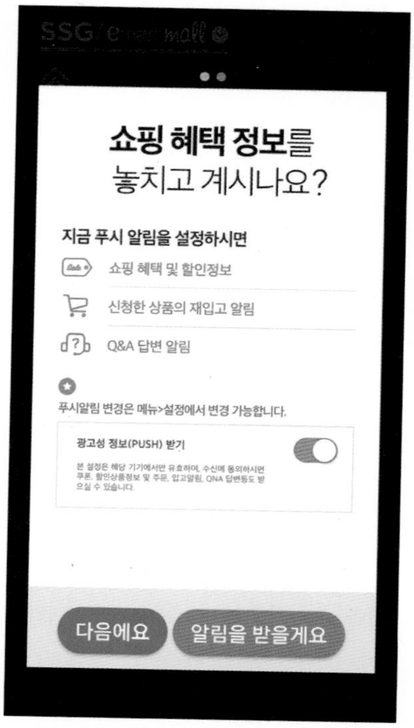

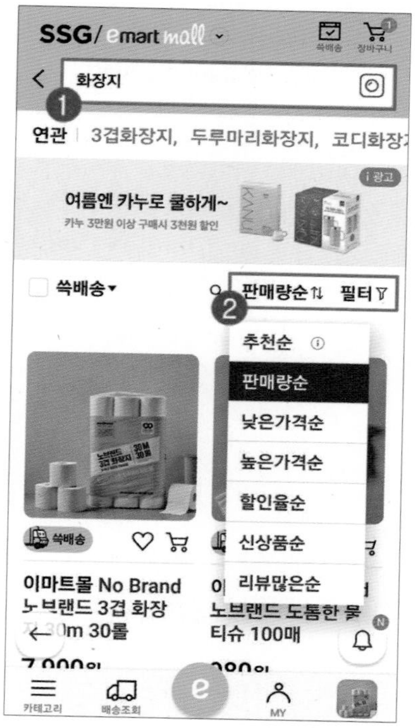

1 쇼핑 광고 알림을 받을지 여부를 선택합니다. **2** 이마트몰 홈 화면입니다.

①원하는 상품 키워드를 직접 입력하여 검색할 수 있으며 ②하단 카테고리에서 선택할 수도 있습니다.

3 ①구매할 상품을 입력 후 검색합니다. ②원하는 조건의 필터를 선택할 수 있습니다.

1 ①상품의 수량 및 색상을 선택할 수 있는 옵션 **[더보기]**입니다. ②추가로 구매할 상품이 있다면 **[장바구니]**를 터치합니다. ③추가 상품이 없다면 **[바로구매]**를 터치하여 진행합니다.

2 로그인하지 않아도 비회원으로 주문할 수 있습니다. **[비회원으로 주문하기]**를 터치하여 진행합니다.

3 주문자 이름, 연락처, 이메일, 주소, 개인정보 수집 동의 체크 후 **[주문하기]**를 터치합니다.

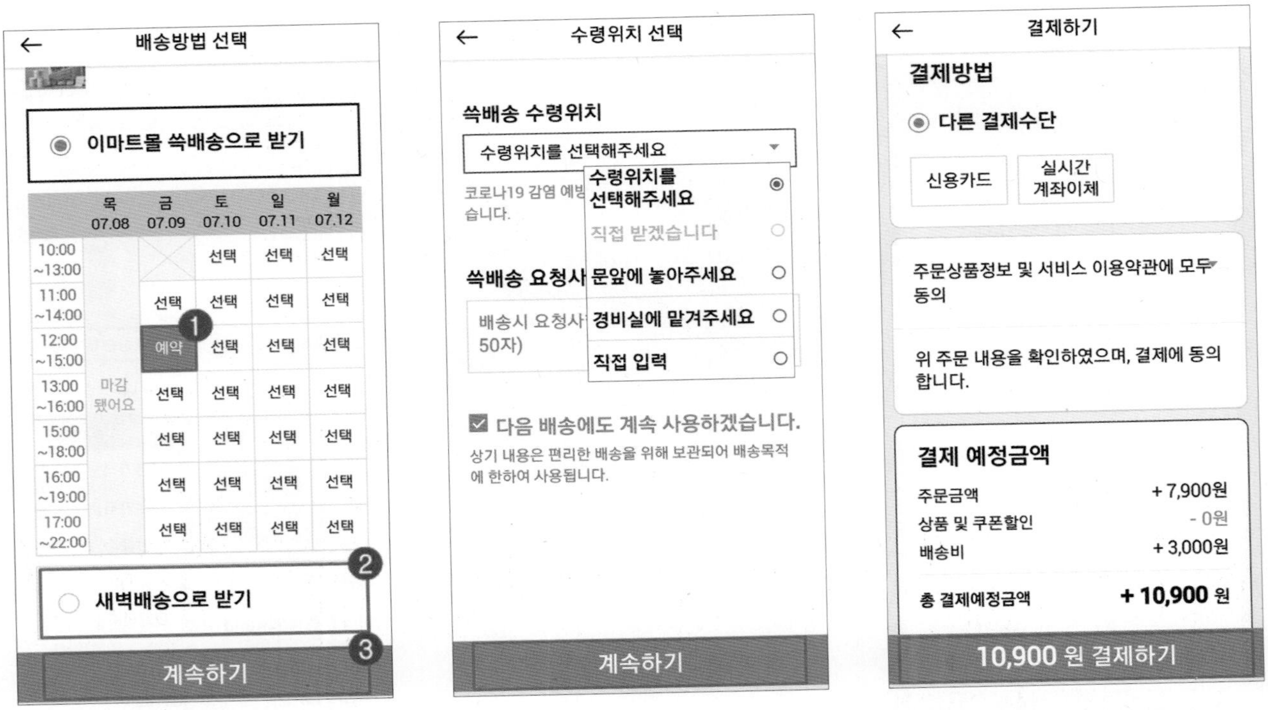

1 ①배송 날짜와 시간을 선택할 수 있습니다. ②일반 배송인지 새벽 배송인지 선택할 수 있습니다. ③**[계속하기]**를 터치합니다. **2** 배송 수령위치 선택, 요청사항 등을 입력 후 **[계속하기]**를 터치합니다. **3** 결재할 카드사를 선택합니다. 이용약관 동의 후 **[결제하기]**를 터치하고 **[휴대폰 인증]** 절차 후 결재를 진행합니다.

QR-CODE 영상으로 볼 수 있는 키오스크 현장

KTX 열차 예매하기	KTX 예매 취소하기
무인민원 발급기	베스킨라빈스31 주문하기
KFC 주문하기	맥도널드 주문하기
버거킹 주문하기	EDIYA 음료 주문하기
농협 ATM 사용하기	무인점포매장 이용하기

스마트폰, 요금제, 보험 선택하는 방법

▶ 통신사 단말기보험 선택하기

〈 SKT 단말기 보험, 2021년 7월 기준 〉

T All케어플러스 이용 요금

T All케어 서비스 자세히 보기

구분	기종	상품	이용료	자기부담금			가입 가능 단말 출고가	보상 횟수
				분실	파손	완전파손		
분실파손	안드로이드	T All케어플러스 200 >	9,900원	40만원	10만원	-	150만원 초과	분실 1회 파손 3회
		T All케어플러스 150 >	7,400원	35만원	8만원		150만원 이하 80만원 초과	
		T All케어플러스 80 >	4,900원	15만원	4만원		80만원 이하	
		T All케어플러스 폴드 >	11,500원	65만원	20만원		z-폴드 시리즈	
	애플	T All케어플러스 i200 >	10,300원	50만원	액정 10만원 리퍼 25만원		150만원 초과	
		T All케어플러스 i150 >	8,300원	40만원			150만원 이하 100만원 초과	
		T All케어플러스 i100 >	6,300원	25만원			100만원 이하	
파손	안드로이드	T All케어+파손 200 >	6,500원	-	10만원	10만원	150만원 초과	파손 3회 완전파손 1회
		T All케어+파손 150 >	5,700원		8만원	8만원	150만원 이하 80만원 초과	
		T All케어+파손 80 >	3,900원		4만원	4만원	80만원 이하	
		T All케어+파손 폴드 >	8,900원		20만원	20만원	z-폴드 시리즈	
	애플	T All케어+i200 >	7,300원		액정 10만원 리퍼 25만원	10만원	150만원 초과	파손 3회
		T All케어+i150 >	6,200원				150만원 이하 100만원 초과	
		T All케어+i100 >	5,100원				100만원 이하	

1 스마트폰 보험은 단말기 분실이나 파손에 대비해 매월 보험료를 납부하고, 단말기 분실이나 파손 시 도움을 받는 부가서비스입니다. 납부하는 보험료에 따라 단말기 분실이나 파손 시 보상받을 수 있는 금액에 차이가 있습니다.

단말기 보험은 스마트폰 교체 시에 가급적 가입하실 것을 권합니다. 약정기간 내내 납부하는 보험료가 부담된다면 스마트폰 교체 직후 3개월~6개월만이라도 보험을 가입하는 것이 바람직합니다. 스마트폰 교체 직후 새 스마트폰에 적응하는 과정에서 스마트폰을 분실하는 경우가 많기 때문이기도 하고, 구입 초기에 스마트폰을 분실하면 오랫동안 큰 부담을 감당해야 하기 때문입니다.

KT에는 스마트폰을 구입하고 1개월 이후에 가입할 수 있는 보험상품도 있지만, 통상적으로 단말기 보험은 새 폰을 구입하고 30일이 경과하면 가입이 불가능하다는 점을 꼭 기억하시기 바랍니다.

▶ 통신사 시니어요금제 선택하기

또한, 요금상품을 선택하는 것은 스마트폰을 구입하는 것 이상으로 중요합니다. 본인의 통화량과 데이터사용량 등을 참고해서 적당한 요금제를 선택하는 것이 현명한 통신생활의 첫걸음이기 때문입니다. 스마트폰을 사용하면서 수시로 통신매장에 들러 본인의 요금제를 점검하는 것도 좋은 습관입니다.

< SKT 시니어 요금제, 2021년 7월 기준 >

#만 65세 이상 ×

추천순 | 낮은가격순 ↓

상품명				월정액	선택약정 반영 금액		
T플랜 시니어 스페셜	160GB	집전화·이동전화 무제한	기본제공	79,000원	59,200원	자세히보기	
T플랜 시니어 에센스	110GB	집전화·이동전화 무제한	기본제공	69,000원	51,730원	자세히보기	
T플랜 시니어 안심4.5G	4.5GB	집전화·이동전화 무제한	기본제공	50,000원	37,460원	자세히보기	
T플랜 시니어 안심2.8G	2.8GB	집전화·이동전화 무제한	기본제공	43,000원	32,220원	자세히보기	
T플랜 시니어 세이브	1.7GB	집전화·이동전화 무제한	기본제공	33,000원	24,750원	자세히보기	
T끼리 어르신	400MB	SKT 고객간 무제한	기본제공	19,800원	14,850원	자세히보기	
뉴실버요금제	-	30분	80건	9,900원	7,425원	자세히보기	

< KT 시니어 요금제, 2021년 7월 기준 >

부가세가 포함된 실제 지불금액입니다.

데이터ON 시니어	만 65세 이상	집/이동전화 무제한	데이터 무제한 (속도제어)	월 49,000원	상세보기 / 상품리스트
시니어 베이직	만 65세 이상	집/이동전화 무제한	데이터 이월+당겨쓰기	월 33,000원	상세보기 / 상품리스트
추천 순 골든(LTE)	만 65세 이상	지정번호 통화할인	스마트 지킴이 제공	월 22,000원	상세보기 / 상품리스트
LTE WARP 골든	만 65세 이상	지정번호 통화할인	최대 500MB	월 16,500원~	상세보기 / 상품리스트

CHECK 리스트

▶ 통신사 스마트폰 계약 주의사항

스마트폰 계약을 하면서 참고할 사항입니다. 첫 번째는 내가 가입하고자 하는 통신사를 정확히 구분할 수 있어야 합니다. 알뜰폰은 통신사의 망을 임대해서 제공하는 서비스로 요금이 저렴한 장점이 있지만, 매장이 없어서 전화로만 업무가 가능한 단점이 있습니다. 수시로 매장에 방문해서 스마트폰 사용에 대해 문의를 해야하는 어르신들은 불편할 수 있으니 주의가 필요합니다.

※ MNO(Mobile Network Operator) : skt kt lgu+와 같은 이동통신사업자
※ MVNO(Mobile Virtual Network Operator) : MNO의 망을 임대하여 서비스하는 사업자
< 출처 : 한국알뜰통신사업자협회 >

구분	이동통신사업자(3개사)	알뜰폰(27개사)
의미	KT SKT LGU+ 3개 통신사	이동통신사의 망을 빌려서 통신서비스 제공
장점	✓ 직영 매장 이용 편리 ✓ 가족결합 할인 가능 ✓ 기종, 요금제 종류 다양	✓ 전체적으로 요금 저렴 ✓ 약정 조건 부담 적음
단점	✓ 기본 24개월 약정 조건	✓ 가족결합 할인 불가
매장	직영 매장이 다수 존재 (3사 합계 전국 1만여개)	직영 매장 없음 (전화로만 업무 처리)

두 번째는 통신사 직영매장과 판매점을 구분해야 합니다. 통신사 직영매장은 각 통신사에서 직접 관리하는 매장으로, 해당 통신사의 요금제 가입이 가능하고 고객정보 전산을 통해 개통~요금수납 ~ 명의변경 등 모든 업무처리가 가능합니다. 판매점은 통신사와 직접적인 계약 관계가 없어서 모든 통신사의 요금제와 단말기 상담이 가능한 장점이 있습니다.

< KT직영매장 / SKT 직영매장 >

< 판매점 >

구분	직영대리점	판매점
간판	KT SKT LGU+ 등 특정 통신사만 명시	통신사 로고를 다양한 형태로 조합 가능
전산 프로그램	통신사 전산을 통해 사용내역 조회 가능	거래처 대리점을 통해 전화로 정보 조회
상품•서비스	특정 통신사 단말기와 요금제만 안내	여러 통신사 단말기와 요금제 상담
매장 지속성	통신사에서 지원하는 형태로 매장 변동 적음	개인이 운영하는 형태로 매장 변동이 많음

세 번째는, 통신서비스 계약에 대한 안내입니다.

①통신서비스 계약은 기기를 구입하는 계약과 요금제를 약정하는 계약 2건으로 진행됩니다

②스마트폰 할부 계약은 무이자가 아니라 5.9% 할부이자가 있습니다

③요금제 약정 가입은 기본 24개월이고, 자급제폰이나 중고폰은 12개월 약정도 가능합니다

네 번째는 통신서비스 계약 주의사항입니다.

①전화가입 권유는 가급적 거절하세요 (각 통신사에서 고객관리를 위해 좋은 조건을 제시하는 전화 상담도 있지만, 상담내용과 다르게 가입이 이루어져서 피해를 보는 경우도 있습니다)

②할부원금과 할부기간을 꼭 확인하세요 (월 통신요금을 낮추기 위해 할부기간을 길게 설정하는 방법은 할부이자로 인해 부담만 키울 수 있습니다)

③개인별 데이터 사용량에 맞는 요금제를 선택하세요

④가족들이 같은 통신사에 가입해 결합할인을 받는 것도 좋은 방법입니다

⑤매월 요금할인을 받을 수 있는 제휴카드 할인도 검토해보세요

CHECK 리스트

유용한 앱 활용하기

▶ 스마트폰 하나면 노래방이 필요없다 (노래방 종결자)

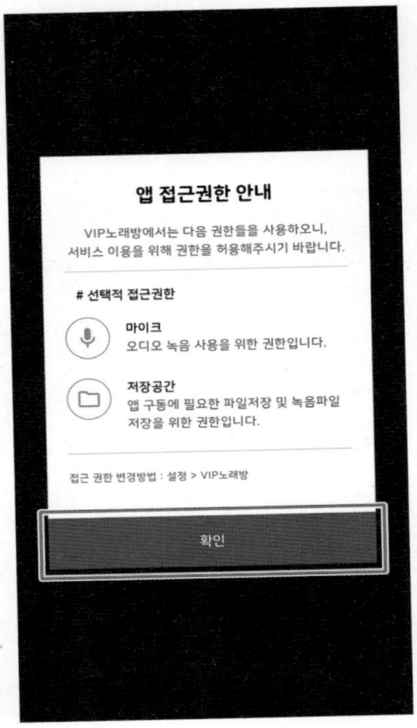

1 Play 스토어에서 [**노래방 종결자**]를 검색합니다. 2 어플 설치를 위해 앱 접근권한 안내를 확인합니다. 3 인기차트 등을 통해 음악 재생이 가능합니다.

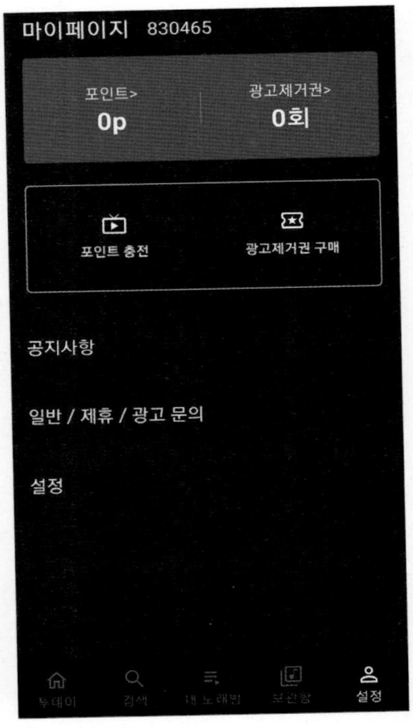

1 음악을 선택하면 녹음시작, 정지를 통해 본인의 노래를 녹음하고 공유할 수 있습니다. 2 검색 기능을 통해 원하는 음악을 찾아볼 수 있습니다. 3 마이페이지에 충전된 포인트 등을 확인할 수 있습니다.

▶ LED 전광판

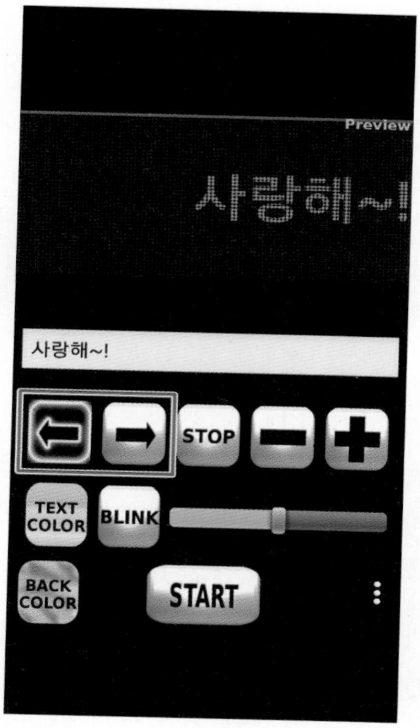

1 Play 스토어에서 [LED전광판]을 검색합니다. 2 좌우 화살표 버튼으로 글씨가 움직이는 방향을 설정할 수 있습니다. 3 ━ ✚ 버튼으로 글씨 크기를 조정할 수 있습니다.

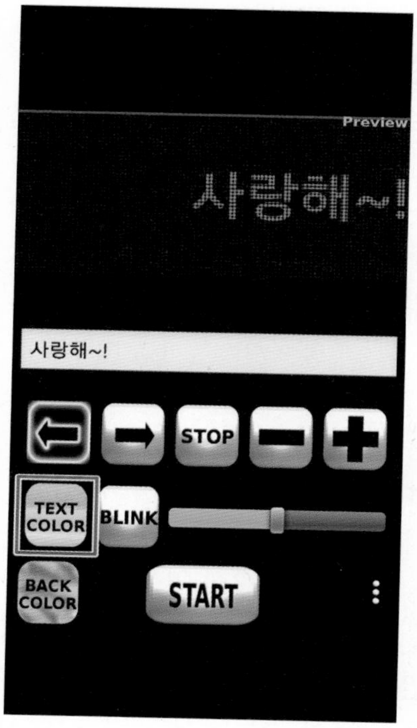

1 [TEXT COLOR] 버튼으로 글씨 색상을 조정할 수 있습니다. 2 [BACK COLOR] 버튼으로 배경 색상을 조정할 수 있습니다. 3 [START] 버튼으로 조정한 내용을 실행할 수 있습니다.

꼭 알고 활용하면 좋은 유용한 앱 소개

▣ 스마트쉼센터(www.iapc.or.kr)

스마트쉼센터는 과학기술정보통신부 산하기관으로 우리나라 국민들의 스마트폰 과의존을 예방하고 해소할 수 있는 전문적인 업무를 진행하는 기관입니다. 2002년 서울을 시작으로 현재 제주까지 총 17개 광역 시도에 18개소를 운영하고 있습니다.
스마트쉼센터에 상담을 신청하시면 되는데요. 스마트쉼센터 대표 전화번호 1599-0075로 전화 주시거나 스마트쉼센터 누리집을 통해 직접 원하는 상담을 신청해 주시면 됩니다. 상담과 교육은 모두 무료로 진행되고 있습니다.

▣ 스마트초이스(www.smartchoice.or.kr)

통신서비스 이용자에게 통신요금, 통신서비스 관련 정보를 알기 쉽고 체계적으로 제공하기 위해 한국통신사업자연합회에서 운영하는 통신요금 정보포털 '스마트초이스' 앱입니다.
'할인 반환금 조회' 서비스가 추가되었습니다. 지금 가입한 통신상품을 해지한다면 발생하는 현재 할인반환금을 쉽게 확인해보세요.

▶ 스마트초이스 주요 서비스는 '이동전화 요금제 추천' '단말기 지원금 조회' '월납부액 계산하기' '통신 미환급액 조회' 등 다양한 서비스를 활용할 수 있도록 안내하고 있습니다.

▣ 건강e음

건강보험심사평가원의 모바일 앱 서비스인『건강e음』은 기관 홈페이지(www.hira.or.kr)의 주요 조회·신청서비스를 모바일 환경에서 쉽고 편리하게 이용할 수 있도록 구성하였습니다.

▶ 건강e음 주요서비스

※ 비급여 진료비 정보: 의료기관에서 제출한 비급여 진료비용의 가격 등을 확인하여 공개함으로서, 해당 의료기관의 적정한 비급여 제공과 의료기관을 이용하는 환자의 합리적인 선택을 돕습니다.

※ 내 진료정보 열람: 내가 낸 진료비, 총 진료비 등과 진료내역, 처방조제내역 등의 정보를 확인할 수 있습니다.

※ 나의 건강수첩: 올 한해의 한방 추나요법, 치과 스케일링, 물리치료, 응급진료, 방사선단순영상 촬영 횟수 등 나의 의료이용 정보를 확인할 수 있습니다.

▣ 경찰청 사이버캅

최근 온라인 중고거래가 많이 늘어남에 따라, 관련 사기 등 피해도 증가하고 있습니다.
이런 온라인 중고거래를 안전하게 할 수 있는 방법은 어떤것이 있을까요?
바로 '경찰청 사이버캅' 앱을 이용하는 방법이 있습니다.
인터넷으로 물품을 거래할 때, 판매자의 계좌번호나 전화번호가 최근 3개월 동안 3회 이상 경찰에 인터넷 사기로 신고 접수된 번호인지 검색 기능이 있어, 온라인 물품 거래 시, 보다 안전하게 거래할 수 있습니다. 또한 스미싱 및 악성 앱 탐지, 가짜 안전거래 사이트 확인 기능 제공 및 신규 스미싱 수법 경보령 등 사이버 범죄 피해 예방을 위한 공지사항 업데이트 등 유용한 기능이 많으니 '경찰청 사이버캅' 앱을 설치해서 사용해 보면 좋습니다.

■ 시티즌코난

백신 앱이라는 이 앱은 보이스피싱 피해를 막기 위해 경찰대학 치안정책연구소 스마트 치안지능센터와 인피니그루가 공동으로 개발했습니다.

설치만 하면 24시간 내내 실시간으로 보이스피싱 등 위협이 되는 바이러스를 감지하는 앱이라는 것입니다. 이 앱은 24시간 악성 앱 감시를 하고 있어서 백 그라운드에서 계속 실행되고 있습니다.

배터리 소모는 거의 없다고 합니다.

피싱아이즈는 경찰청 및 제휴금융사와 다양한 유형의 피싱에 대해 공동으로 분석하고 대응함으로써, 이용자들에게 최적의 예방 솔루션을 제공합니다.

[시티즌코난 핵심 기능]

※ 가족 및 지인 보호 알림 : 보호 대상으로 번호를 등록한 가족 및 지인의 휴대폰에서 악성 앱 설치 및 보이스피싱 의심 징후 탐지 시 고객님께 알림 제공

※ 제휴 금융사 연동 : 보이스피싱 의심 징후 발견되는 순간 사용자가 동의한 제휴사와 공동으로 대응하여 론대출 실행 시 지연 입금 처리

(제휴사 : 경찰청, 신한카드, 신한은행, SBI저축은행, BNK캐피탈, KORBIT, KCB, 신한저축은행, 하나저축은행, NH농협카드, 코나아이) 2022.11.21 기준

■ 응급의료정보제공

보건복지부는 응급의료 수요증가 및 급변하는 IT(정보기술) 환경에 부응하기 위하여 스마트폰을 이용한 응급의료 관련 정보제공을 시작합니다.

[응급의료정보제공 앱 주요 기능]

※ 지도 중심으로 실시간 진료 가능한 병원 찾기

- 내 위치를 중심으로 주변 병의원 및 약국을 검색할 수 있습니다.

※ 즐겨찾기로 자주 가는 병의원 및 약국 모아 보기

- 자주 가는 병원을 즐겨찾기에 등록하고, 등록된 병원의 상세정보를 빠르게 찾을 수 있습니다.

※ 응급실 상황 한눈에 보기

- 현재 위치를 기반으로 각 응급실의 세부 상황을 한눈에 파악할 수 있습니다.

※야간/주말 진료 가능한 병원 찾기

- 야간이나 주말에 현재 운영 중인 병의원 및 약국을 빠르게 찾을 수 있도록 아이콘을 제공하고 있습니다.

※ 현 위치 중심으로 내 주변 AED 찾기

- 내 주변에 있는 AED(자동 심장 충격기)를 빠르게 찾을 수 있고, 점검 상태를 알 수 있습니다. (60일 이내 점검 여부)

※ 명절 응급의료기관(휴일지킴이약국)찾기

- 명절 시기에 운영하는 병의원 및 약국을 조회할 수 있습니다.

SNS소통연구소, 스마트폰 교육 문화부터 바꾼다!

전 세계 모든 교육 문화를 바꿀 때까지!

스마트폰 활용
제대로 배우고 익히면 당신의 인생이 즐거워집니다!